キリトリ

1 草花《くさばな》の　せわ

ようてんまるごとチェックカード　せいかつ

●たねの　まきかた

土《つち》を まぜる。 → ゆびで（ ① ）を あける。 → たねを あなに 入《い》れ，土を かぶせる。 → （ ② ）を たっぷり かける。

●いろいろな　花《はな》と　たね

（ ③ ）　コスモス　マリーゴールド　（ ④ ）

こたえ　①あな　②水《みず》　③アサガオ　④ヒマワリ

キリトリ

2 きせつの　草花《くさばな》

ようてんまるごとチェックカード　せいかつ

●アサガオの　そだち

・ア　ねを まいて しばらく すると，（ ① ）が 出《で》ます。
・た　なると，つるが のびて しちゅうに まきつきます。
や　）が さきます。
・花《はな》　らと，かれて たくさんの （ ③ ）が できます。

●いろい　そだち

・アサ　フリ，マリーゴールドなどは
（　だてますが，チューリップや
ヒヤ　（ ⑤ ）から そだてます。

チューリップの きゅうこん

こたえ　①め　②花《はな》　③たね　④たね　⑤きゅうこん

キリトリ

3 のはらの　ようす

ようてんまるごとチェックカード　せいかつ

●こうえんの　ようす

・はるの こうえんには，（ ① ）が さき，チョウが とんで います。草花《くさばな》は まだ あまり そだって いません。
・なつの こうえんでは，（ ② ）が ないて います。草花の せたけが 大《おお》きく なって います。
・あきの こうえんでは，じめんに （ ③ ）が たくさん 見《み》られます。

はるの こうえん

なつの こうえん

あきの こうえん

こたえ　①花《はな》〈タンポポ・サクラ・チューリップ〉　②セミ　③おちば〈はっぱ〉
※〈 〉は，ほかの こたえかたです。

キリトリ

4 草花《くさばな》の　あそびかた

ようてんまるごとチェックカード　せいかつ

●草花あそび

・（ ① ）で，かんむりを つくる ことが できます。
・（ ② ）で，ふねを つくる ことが できます。
・どんぐりで，こまや，（ ③ ）を つくる ことが できます。

シロツメクサの かんむり

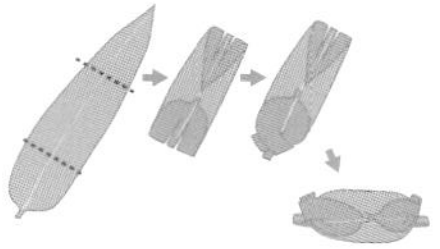

ササの ふね

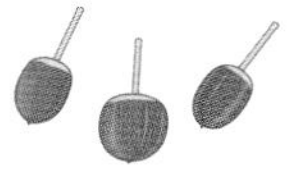

どんぐりの こま

どんぐりの やじろべえ

●いろ水《みず》あそび

・アサガオの 花《はな》を つぶして つくった いろ水の いろは，（ ④ ）の いろに よって ちがいます。

こたえ　①シロツメクサ　②ササ　③やじろべえ　④花

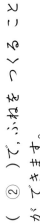

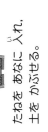

1 草花《くさばな》の　せわ　　チェックテスト①

1　アサガオの　たねを　まきます。アサガオの　たねを，ア〜エから　えらびましょう。

ア　イ　ウ　エ

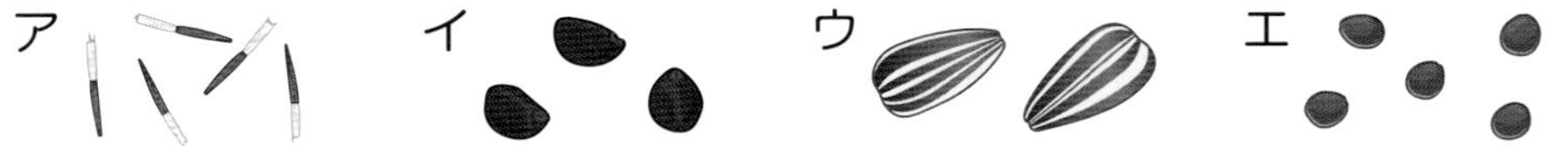

2　アサガオの　めが　出《で》たので，かんさつカードに　かきました。あ〜えから，かんさつカードに　かかない　ことを１つ　えらびましょう。

あかんさつした　日《ひ》　　いかんさつした　もの
う先生《せんせい》の　名《な》まえ　　えかんさつした　ときの　気《き》もち

こたえ　**1** イ　**2** う

2 きせつの　草花《くさばな》　　チェックテスト②

1　アサガオの　たねを　まきました。そだつ　じゅんに，あ〜うを　ならべましょう。

アサガオの　たね

あ　い　う

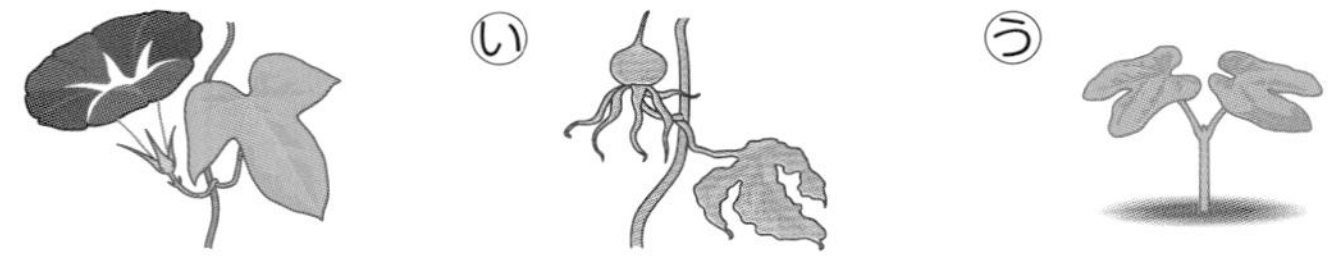

2　右《みぎ》の　草花の　うち，きゅうこん　から　そだてる　ものを　ぜんぶ　こたえましょう。

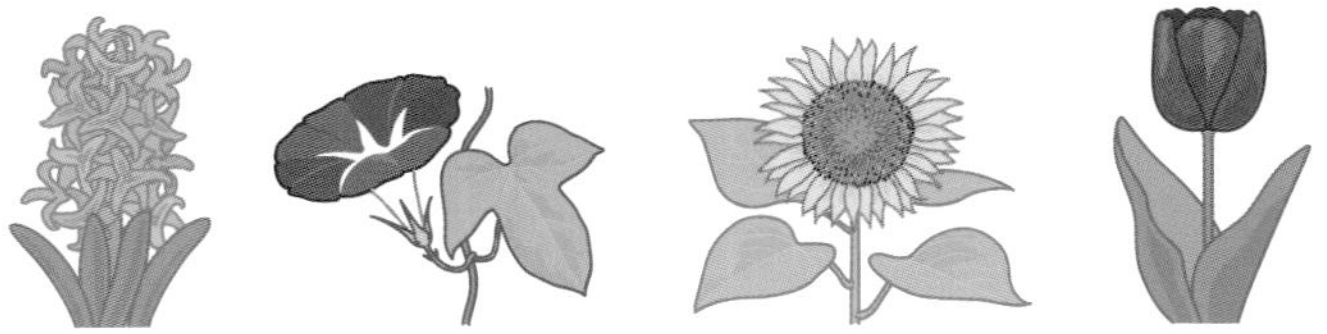
ヒヤシンス　アサガオ　ヒマワリ　チューリップ

こたえ　**1** う→あ→い　**2** ヒヤシンス，チューリップ

3 のはらの　ようす　　チェックテスト③

1　右《みぎ》の　ずは，はる，なつ，あきの，こうえんの　ようすです。

ア

イ

ウ

①　はるの　こうえんは，ア〜ウの　どれですか。
②　なつの　こうえんは，ア〜ウの　どれですか。
③　あきの　こうえんは，ア〜ウの　どれですか。
④　どんぐりなどが　おちて　いるのは，はる，なつ，あきの　うちの　いつですか。
⑤　サクラの　はなが　さいて　いるのは，はる，なつ，あきの　うちの　いつですか。

こたえ　**1** ①ウ　②ア　③イ　④あき　⑤はる

4 草花《くさばな》の　あそびかた　　チェックテスト④

1　右《みぎ》の　草花や　木《き》のみで　あそびます。

シロツメクサ　どんぐり　ササ

①　ふねを　つくるのに　むいて　いるのは　どれですか。
②　こまを　つくるのに　むいて　いるのは　どれですか。
③　かんむりを　つくるのに　むいて　いるのは　どれですか。
④　やじろべえを　つくるのに　むいて　いるのは　どれですか。

2　草花で　あそびます。正《ただ》しい　ものは　どちらですか。

ア　草花は，あまっても　よいから，できるだけ　たくさん　とる。
イ　草花は，つかう　ぶんだけ　とって，とりすぎないように　する。

こたえ　**1** ①ササ　②どんぐり　③シロツメクサ　④どんぐり　**2** イ

キリトリ

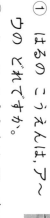

5 生《い》きものの　せわ①

●虫《むし》の　せわ

・かならず　まい日《にち》，せわを　しましょう。
・せわを　したら，かならず（　①　）を　あらいましょう。
・かんさつが　おわったら，もと　いた　ところに　かえしましょう。

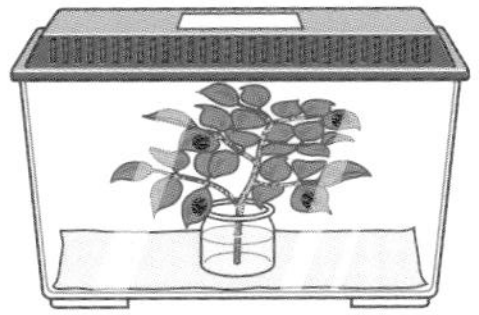

テントウムシの　かいかた

（　②　）の　かいかた

（　③　）の　かいかた

こたえ　①手《て》　②コオロギ　③オンブバッタ

6 生《い》きものの　せわ②

●どうぶつの　かいかた

・かう　まえに，
　▶かう　ばしょ
　▶どうぶつに　やる（　①　）
　▶休《やす》みの　日《ひ》の　せわの　しかた
　などを　かんがえます。
・さわる　ときは　きれいな　手《て》で　さわりましょう。さわった　あとは，（　②　）を　あらって，うがいを　しましょう。

●どうぶつの　名《な》まえ

ヤギ

（　③　）

（　④　）

ハムスター

こたえ　①えさ　②手　③ウサギ　④ニワトリ

7 生《い》きものの　かんさつの　しかた

●虫《むし》や　どうぶつの　ようすを　見《み》てみよう

・いろや，かたち，（　①　）などを　見ましょう。
・いろいろな　むきから　見て　みましょう。
・たかさや　ながさも　くらべましょう。じぶんの（　②　）の　大《おお》きさと　くらべたり，みぢかに　ある　ものを　つかって　くらべたり　します。
・ともだちが　かんさつして　いる　生きものとも　くらべて　みましょう。
・虫や　どうぶつの　うごいて　いる　ようすも　見て　みましょう。
・虫や　どうぶつの　からだの（　③　）ところも　見て　みましょう。

こたえ　①大《おお》きさ　②からだ　③こまかい

8 きろくの　とりかた

●きろくカード

・かんさつした　ことや，みつけた　ことなどを　きろくカードに　かきましょう。
・きろくカードには，じぶんの（　①　）や　学年《がくねん》，くみと，きろくした（　②　）を　かきましょう。
・気《き》づいた　ことや，じぶんが（　③　）を，ことばで　かきましょう。
・そのときの　ようすを，ことばだけで　なく，（　④　）でも　かきましょう。

げんきにそだってね　9月10日
こんにちはモルモット
1年1くみ　なまえ　ふじた　けい
きょうはじめてモルモットにさわりました。モルモットはふわふわしています。
とてもかわいかったです。

こたえ　①名《な》まえ　②月日《つきひ》　③おもった　こと　④え

キリトリ

5 生《い》きものの　せわ①　チェックテスト⑤

1 コオロギを　かいます。

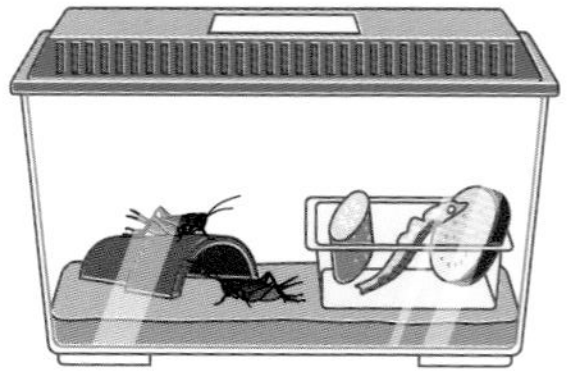

① ナス，キュウリ，にぼしなどを　ケースに　入《い》れるのは　どうしてですか。ア～ウから　正《ただ》しい　ものを　えらびましょう。

ア　コオロギが　かくれるため。

イ　コオロギが　あそぶため。　　ウ　コオロギが　たべるため。

② 正しい　せわの　しかたを，ア～ウから　えらびましょう。

ア　かならず　まい日《にち》，せわを　する。

イ　コオロギと　あそびたく　なったら，せわを　する。

ウ　コオロギに　げんきが　なくなって　きたら，せわを　する。

こたえ　**1** ①ウ　②ア

キリトリ

6 生《い》きものの　せわ②　チェックテスト⑥

1 どうぶつの　せわを　します。

① どうぶつに　さわった　あとに，まず，なにを　しますか。正《ただ》しい　ことを　ア～エから　えらびましょう。

ア　きがえを　する。　　イ　かおを　あらう。

ウ　手《て》を　あらう。　　エ　はなを　かむ。

② ウサギや　モルモットを　だくと，どんな　かんじが　しますか。ア～ウから，正しい　ものを　ぜんぶ　えらびましょう。

ア　わたしたちの　からだとは　ちがって，つめたい。

イ　わたしたちの　からだと　おなじように，あたたかい。

ウ　わたしたちの　からだと　おなじように，どきんどきんと　している。

こたえ　**1** ①ウ　②イ，ウ

キリトリ

7 生《い》きものの　かんさつの　しかた　チェックテスト⑦

1 虫《むし》や　どうぶつの　ようすを，くわしく　見《み》ます。ア～エから　正《ただ》しい　ものを　ぜんぶ　えらびましょう。

ア　虫や　どうぶつは，大《おお》きさは　おなじなので，大きさは　見なくて　よい。

イ　虫や　どうぶつの　大きさを　見る　ときは，みぢかな　ものや，じぶんの　からだと　くらべると　わかりやすい。

ウ　大きさの　ちがいを　しらべる　ことは　たいせつだが，いろや　もようなど，そのほかの　ことは　しらべなくて　よい。

エ　大きさだけで　なく，ほかの　虫や　どうぶつと　どんな　ところが　ちがうか，しらべると　よい。

こたえ　**1** イ，エ

キリトリ

8 きろくの　とりかた　チェックテスト⑧

1 どうぶつの　せわを　した　ことを，きろくカードに　かきます。ア～オから　正《ただ》しい　ものを　ぜんぶ　えらびましょう。

ア　ことばだけで　かかなくては　ならない。

イ　えも　つかって　かくと，わかりやすく　なる。

ウ　せわを　した　ときに　おもった　ことは，じぶんで　おもっただけなので，かかない　ほうが　よい。

エ　見《み》て　わかった　ことだけで　なく，そのときに　じぶんが　おもった　ことや，かんがえた　ことも　かいて　おく。

オ　月《つき》日《ひ》は　あまり　たいせつな　ことでは　ないので，かかなくて　よい。

こたえ　**1** イ，エ

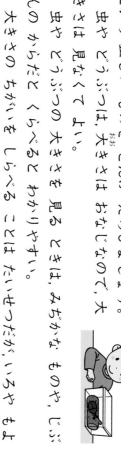

9 学校《がっこう》たんけん

ようてんまるごとチェックカード　せいかつ

●学校の　中《なか》の　へや

（　①　）

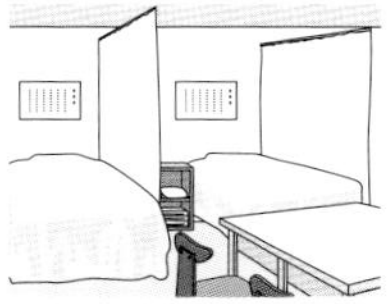

ほけんしつ

（　②　）

きゅうしょくしつ

●たんけんの　しかた

・へやに　入《はい》る　ときや，出《で》る　ときには（　③　）を　しましょう。
・人《ひと》の　はなしは　よく　ききましょう。おれいも　しっかり　いいましょう。
・じゅぎょう中《ちゅう》は，（　④　）に　あるいて　いどうしましょう。

こたえ　①としょしつ　②おんがくしつ　③あいさつ　④しずか

10 一日《いちにち》に　やる　こと

ようてんまるごとチェックカード　せいかつ

●一日に　やる　こと

・あさ　おきると，きがえを　して，あさごはんを　たべたり，（　①　）を　あらったり，（　②　）を　みがいたり　してから，学校《がっこう》へ　いきます。
・学校から　かえり，よるに　なると，夕《ゆう》ごはんを　たべたり，（　③　）に　入《はい》ったり　してから　ねます。
・ねる　まえには，つぎの　日《ひ》の（　④　）を　します。

●お手《て》つだい

・いえでは，かぞくと　いっしょに　いえの　しごとを　します。せんたくものを　たたんだり，おさらを　あらったり，お手つだいを　しましょう。また，（　⑤　）で　できる　ことを　ふやして　いきましょう。

こたえ　①かお　②は　③おふろ　④じゅんび　⑤じぶん

11 あそぶ　ときの　きまり

ようてんまるごとチェックカード　せいかつ

●こうえんで　あそぶ　ときの　きまり

みんなで　つかう　ものは，（　①　）を　まもる。

ほかの　人《ひと》の　めいわくに　ならないように　する。

花《か》だんなどには（　②　）。

こうえんの　きまりを（　③　）。

こたえ　①じゅんばん　②入《はい》らない　③まもる

12 こうつうルール

ようてんまるごとチェックカード　せいかつ

●みちを　あるく　ときの　きまり

みちの（　①　）を　あるく。

みちを　わたる　ときは，とまって（　②　）を　たしかめる。
しんごうを　まもる。

あるく　ときは，よく（　③　）を　見《み》る。

こたえ　①はし　②左右《さゆう》　③まえ

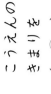

9 学校《がっこう》たんけん　　チェックテスト⑨

1 学校で つぎの ①～④の ときには，どこへ いけば よいですか。それぞれ 正《ただ》しい ものを，下《した》の ア～エから えらびましょう。

① ゆびを けがした とき。　② うさぎの せわを する とき。
③ がっきを ひく とき。　④ 本《ほん》を かりる とき。

ア

おんがくしつ

イ
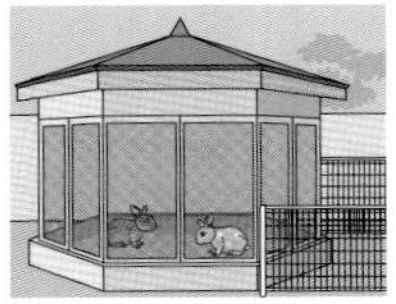
しいくごや
（しいくしつ）

ウ
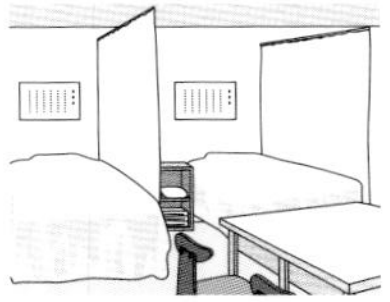
ほけんしつ

エ

としょしつ

こたえ　**1** ①ウ　②イ　③ア　④エ

キリトリ

10 一日《いちにち》に やる こと　　チェックテスト⑩

1 あ～えは，一日に やる ことです。じゅんばんに ならべましょう。

あ

おきる。

い

おふろに 入《はい》る。

う

きがえる。

え

学校《がっこう》へ いく。

2 いえの しごとに ついて，ア～ウから 正《ただ》しい ものを えらびましょう。

ア いえの ことは，ぜんぶ いえの 人《ひと》に やって もらって よい。
イ いえの 人に おしえて もらいながら，できる ことから やる。
ウ いえの 人には いわないで，いえの ことを どんどん やる。

こたえ　**1** あ→う→え→い　**2** イ

キリトリ

11 あそぶ ときの きまり　　チェックテスト⑪

1 こうえんで あそびます。ア～エから 正《ただ》しい ものを ぜんぶ えらびましょう。

ア こうえんは 子《こ》どもたちの ものなので，じゆうに はしりまわって よい。
イ こうえんは みんなの ものなので，ほかの 人《ひと》の めいわくに ならないように あそぶ。
ウ どうぐで あそぶ ときは，じゅんばんを まもって あそぶ。
エ どうぐで あそぶ ときは，はやく どうぐを とった 人だけが，ずっと あそんで よい。

こたえ　**1** イ，ウ

キリトリ

12 こうつうルール　　チェックテスト⑫

1 みちの あるきかたで 正《ただ》しい ものを，ア～エから ぜんぶ えらびましょう。

みちの まん中《なか》を あるく。

みちの はしを あるく。

みちを わたる ときは たちどまって 左右《さゆう》を 見《み》る。

車《くるま》が こないと おもったら，すぐに はしって わたる。

こたえ　**1** イ，ウ

キリトリ

キリトリ

13 みの　まわりの　あんぜん

ようてんまるごとチェックカード　せいかつ

●あんぜんを　まもる　「いかのおすし」

いか

しらない 人《ひと》には,
ついて（ ① ）。

の

しらない 人の
車《くるま》には（ ② ）。

お

あぶない ときに
は（ ③ ）で
さけぶ。

す

（ ④ ）に にげる。

し

ちかくの 人などに（ ⑤ ）。

●ひなんする　ときの
「おはしも」

お さない。
は しらない。
し ゃべらない。
も どらない。

「おかしも」とも いいます。
か は「かけない」。

こたえ　①いかない　②のらない　③大《おお》ごえ　④すぐ　⑤しらせる

キリトリ

14 どうぐの　つかいかた

ようてんまるごとチェックカード　せいかつ

●いろいろな　どうぐ

きる どうぐ

（ ① ）
・はの おくで きる。
・きる ものを うごか
して きる。
・人《ひと》に わたす ときは
もつ ほうを むける。

あなを あける どうぐ
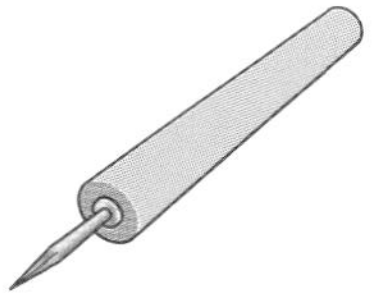
（ ② ）
・先《さき》を 人に むけない。
・あなを あける もの
が うごかないよう
に する。

つける どうぐ
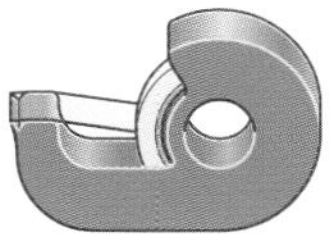
（ ③ ）
・つかう ぶんだけ
きって つかう。

つける どうぐ
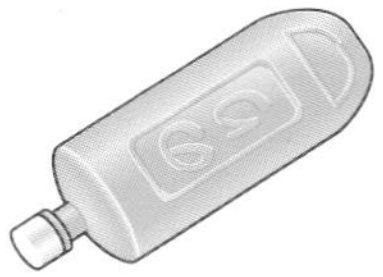
（ ④ ）
・つかう ぶんだけ
出《だ》して うすく
のばす。

こたえ　①はさみ　②きり　③セロハンテープ　④のり

キリトリ

15 あいさつ

ようてんまるごとチェックカード　せいかつ

●いろいろな　あいさつ

・ごはんを たべる ときは,「いただきます」と いいます。
・ごはんを たべおわった ときは,「（ ① ）」と いいます。
・ひるま, しって いる 人《ひと》に あった ときは,「（ ② ）」と いいます。
・よる, しって いる 人に あった ときは,「（ ③ ）」と いいます。
・あさ, 学校《がっこう》で 先生《せんせい》に あった ときは,「（ ④ ）」と いいます。
・学校から かえる ときは,「（ ⑤ ）」と いいます。
・出《で》かける ときは,「いってきます」と いいます。
・いえに かえった ときは,「ただいま」と いいます。
・かぞくが いえに かえって きた ときは,「（ ⑥ ）」と いいます。
・よる, ねる ときは,「（ ⑦ ）」と いいます。

こたえ　①ごちそうさまでした　②こんにちは　③こんばんは　④おはようございます
⑤さようなら　⑥おかえりなさい　⑦おやすみなさい

キリトリ

16 はなしかたと　ききかた

ようてんまるごとチェックカード　せいかつ

●わかりやすく　はなす

・わかった ことや, おもった ことを はなす
ときは,（ ① ）な こえで はなします。
・（ ② ）も つかって はなすと, きく 人《ひと》に
つたわりやすく なります。
・さいごに, みんなの（ ③ ）を ききます。

●しっかり　きく

・はっぴょうする 人の はなしを きいたら,（ ④ ）を つたえます。
・はなしを きいて わからなかった ことや, ぎもんに おもった ことが
あったら,（ ⑤ ）を します。

こたえ　①大《おお》き　②みぶり　③いけん　④いけん　⑤しつもん

キリトリ

13 みの　まわりの　あんぜん　　チェックテスト⑬

1　あんぜんを　まもる「いかのおすし」に　ついて，（　　）に　あてはまる　ことばを　こたえましょう。

・しらない　人《ひと》には　ついて（　①　）。しらない　人の　車《くるま》には（　②　）。

2　ひなんする　ときの「おはしも」に　ついて，（　　）に　あてはまる　ことばを　こたえましょう。

・あるいて　いる　とき，まえの　人を（　①　）。

・ひなんする　ときには，（　②　）。

・ひなんの　とちゅうで，ほかの　人と　しゃべらない。

・わすれものが　あっても，ひなんの　とちゅうで（　③　）。

こたえ　**1** ①いかない　②のらない　**2** ①おさない　②はしらない　③もどらない

キリトリ

14 どうぐの　つかいかた　　チェックテスト⑭

1　どうぐの　つかいかたで，正《ただ》しい　ものを　ア～オから　ぜんぶ　えらびましょう。

ア　はさみで　かみを　まるく　きる　ときは，かみを　まわしながら　きる。

イ　あつい　かみを　きる　ときは，はさみの　先《さき》の　ほうで　きる。

ウ　のりで　かみを　くっつける　ときは，できるだけ　おおく　のりを　出《だ》す。

エ　はさみを　人《ひと》に　わたす　ときは，はの　ほうを　あいてに　むけて　わたす。

オ　きりを　つかう　ときは，きりの　先を　人に　むけない。

こたえ　**1** ア，オ

キリトリ

15 あいさつ　　チェックテスト⑮

1　つぎの　とき，どんな　あいさつを　すると　よいか，（　　）に　あてはまる　あいさつの　ことばを　こたえましょう。

あさ　おきた　とき
「（　①　）」

ごはんを　たべる　とき
「（　②　）」

出《て》かける　とき
「（　③　）」

いえに　かえった　とき
「（　④　）」

こたえ　**1** ①おはようございます〈おはよう〉　②いただきます　③いってきます　④ただいま

キリトリ

16 はなしかたと　ききかた　　チェックテスト⑯

1　みんなに　はなしを　する　ときの　はなしかたで，正《ただ》しい　ものを　ア～エから　ぜんぶ　えらびましょう。

ア　はじめに，これから　なんの　はなしを　するのか　つたえる。

イ　きく　人《ひと》が　はずかしがらないように，きく　人を　見《み》ないで　はなす。

ウ　たとえなどは　できるだけ　つかわないように　する。

エ　はなしの　さいごに，しつもんが　ないか　たしかめる。

2　はなしの　ききかたで　正《ただ》しい　ものを　カ～クから　えらびましょう。

カ　はなす　人を　見ないように　する。

キ　はなしを　きいて　わからない　ことは，あとで　しつもんする。

ク　はなす　人が　まちがったら，大《おお》きな　こえで　わらって　あげる。

こたえ　**1** ア，エ　**2** キ

ひらがな

1 かい ひらがな

学《がく》しゅう日《び》 月《がつ》 日《にち》

ごうかくシール
ぜんもん 正《せい》かいに できたら ごうかくシール《しーる》を はろう！

← こたえあわせを して、こたえが あって いたら、ここに **できたシール**を はろう。

1 できたシール

〈「ひらがなの ひょう」が わかる〉

ひらがなの ひょうの □に あう じを かきましょう。

(7)	(6)	(5)	(4)	(3)	(2)	(1)
ま			た			あ
	ひ	に		し	き	
む			つ			う
	へ	ね		せ	け	
も			と			お

	(10)	(9)	(8)
ん			や
	(い)	り	(い)
	(う)		
	(え)	れ	(え)
	を		

2 できたシール

〈ひらがなの ことばが かける〉

えに あう ことばを かきましょう。

(1)

く			

(2)

ひ			

 できなかった ところは、もう いちど やって みましょう。正《ただ》しく なおせたら **できたシール**を はりましょう。

2 かい 「゛」「゜」の つく じ

学《がく》しゅう日《び》　　月《がつ》　　日《にち》

ごうかくシール
ぜんもん 正《せい》かいに できたら ごうかくシール《しいる》 を はろう！

1 できた シール

〈「゛」の つく じが ある ことばが わかる〉

えに あう ほうの ことばを、―《せん》で むすびましょう。

(1) 
(3) 
(5) 
(7) 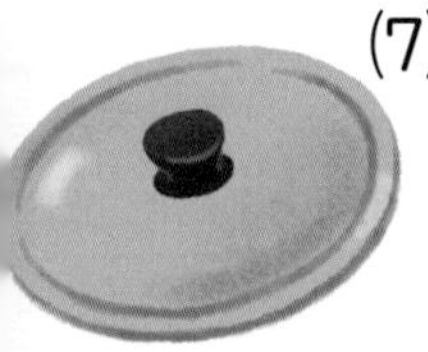

かき　かぎ　まと　まど　こま　ごま　ふた　ぶた

(2) 
(4) 
(6) 
(8) 

2 できた シール

〈「゛」や「゜」の つく じが ある ことばが かける〉

えに あう ことばを かきましょう。

(1) 
あ□□□

(2) 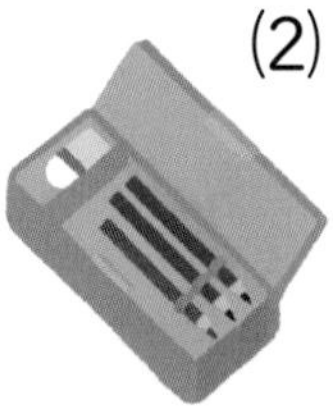
ふ□□こ

(3) 
な□□□

(4) 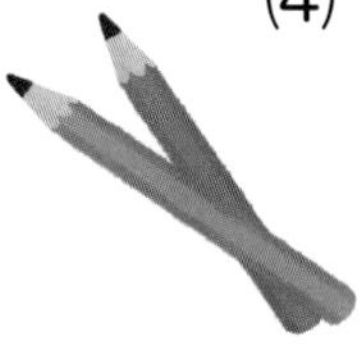
え□□□

(5) 
た□□□

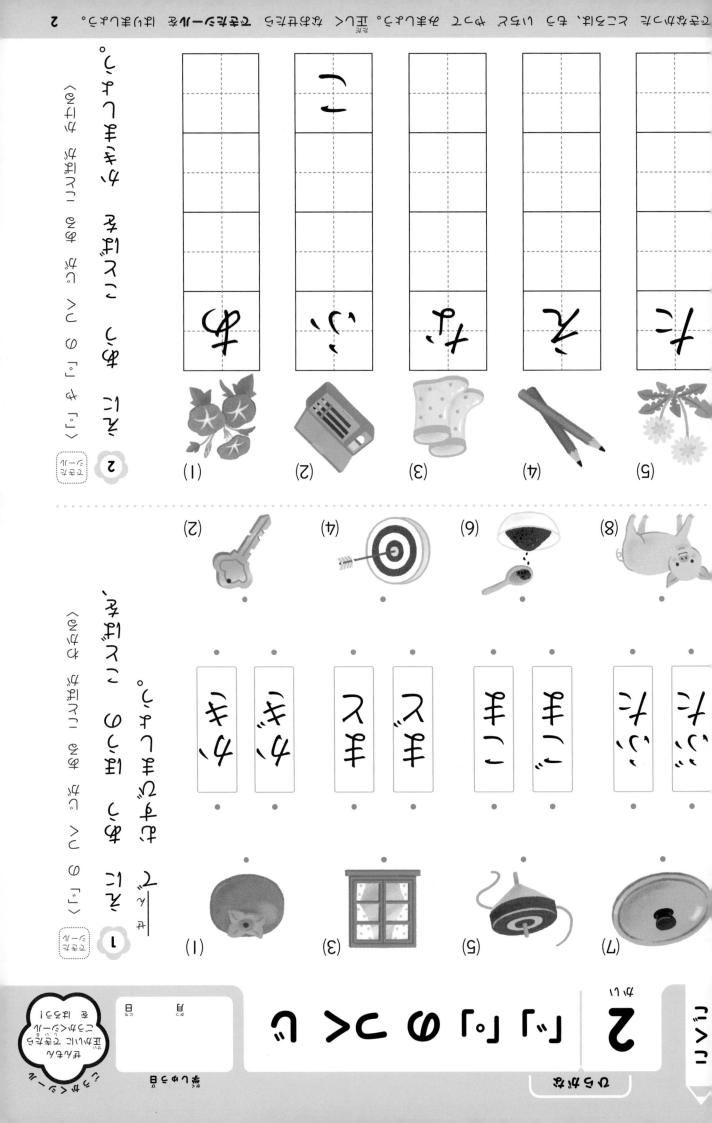

3 かい ちいさく かく じ

学《がく》しゅう日《び》
月《がつ》　日《にち》

ごうかくシール
ぜんもん 正《せい》かいに できたら ごうかくシール《しいる》 を はろう！

1 できたシール

〈ちいさく かく 「ゃ・ゅ・ょ・っ」が わかる〉

ただしい ことばの ほうの （ ）に、○を つけましょう。

(1)

（ ）きしや
（ ）きしゃ

(2)

（ ）ちょう
（ ）ちよう

(3)

（ ）きって
（ ）きつて

(4)

（ ）ちやわん
（ ）ちゃわん

(5)

（ ）あくしゆ
（ ）あくしゅ

2 できたシール

〈ちいさく かく 「ゃ・ゅ・ょ・っ」が ただしく かける〉

えに あう ことばを かきましょう。

(1)

ら

(2)

で

(3)

し

(4)

ち

(5)

し

できなかった ところは、もう いちど やって みましょう。正《ただ》しく なおせたら **できたシール**を はりましょう。

4かい　のばす　おん・「は」「を」「へ」

学《がく》しゅう日《び》
月《がつ》　日《にち》

ごうかくシール
ぜんもん 正《せい》かいに できたら ごうかくシール《しいる》を はろう！

1 できたシール

〈のばす　おんが　ただしく　かける〉
えに　あう　ことばに　なるように、じを　かきましょう。

(1)

お と □ さ ん

(2)

お か □ さ ん

(3)

お に □ さ ん

(4)

お ね □ さ ん

(5)

ふ □ せ ん

2 できたシール

〈「は」「を」「へ」が　ただしく　つかえる〉
まちがって　いる　じに　—《せん》を　ひき、ただしく　かきなおしましょう。

〈れい〉　ほんお を　よんだ。

(1) をにごっこお　する。

(2) いもうとわ、スープ《すうぷ》お　のんだ。

(3) きょうわ、こうえんえ　いった。

(4) はたしわ、えきえ　いく。

5 かい なかまの ことば

学《がく》しゅう日《び》　月《がつ》　日《にち》

ごうかくシール
ぜんもん 正《せい》かいに できたら ごうかくシール《しいる》を はろう！

1 できたシール
〈なかまの ことばが わかる〉

□の ことばを、(1)から (4)に わけて、（　）に かきましょう。

ふね・ひまわり・ねこ
みどり・くま・あお
たんぽぽ・じてんしゃ

(1) はなを あらわす ことば。
（　　）・（　　）

(2) いろを あらわす ことば。
（　　）・（　　）

(3) どうぶつを あらわす ことば。
（　　）・（　　）

(4) のりものを あらわす ことば。
（　　）・（　　）

2 できたシール
〈つながりの ある ことばが わかる〉

（　）に あう ことばを かきましょう。

(1) はる→（　　）→あき→ふゆ

(2) あさ→（　　）→ゆうがた→よる

(3) きのう→（　　）→あした

3 できたシール
〈はんたいの いみの ことばが かける〉

はんたいの いみの ことばを、（　）に かきましょう。

(1) おおきい↔（　　）

(2) ふとい↔（　　）

(3) ひくい↔（　　）

　できなかった ところは、もう いちど やって みましょう。正《ただ》しく なおせたら **できたシール**を はりましょう。

6 かい ことばの つかいかた

学《がく》しゅう日《び》　　月《がつ》　　日《にち》

ごうかくシール
ぜんもん 正《せい》かいに できたら ごうかくシール《しいる》を はろう!

1 できたシール 〈うごきを あらわす ことばが つかえる〉

（　）に あう ことばを、［　］から えらんで かきましょう。

(1) ボール《ぼうる》を（　　　）。

(2) いぬが ひろばを（　　　）。

(3) あさ、パン《ぱん》を（　　　）。

［はしる・なげる・たべる］

2 できたシール 〈ようすを あらわす ことばが つかえる〉

（　）に あう ことばを、［　］から えらんで かきましょう。

(1) きょうは とても（　　　）。

(2)（　　　）かばんを かう。

(3)（　　　）ひもを むすぶ。

［さむい・ほそい・おおきい］

3 できたシール 〈ものや いきものの ようすを あらわす ことばが つかえる〉

（　）に あう ことばを、［　］から えらんで かきましょう。

(1) からすが（　　　）なく。

(2) ごはんを（　　　）たべる。

(3) かえるが（　　　）およぐ。

［ぱくぱく・カーカー《かぁかぁ》・すいすい］

4 できたシール 〈うごきの ようすを あらわす ことばが つかえる〉

（　）に あう ことばを、［　］から えらんで かきましょう。

(1) ぞうが（　　　）あるく。

(2) さかなが（　　　）とれる。

(3) つきが（　　　）みえる。

［ゆっくり・ぼんやり・たっぷり］

7かい ぶんの くみたて(1)

学《がく》しゅう日《び》
月《がつ》　日《にち》

ごうかくシール
ぜんもん 正《せい》かいに できたら ごうかくシール《しーる》を はろう！

1 できたシール
〈「が」「に」「を」が ただしく つかえる〉
□に、「が」か「に」か「を」を かきましょう。

(1) いもうと□ ねこ□ なでる。
(2) おとうさん□ バス《ばす》□ のる。
(3) コップ《こっぷ》□ ミルク《みるく》□ いれる。

2 できたシール
〈「と」「で」「の」「へ」「や」が ただしく つかえる〉
〈 〉から あう じを えらんで、□に かきましょう。

(1) みかん□〈と・で〉 メロン《めろん》□〈の・へ〉 ゼリー《ぜりい》。
(2) ひろば□〈へ・や〉 こうえん□〈で・や〉 あそぶ。
(3) ともだち□〈と・へ〉 プール《ぷうる》□〈と・へ〉 いく。

3 できたシール
〈ぶんの なかの 「だれが」が わかる〉
「だれが」に あたる ことばに、線《せん》を ひきましょう。

〈れい〉 おとうとが えを かく。
(1) おばあちゃんが うたを うたう。
(2) わたしが へやを そうじする。
(3) ともだちが ジュース《じゅうす》を のむ。

4 できたシール
〈ぶんの なかの 「なにが」が わかる〉
「なにが」に あたる ことばに、線《せん》を ひきましょう。

〈れい〉 かみが かぜで とぶ。
(1) くるまが みちを とおる。
(2) くつが あめで ぬれる。
(3) とりが きに とまる。

できなかった ところは、もう いちど やって みましょう。正《ただ》しく なおせたら **できたシール**を はりましょう。

8 かい ぶんの くみたて⑵

学《がく》しゅう日《び》　月《がつ》　日《にち》

ごうかくシール
ぜんもん 正《せい》かいに できたら ごうかくシール《しいる》 を はろう！

1 できたシール
〈ぶんの なかの 「どう する」が わかる〉

「どう する」に あたる ことばを、（　）に かきましょう。

〈れい〉 ともだちが いえで あそぶ。
（あそぶ）

⑴ おとうさんが てを あらう。
（　　　）

⑵ おかあさんが りょうりを つくる。
（　　　）

⑶ おねえさんが かいものに いく。
（　　　）

⑷ とうばんが はなに みずを やる。
（　　　）

2 できたシール
〈「なに」が 「どう して」 いるの ぶんが つくれる〉

えを みて、□に あう ことばを かきましょう。

⑴

［　　　］（◀なに）が ミルク《みるく》を ［　　　］（◀どう して） いる。

⑵

おんなの ひとが ［　　　］（◀なに）に ［　　　］（◀どう して） いる。

⑶

おとうさんが ［　　　］（◀なに）を ［　　　］（◀どう して） いる。

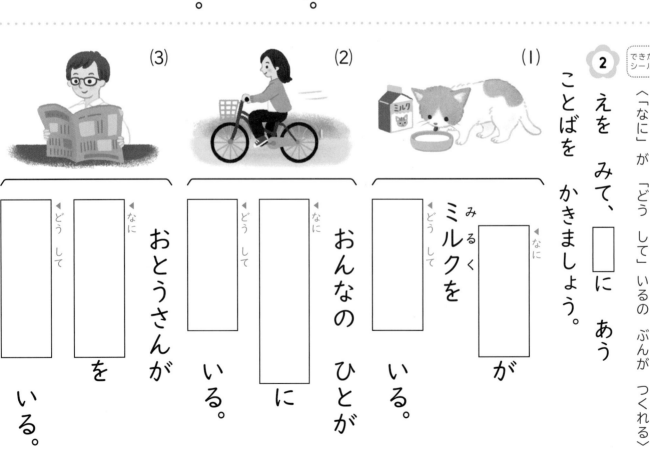

9 かい まる(。) てん(、) かぎ(「 」)の つかいかた(1)

学《がく》しゅう日《び》
月《がつ》 日《にち》

ごうかくシール
ぜんもん 正《せい》かいに できたら ごうかくシール《しいる》を はろう！

1 できたシール

〈まる(。) てん(、)の つかいかたが わかる〉

□に、まる(。)か てん(、)を つけましょう。

(1) きょうは□ひるから はれる□

(2) おねえさんが□ノート《のうと》を かう□

(3) わたしは□ともだちに でんわを する□

2 できたシール

〈まる(。)を ただしく つける ことが できる〉

つぎの ぶんしょうに、まる(。)を みっつ つけましょう。

きょうの きゅうしょくは
カレー《かれえ》でした サラダ《さらだ》と
プリン《ぷりん》も ありました ぼくは
おかわりを しました

3 できたシール

〈てん(、)を ただしく つける ことが できる〉

つぎの ぶんに、てん(、)を ひとつ ずつ つけましょう。

(1) あさ ぎゅうにゅうを のむ。

(2) すいぞくかんへ いって ラッコ《らっこ》を みた。

4 できたシール

〈まる(。)と てん(、)を ただしく つける ことが できる〉

つぎの ぶんしょうに、まる(。)を ふたつと てん(、)を ひとつ つけましょう。

おかあさんは
パン《ぱん》やさんに
いきました
クリームパン《くりいむぱん》を
かいました

10かい まる(。) てん(、) かぎ(「 」)の つかいかた(2)

学《がく》しゅう日《び》

月《がつ》　日《にち》

ごうかくシール
ぜんもん 正《せい》かいに できたら ごうかくシール《しいる》 を はろう！

1 できたシール 〈かぎ（「 」）を つける ことが できる〉

かぎ(「 」)を ひとくみずつ つけましょう。

(1)
ぼくは、
おはよう。
と いった。

(2)
わたしは、
ただいま。
と いった。

(3)
うさぎを みて、
かわいい。
と、いもうとが いった。

(4)
おかあさんが、
きょうは さむいね。
と いって、コート《こうと》を きた。

2 できたシール 〈まる（。）、てん（、）、かぎ（「 」）を つける ことが できる〉

つぎの ぶんしょうに、まる(。)と てん(、)を ひとつずつ、かぎ(「 」)を ひとくみずつ つけましょう。

(1)
わたしは
いってきます。
と いって、でかけた

(2)
テレビ《てれび》を みて
おもしろいね。
と、おねえさんが わらった

(3)
さくらの はなを
みて、おかあさんが
きれいだね。
と いった

11かい かたかな(1)

学《がく》しゅう日《び》 月《がつ》 日《にち》

ごうかくシール
ぜんもん 正《せい》かいに できたら ごうかくシール《しいる》 を はろう!

1 〈かたかなの ことばが ただしく かける〉 できたシール

えに あう ことばを、□に かたかなで かきましょう。

(1) おむれつ

(2) じゅうす

(3) てえぶる

(4) ぽけっと

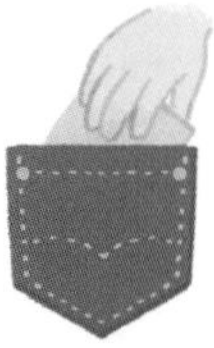

(5) わいしゃつ

2 〈かたちの にた かたかなが ただしく かける〉 できたシール

まちがって いる かたかなの じに 線《せん》を ひき、ただしく かきなおしましょう。

〈れい〉 サフダ《さらだ》に テーズ《ちいず》を いれる。 ラ チ

(1) アフラー《まふらあ》と ハンカテ《はんかち》を かう。

(2) イギリヌ《いぎりす》と ラランス《ふらんす》の おかし。

(3) ペンギソ《ぺんぎん》と アツカ《あしか》を みる。

(4) ホットケーモ《ほっとけえき》に バクー《ばたあ》を ぬる。

(5) チョユレート《ちょこれえと》と キャラナル《きゃらめる》。

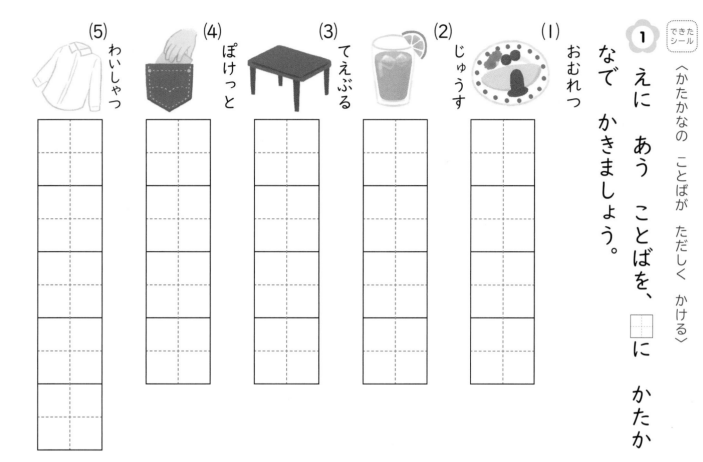

12 かい かたかな⑵

がくしゅう日《び》
月《がつ》　日《にち》

ごうかくシール
ぜんもん 正《せい》かいに できたら ごうかくシール《しいる》を はろう!

1 できたシール
〈かたかなの ことばを なかまに わけて かける〉

□の ことばを、⑴から ⑷の なかまに わけて、かたかなで かきましょう。

こうと・ぐらたん・らいおん
とらっく・おれんじ・ごりら
ぷりん・よっと・どれす・ぱんだ

⑴ のりもの
（　　）（　　）

⑵ ようふく
（　　）（　　）

⑶ たべもの
（　　）（　　）（　　）

⑷ どうぶつ
（　　）（　　）（　　）

2 できたシール
〈かたかなで かく ことばが わかる〉

かたかなで かく ことばを ふたつずつ さがして、かたかなで かきましょう。

⑴ おかあさんが すかあふと べすとを かった。
（　　）（　　）

⑵ どうぶつえんで かんがるうと こあらを みた。
（　　）（　　）

⑶ あさごはんに まかろにの はいった さらだを たべた。
（　　）（　　）

⑷ おかあさんと、ものれえると たくしいに のって でかけた。
（　　）（　　）

13 かい かん字《じ》の かき

がくしゅう日《び》　月《がつ》　日《にち》

ごうかくシール
ぜんもん 正《せい》かいに できたら ごうかくシール《しいる》を はろう！

1 できたシール

□に かん字《じ》を かきましょう。
〈てんや せんが あるか、ないかに 気《き》を つけて、正《ただ》しく かん字《じ》が かける〉

(1) □《きん》よう日《び》の あさ。

(2) □《いぬ》が はしりまわる。

(3) □《あめ》が ザーザー ふる。

(4) □《ひゃく》えん□《だま》を 出《だ》す。

(5) け□《いと》の セーター。

(6) □《がっ》□《こう》で □《ほん》を よむ。

2 できたシール

□に かん字《じ》を かきましょう。
〈かく（せん）の せっしかた・まじわりかたに 気《き》を つけて、正《ただ》しく かん字《じ》が かける〉

(1) □《おう》さまの □《みみ》を さわる。

(2) □《せん》□《えん》さつで はらう。

3 できたシール

□に かん字《じ》を かきましょう。
〈「とめ・はね」に 気《き》を つけて、正《ただ》しく かん字《じ》が かける〉

(1) □《たけ》林《ばやし》が □《み》える。

(2) □《はな》に □《みず》を やる。

(3) 右《みぎ》□《て》に □《ちから》を 入《い》れる。

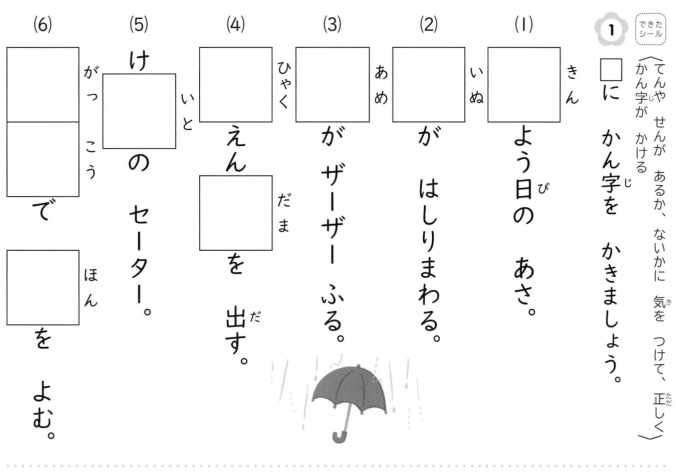

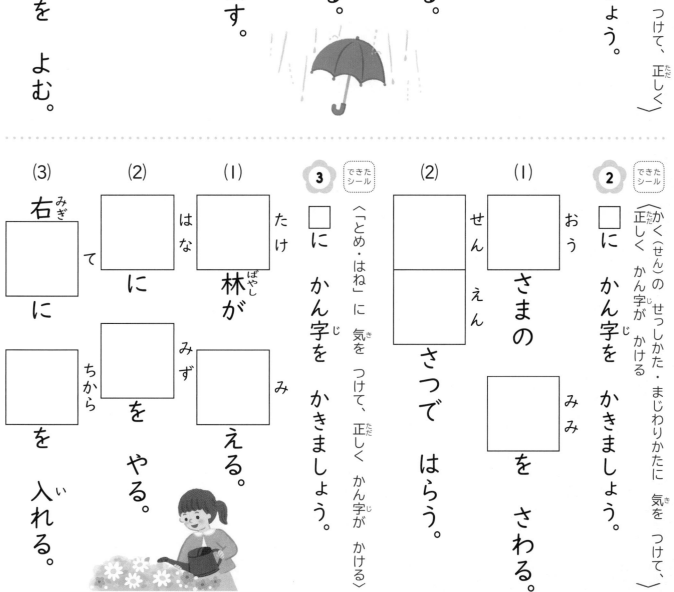

14 かい　なかまの かん字《じ》(1)

学《がく》しゅう日《び》　がつ　にち

ごうかくシール
ぜんもん 正《せい》かいに できたら ごうかくシール《しいる》を はろう！

1　できたシール

〈かずを あらわす かん字《じ》が かける〉

□に かん字《じ》を かきましょう。

(1) □《いち》年《ねん》□《に》くみの 先生《せんせい》。

(2) □《ご》年生《ねんせい》と □《ろく》年生《ねんせい》。

(3) □□《きゅう じゅう》円《えん》の だんご。

(4) □《さん》この □《ひゃく》円玉《えんだま》。

(5) □《しち》人《にん》か □《はち》人《にん》が くる。

(6) □□《よん せん》人《にん》が あつまる。

2　できたシール

〈おおきさを あらわす かん字《じ》が かける〉

□に かん字《じ》を かきましょう。

(1) □《ちゅう》くらいの おおきさの はこ。

(2) □《おお》きい 花《はな》、□《ちい》さい 虫《むし》。

3　できたシール

〈ようびを あらわす かん字《じ》が かける〉

□に かん字《じ》を かきましょう。

(1) □《げつ》よう・

(2) □《か》よう・

(3) □《すい》よう

(4) □《もく》よう・

(5) □《きん》よう・

(6) □《ど》よう

(7) □《にち》よう

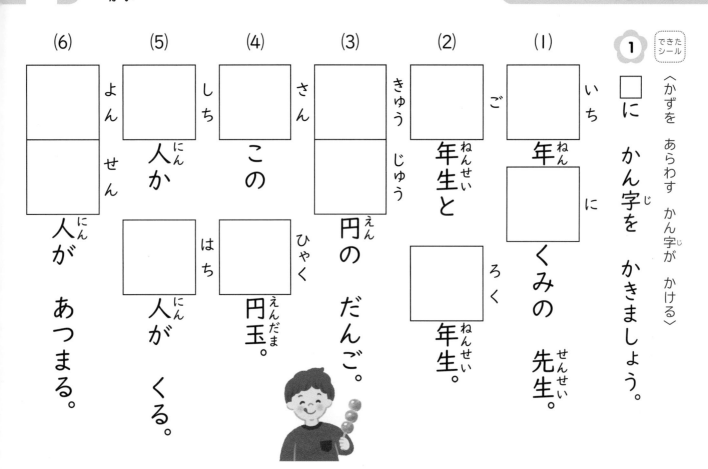

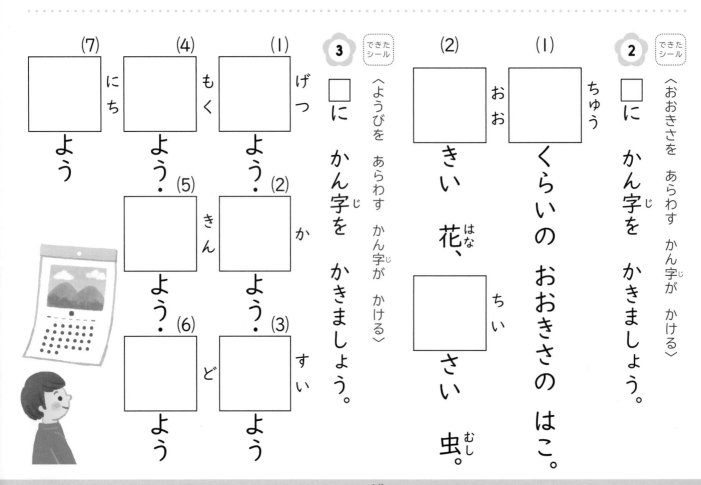

15 かい なかまの かん字《じ》(2)

学《がく》しゅう日《び》　がつ　にち

ごうかくシール
ぜんもん
正《せい》かいに できたら
ごうかくシール《しいる》
を はろう！

1 できたシール

〈むきを あらわす かん字《じ》が かける〉

□に かん字《じ》を かきましょう。

(1) つくえの □《うえ》 と □《した》。

(2) □《みぎ》 手《て》と □《ひだり》 手《て》を あわせる。

2 できたシール

〈いろを あらわす かん字《じ》が かける〉

□に かん字《じ》を かきましょう。

(1) □《しろ》 い シャツを きる。

(2) □《あか》 い リボンの ぼうし。

(3) □《あお》 い うみが ひろがる。

3 できたシール

〈しぜんや てんきに つながりの ある かん字《じ》が かける〉

□に かん字《じ》を かきましょう。

(1) □《やま》 の ちかくの □《た》 んぼ。

(2) □《そら》 を 見《み》あげる。

(3) □《ゆう》 がたから □《あめ》 が ふる。

(4) きょうは、□《てん》□《き》 が よい。

(5) □《もり》 や □《はやし》 を とおりぬける。

(6) □《かわ》 で □《いし》 を ひろう。

できなかった ところは、もう いちど やって みましょう。正《ただ》しく なおせたら **できたシール**を はりましょう。

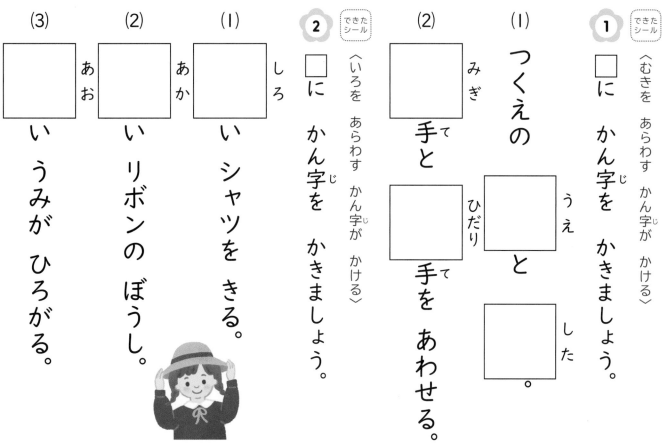

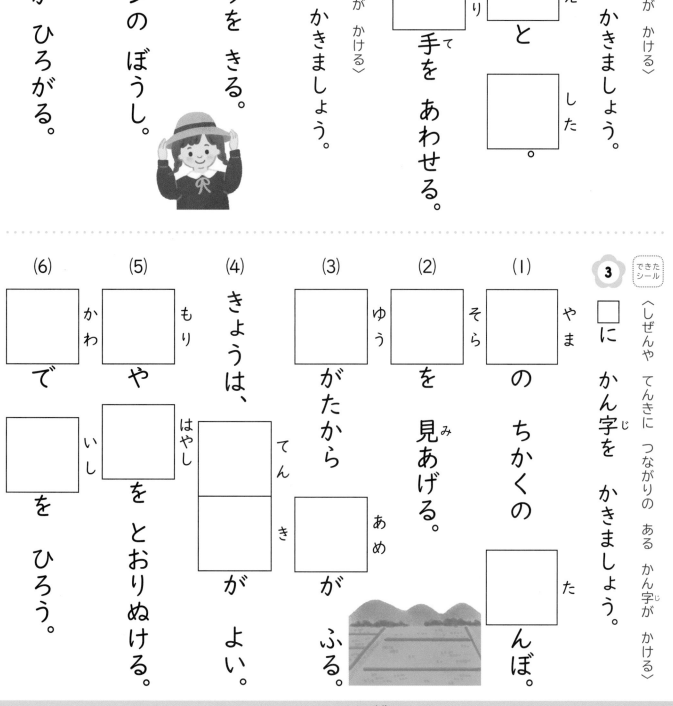

16かい なかまの かんじ⑶

がくしゅう日《び》
月《がつ》　日《にち》

ごうかくシール
ぜんもん せいかいに できたら ごうかくシール《しいる》を はろう！

1　できた シール

〈くさきを あらわす かんじが かける〉

□に かんじを かきましょう。

⑴ □《たけ》やぶの ちかくの □《くさ》むら。

⑵ うめの □《き》に □《はな》が さく。

2　できた シール

〈ひとを あらわす かんじが かける〉

□に かんじを かきましょう。

⑴ □《おう》さまと □《こ》どもの はなし。

⑵ □《おんな》の □《ひと》の くつ。

⑶ □《おとこ》の □《せん》□《せい》。

3　できた シール

〈まちや がっこうに つながりの ある かんじが かける〉

□に かんじを かきましょう。

⑴ □《くるま》に のる。

⑵ □《おん》がくの じかん。

⑶ ていねいに □《じ》を かく。

⑷ □《まち》や □《むら》の □《な》まえ。

⑸ 六《ろく》□《ねん》せいが さく □《ぶん》を よむ。

⑹ □《がっ》□《こう》で べんきょうする。

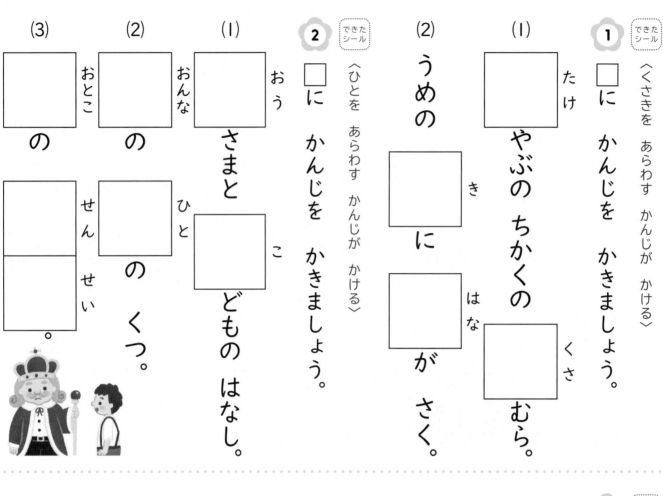

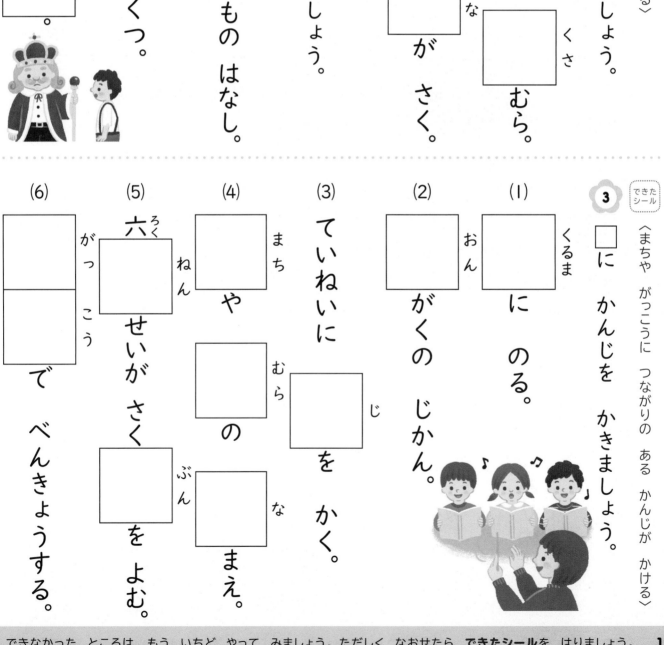

17 かい　なかまの　かんじ(4)

がくしゅう日《び》　　月《がつ》　　日《にち》

ごうかくシール
ぜんもん せいかいに できたら ごうかくシール《しいる》を はろう！

1 できたシール
〈いきものを　あらわす　かんじが　かける〉
□に　かんじを　かきましょう。

(1) きれいな　□《かい》。

(2) 森《もり》の　□《むし》。

(3) □《いぬ》が　ほえる。

2 できたシール
〈からだの　ぶぶんを　あらわす　かんじが　かける〉
□に　かんじを　かきましょう。

(1) □《て》□《あし》を　うごかす。

(2) □《め》と　□《みみ》の　けんさを　する。

(3) □《くち》を　大《おお》きく　あける。

3 できたシール
〈うごきを　あらわす　かんじが　かける〉
□に　かんじを　かきましょう。

(1) いすから　□《た》ち上《あ》がる。

(2) ふとんに　□《はい》って　□《やす》む。

(3) □《で》ぐちが　□《み》つかる。

4 できたシール
〈ようすを　あらわす　かんじが　かける〉
□に　かんじを　かきましょう。

(1) あさ　□《はや》く　おきる。

(2) □《ただ》しい　じを　かく。

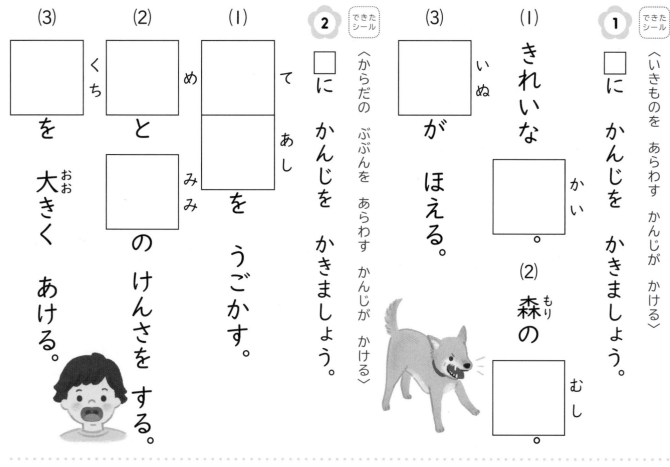

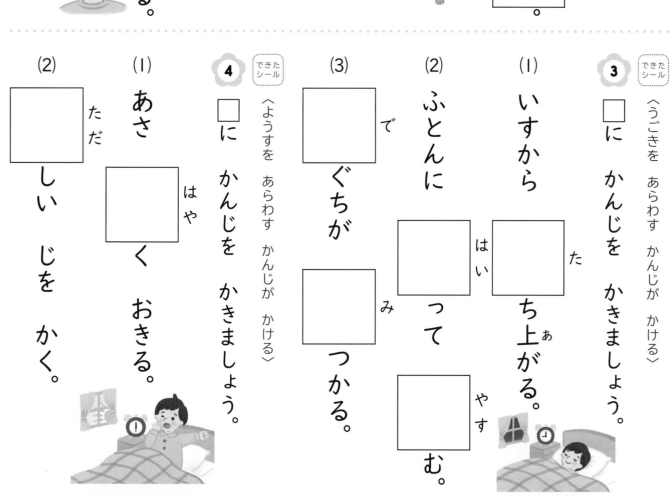

18 かい かんじの つかいかた

がくしゅう日《び》 月《がつ》 日《にち》

ごうかくシール
ぜんもん せいかいに できたら ごうかくシール《しいる》を はろう！

1 できた シール

〈かたちの にた かんじを ただしく かける〉

□に かんじを かきましょう。

(1) □《いし》ころ
□《みぎ》手《て》

(2) 中《なか》に □《はい》る。
男《おとこ》の □《ひと》。

(3) □《がっ》校《こう》
すう□《じ》

(4) □《おお》きい こえ。
□《いぬ》ごや

(5) □《おう》さま
五円《ごえん》□《だま》

(6) □《かい》がら
山《やま》が □《み》える。

2 できた シール

〈おなじ よみかたの かんじを ただしく かける〉

□と よむ かんじを、□に かきましょう。

(1) せん
□円《えん》さつ・れつの □とう。

(2) こ
□とり・□ども

(3) しょう
□月《がつ》・□がっ校《こう》

(4) か
□びん・□よう日《び》

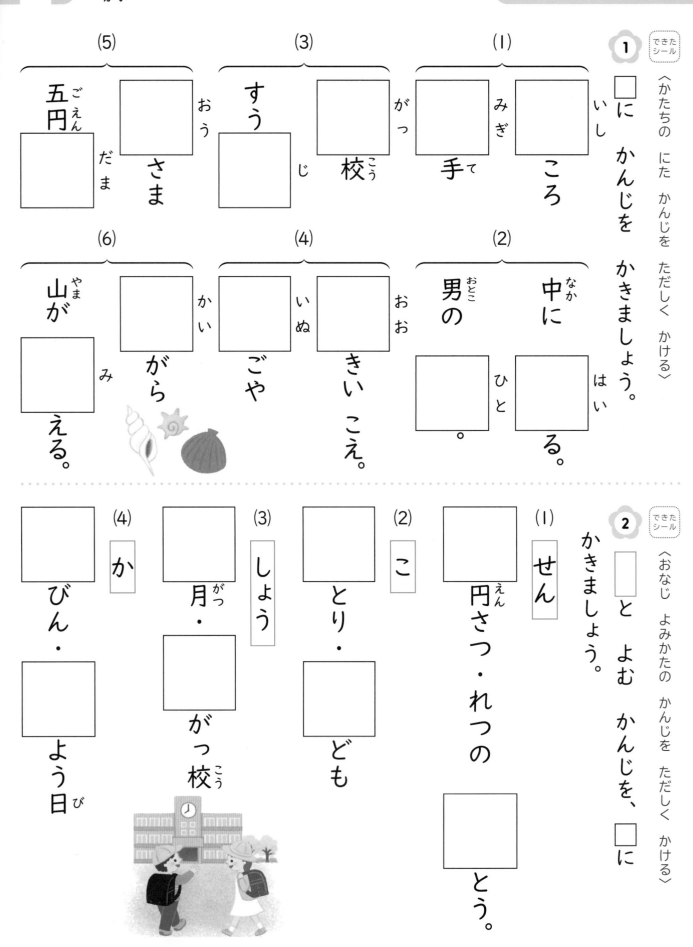

読解《どっかい》

19かい ものがたりの よみとり(1)

がくしゅう日《び》　月《がつ》　日《にち》

ごうかくシール
ぜんもん せいかいに できたら ごうかくシール《しいる》を はろう！

つぎの □の 文《ぶん》しょうを よんで、もんだいに こたえましょう。

ケンちゃんは、大《おお》いそぎで　学校《がっこう》から
かえって　きました。
きょうは、ひっこししたばかりの
あたらしい　うちに、いなかの　おばあ
ちゃんが　きて　いる　はずです。
おばあちゃんは、ケンちゃんを　見《み》る
と、小《ちい》さな　こえで　いいました。
「あのね、いい　おみやげ　もって　き
て　あげたよ。」

（『角野栄子のちいさなどうわたち5』「おばあちゃんのおみやげ」角野栄子〈ポプラ社〉より）

1 できたシール

〈「だれが」を　よみとる　ことが　できる〉

(1) 学校《がっこう》から　かえって　きたのは、だれですか。

［　　　　］

(2) おみやげを　もって　きたのは、だれですか。

［　　　　］

つぎの □の 文《ぶん》しょうを よんで、もんだいに こたえましょう。

かあさんに　いわれて、たろは、うら
の　たけやぶに　いった。（りゃく）
「これに　するか」
たろは、くろい　つちを　もっくり
もちあげて　いる　たけのこを　みつけて、
ほりはじめた。

（『ふしぎなたけのこ』松野正子〈福音館書店〉より）

2 できたシール

〈「どこ」を　よみとる　ことが　できる〉

たろは、どこに　いきましたか。

［　　　　］

3 できたシール

〈「なに」を　よみとる　ことが　できる〉

たろは、なにを　みつけましたか。

［　　　　］

20 かい ものがたりの よみとり⑵

学《がく》しゅう日《び》　月《がつ》　日《にち》

ごうかくシール
ぜんもん 正《せい》かいに できたら ごうかくシール《しいる》 を はろう！

つぎの □ の 文《ぶん》しょうを よんで、もんだいに こたえましょう。

ねずみは、いわれた とおりに じょうずに ズボンを はくと、そばに あった リュックサックを しょって、
「ありがとう。いそぐから、ごめんね。」
と はしり出《だ》しました。
「きみ、きみは ぼくの たからものじゃ ないの？」
ノブくんは、あわてて ききました。

（『角野栄子のちいさなどうわたち3』「ぼくのたからもの どこですか」角野栄子〈ポプラ社〉より）

1 できたシール 〈だれが いった ことばかを よみとる ことが できる〉

□と □は、だれが いった ことばですか。

⑴ □…（　　　）

⑵ □…（　　　）

つぎの □ の 文《ぶん》しょうを よんで、もんだいに こたえましょう。

たろは、うわぎを すぐ そばの たけのこに ひょいと かけた。
と、そのとたん ――
その たけのこが、ぐぐぐっと のびた。
「おっ」 たろは、あわてて うわぎを とろうとした。たけのこに とびついた。
たけのこは また、ぐぐぐっと のびた。
たろが のぼる。
たけのこが のびる。
たろが のぼる。
たけのこが のびる。

（『ふしぎなたけのこ』松野正子〈福音館書店〉より）

2 できたシール 〈した ことの りゆうを よみとる ことが できる〉

たろが たけのこに とびついたのは、どうしてですか。

（　　　）

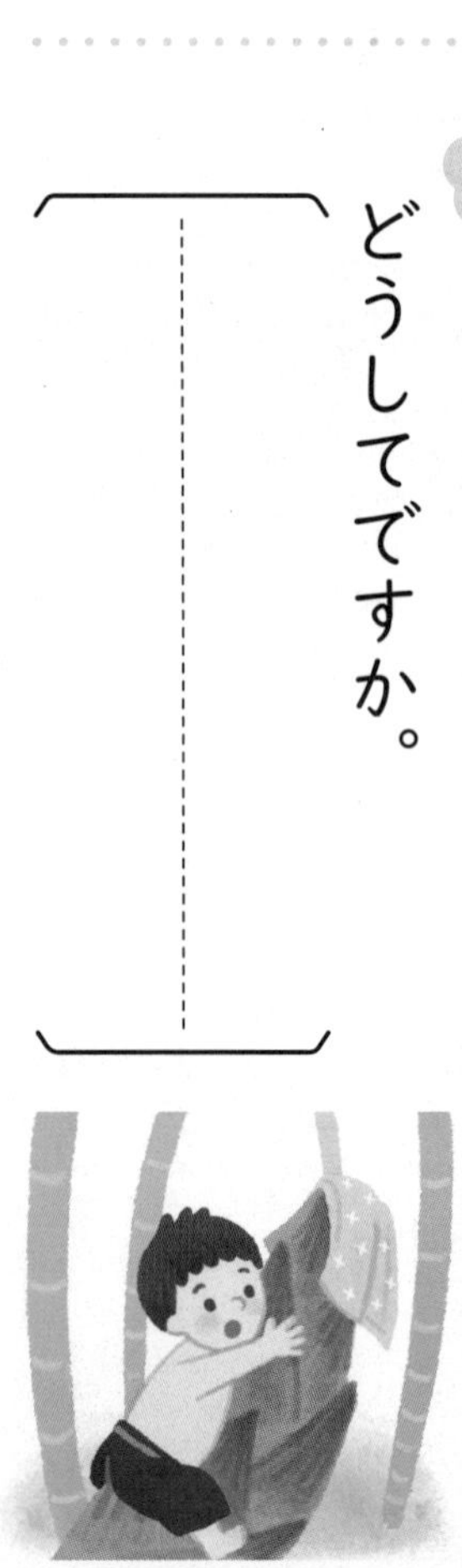

21かい せつめい文《ぶん》の よみとり(1)

学《がく》しゅう日《び》　月《がつ》　日《にち》

ごうかくシール
ぜんもん 正《せい》かいに できたら ごうかくシール《しいる》を はろう！

つぎの □ の 文《ぶん》しょうを よんで、もんだいに こたえましょう。

ロープウェイは じょうぶな ロープに ゴンドラを つるし、人《ひと》を のせて 山《やま》を のぼります。また、ロープで 車《しゃ》りょうを ひっぱって 山《やま》を のぼる、ケーブルカーと いう のりものも あります。

1 できたシール

〈なにに ついての 文《ぶん》しょうかを よみとる ことが できる〉

なにに ついて かかれて いますか。

(1)（　　　　）や (2)（　　　　）と いう、山《やま》を のぼる のりものに ついて。

つぎの □ の 文《ぶん》しょうを よんで、もんだいに こたえましょう。

カレーが からいのは、中《なか》に からい あじを 出《だ》す スパイスが 入《はい》って いるからです。

スパイスは しょくぶつの みや はっぱを すりつぶして つくります。スパイスには、たべものを おいしく たべられるように する はたらきや、ばいきんを ころす はたらきが あります。

2 できたシール

〈だいじな ことばを よみとる ことが できる〉

(1)カレーが からいのは、中《なか》に なにが 入《はい》って いるからですか。

（　　　　）

(2)スパイスは、なにを すりつぶして つくりますか。

（　　　　）

22かい せつめい文《ぶん》の よみとり(2)

学《がく》しゅう日《び》
月《がつ》　日《にち》

ごうかくシール
ぜんもん 正《せい》かいに できたら ごうかくシール を はろう！

つぎの □の 文《ぶん》しょうを よんで、もんだいに こたえましょう。

たんぽぽは、かぜに よって、とおく まで たねを とばします。たんぽぽの たねからは、白《しろ》い わたげが のびて います。この わたげに かぜを うけて、たんぽぽの たねは 空《そら》に まい上《あ》がります。そして、ふわふわと とび、おちた ところで めを 出《だ》すのです。

1 できたシール

〈かかれて いる ことを 正《ただ》しく よみとる ことが できる〉

(1) たんぽぽは、かぜに よって、なにを どう するのですか。

（　　　　　　　　）

(2) たんぽぽの たねは、なにに かぜを うけて、空《そら》に まい上《あ》がるのですか。

（　　　　　　　　）

つぎの □の 文《ぶん》しょうを よんで、もんだいに こたえましょう。

しまうまは、たくさんの なかまと いっしょに くらして います。たくさんの しまうまが あつまると、大《おお》きな しましまの かたまりのように なります。しまうまを たべる ライオンや ひょうは、どこまでが 一《いっ》とうの しまうまの からだなのか、見《み》わけづらく なって、おそいにくく なると いう わけです。目《め》立《だ》つようでも、しまうまの もようは、みを まもる ために あるのです。

『かがくなぜどうして 一年生』久道健三〈偕成社〉より

2 できたシール

〈だいじな ことがらを よみとる ことが できる〉

しまうまの もようは、なんの ために あるのですか。

（　　　　　　　　）

23 かい さく文《ぶん》(1)

学《がく》しゅう日《び》　　月《がつ》　　日《にち》

ごうかくシール
ぜんもん 正《せい》かいに できたら ごうかくシール《しいる》を はろう！

1 できたシール

〈「なにが」を つかって、文《ぶん》が かける〉

えを 見《み》て、「なにが」を かきましょう。

(1)

(2)

(1) ［　　　］が、ボールを おう。

(2) ［　　　］が、木《き》に のぼる。

2 できたシール

〈「だれが」を つかって、文《ぶん》が かける〉

えを 見《み》て、「だれが」を かきましょう。

(1)

(2)

(1) ［　　　］が、まどを ふく。

(2) ［　　　］が、ボールを なげる。

3 できたシール

〈「なにを」を つかって、文《ぶん》が かける〉

えを 見《み》て、「なにを」を かきましょう。

(1)

(2)

(1) 先生《せんせい》が、［　　　］を よむ。

(2) 赤《あか》ちゃんが、［　　　］を のむ。

4 できたシール

〈「なにに」を つかって、文《ぶん》が かける〉

えを 見《み》て、「なにに」を かきましょう。

(1)

(2)

(1) おとうさんが、［　　　］に 入《はい》る。

(2) 女《おんな》の 人《ひと》が、［　　　］に のる。

 できなかった ところは、もう いちど やって みましょう。正《ただ》しく なおせたら **できたシール**を はりましょう。

24 かい さく文《ぶん》(2)

学《がく》しゅう日《び》　月《がつ》　日《にち》

ごうかくシール
ぜんもん 正《せい》かいに できたら ごうかくシール《しいる》 を はろう！

1 できたシール

えを 見《み》て、□に あう ことばを かんがえて かきましょう。
〈「なにが」「なにに」「なにを」「どう する」の かたちの 文《ぶん》が かける〉

(1) ［　　　］（▶なに） が、 えさを (2) ［　　　］（▶どう する）。

男《おとこ》の子《こ》が、 (3) ［　　　］（▶なに） を (4) ［　　　］（▶どう する）。

女《おんな》の子《こ》が、 (5) ［　　　］（▶なに） に えを (6) ［　　　］（▶どう する）。

2 できたシール

えを 見《み》て、「なにが」「どう する」かが わかる 文《ぶん》を かきましょう。
〈「なにが」「どう する」の かたちの 文《ぶん》が かける〉

(1)

(2)

(3)

(1) 犬が、

(2)

(3)

こくご しあげテスト

学《がく》しゅう日《び》　　月《がつ》　　日《にち》

とくてん　　てん

ごうかくシール
ぜんもん 正《せい》かいに できたら ごうかくシール《しいる》を はろう！

つぎの □ の 文《ぶん》しょうを よんで、もんだいに こたえましょう。

アサガオは、ひるとよるの ながさを はかって 花《はな》を さかせる ことが わかって います。

①一年で もっとも ひるの じかんが ながい げし（六月《ろくがつ》二《に》十一日《じゅういちにち》ごろ）を すぎると、だんだん よるの じかんが ながく なって いきます。アサガオは、よるが ながく なるのを しってから、花《はな》を さかせる じゅんびを はじめるのです。

七月《しちがつ》を すぎる ころには どんどん つるを のばし、なつ休《やす》みに ②はいる ころには 花《はな》を たのしませて くれるでしょう。

（『時間の大研究』監修／池内了〈ＰＨＰ研究所〉より）

1 ――①の よみを ひらがなで かき、――②を かん字《じ》で かきましょう。（一《ひと》つ 10てん）

①（　　　）　②（　　　）る

2 なにに ついて かいて ありますか。つぎの 文《ぶん》に あてはまる ことばを かきましょう。（一《ひと》つ 10てん）

(1)（　　　）が どのように (2)（　　　）を さかせるか。

3 もっとも ひるの じかんが ながいのは いつごろですか。（一《ひと》つ 10てん）

（　　）月《がつ》（　　）日《にち》ごろ

4 よるの じかんが ながく なるのを しった アサガオは なにを はじめますか。（20てん）

（　　　　　　）

5 花は いつごろ さきますか。（20てん）

（　　　）に はいる ころ。

さんすう しあげテスト

学《がく》しゅう日《び》　月《がつ》　日《にち》

とくてん　てん

ごうかくシール
ぜんもん
正《せい》かいに できたら
ごうかくシール《しいる》
を　はろう！

1 □に　あう　かずを　かきましょう。　(１つ　５てん)

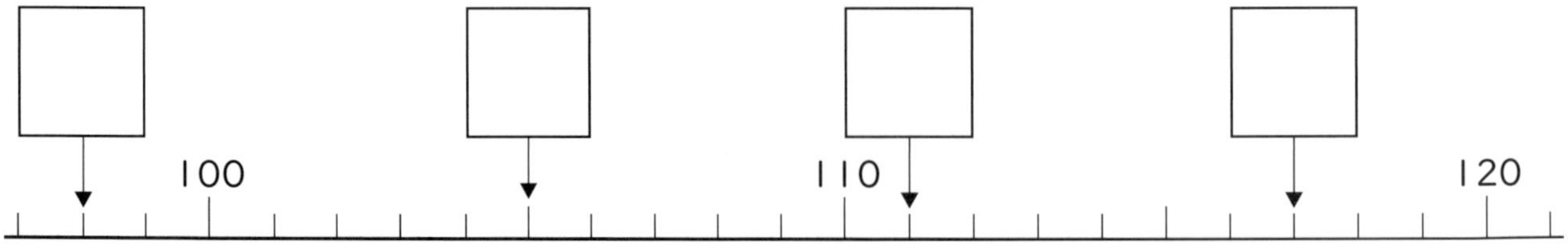

2 けいさんを　しましょう。　(１つ　６てん)

① 8＋5＝　　② 4＋7＝

③ 3＋9＝　　④ 11－2＝

⑤ 16－9＝　　⑥ 15－8＝

3 ひろい　ほうの　(　)に　○を　かきましょう。　(１つ　６てん)

①

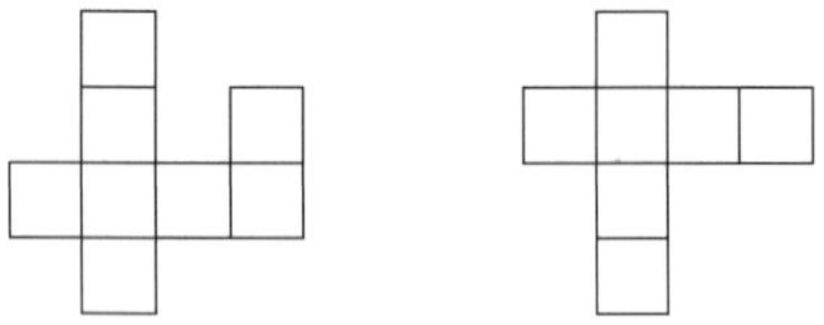

Ⓐ(　　)　Ⓘ(　　)

②

あ(　　)　い(　　)

4 とけいを　よみましょう。　(１つ　５てん)

① 

(　　　　)

② 

(　　　　)

③ 

(　　　　)

④ 

(　　　　)

5 12人《にん》の　子《こ》どもが　１れつに　ならんでいます。かいとさんは　うしろから　４ばんめです。かいとさんの　まえには　なん人《にん》　いますか。　(12てん)

しき

こたえ

24かい ならびかた

学《がく》しゅう日《び》
月《がつ》　日《にち》

ごうかくシール
ぜんもん 正《せい》かいに できたら ごうかくシール《しいる》を はろう！

できたシール 〈なんばんめかを　もとめる〉

1 子《こ》どもが　１れつに　ならんで　います。はるきさんの　まえに　３人《にん》　います。はるきさんは　まえから　なんばんめですか。

しき

こたえ

できたシール 〈まえに　なん人《にん》　いるかを　もとめる〉

2 子《こ》どもが　１れつに　なって　はしって　います。さくらさんは　まえから　５ばんめを　はしって　います。さくらさんの　まえには　なん人《にん》　いますか。

しき

こたえ

できたシール 〈ぜんぶの　かずを　もとめる〉

3 子どもが　１れつに　ならんで　います。あおいさんは　まえから　４ばんめです。あおいさんの　うしろに　５人《にん》　います。子《こ》どもは　みんなで　なん人《にん》　いますか。

しき

こたえ

できたシール 〈うしろに　なん人《にん》　いるかを　もとめる〉

4 10人《にん》の　子《こ》どもが　１れつに　ならんで　います。ゆうなさんは　まえから　３ばんめです。ゆうなさんの　うしろには　なん人《にん》　いますか。

しき

こたえ

できなかった　ところは、もう　いちど　やって　みましょう。正《ただ》しく　なおせたら　**できたシール**を　はりましょう。

23 かい 3つの かずの けいさん

学《がく》しゅう日《び》 月《がつ》 日《にち》

ごうかくシール
ぜんもん 正《せい》かいに できたら ごうかくシール《しいる》 を はろう!

できたシール 〈３つの かずの たしざん〉

1 つむぎさんは えんぴつを ４本《ほん》 もって います。おかあさんから ３本《ぼん》，おねえさんから ２本《ほん》 もらいました。えんぴつは ぜんぶで なん本《ぼん》に なりましたか。

しき

こたえ

できたシール 〈３つの かずの ひきざん〉

2 はとが ８わ いました。２わ とんで いきました。そのあと ４わ とんで いきました。はとは なんわ のこって いますか。

しき

こたえ

できたシール 〈３つの かずの たしざんと ひきざん〉

3 あめが ６こ ありました。おかあさんから ２こ もらい，おとうとに ３こ あげました。あめは なんこに なりましたか。

しき

こたえ

できたシール 〈３つの かずの ひきざんと たしざん〉

4 いろがみが ９まい ありました。４まい つかいました。あとで おにいさんから ２まい もらいました。いろがみは なんまいに なりましたか。

しき

こたえ

文《ぶん》しょうだい

22かい たしざんと　ひきざん

学《がく》しゅう日《び》　月《がつ》　日《にち》

ごうかくシール
ぜんもん 正《せい》かいに できたら ごうかくシール《しいる》を はろう！

できたシール 〈おおい　かずを　もとめる〉

1 りんごが　6こ　あります。なしは，りんごより　2こ　おおいそうです。なしは　なんこ　ありますか。

しき

こたえ

できたシール 〈すくない　かずを　もとめる〉

2 1年生《ねんせい》が　12人《にん》　います。2年生《ねんせい》は　1年生《ねんせい》より　3人《にん》　すくないそうです。2年生《ねんせい》は　なん人《にん》　いますか。

しき

こたえ

できたシール 〈ぜんぶの　かずを　もとめる〉

3 しゃしんを　とりました。1人《ひとり》がけの　いす　6つに　1人《ひとり》ずつ　すわり，うしろに　3人《にん》　立《た》ちました。なん人《にん》で　しゃしんを　とりましたか。

しき

こたえ

できたシール 〈あまる　かずを　もとめる〉

4 みかんが　12こ　あります。8人《にん》に　1こずつ　くばると，みかんは　なんこ　あまりますか。

しき

こたえ

ひきざん

学《がく》しゅう日《び》
月《がつ》 日《にち》

ごうかくシール
ぜんもん 正《せい》かいに できたら ごうかくシール を はろう！

できたシール 〈のこりは　いくつ〉

1 たまごが　８こ　あります。３こ　たべると，のこりは　なんこに　なりますか。

しき

こたえ

できたシール 〈ちがいは　いくつ〉

2 みかんが　９こ，りんごが　５こ　あります。みかんと　りんごの　かずの　ちがいは　なんこですか。

しき

こたえ

できたシール 〈いくつ　おおい〉

3 １年生《ねんせい》が　11人《にん》，２年生《ねんせい》が　８人《にん》　います。１年生《ねんせい》は，２年生《ねんせい》より　なん人《にん》　おおいですか。

しき

こたえ

できたシール 〈どちらが　いくつ　おおい〉

4 はとが　７わ，すずめが　10ぱ　います。どちらが　なんわ　おおいですか。

しき

こたえ

文《ぶん》しょうだい

20かい　たしざん

学《がく》しゅう日《び》　月《がつ》　日《にち》

ごうかくシール　ぜんもん　正《せい》かいに　できたら　ごうかくシール《しいる》を　はろう！

できたシール　〈あわせて　いくつ①〉

❶ 赤《あか》い　花《はな》が　３本《ぼん》，白《しろ》い　花《はな》が　４本《ほん》　さいて　います。あわせて　なん本《ぼん》　さいて　いますか。

しき

こたえ

できたシール　〈あわせて　いくつ②〉

❷ おとなが　５人《にん》，子《こ》どもが　６人《にん》　います。あわせて　なん人《にん》　いますか。

しき

こたえ

できたシール　〈ふえると　いくつ①〉

❸ 車《くるま》が　５だい　とまって　います。そこへ　[illegible]だい　きました。車は　なんだいに　なりましたか。

しき

こたえ

できたシール　〈ふえると　いくつ②〉

❹ はとが　１２わ　いました。２わ　とんで　きました。はとは　なんわに　なりましたか。

しき

こたえ

19 かい かずしらべ

学《がく》しゅう日《び》
月《がつ》 日《にち》

ごうかくシール
ぜんもん 正《せい》かいに できたら ごうかくシール《しいる》を はろう！

できた シール 〈かずを せいりする〉

1 どうぶつが それぞれ なんびき いるか，せいりします。どうぶつの かずを かぞえて，おなじ かずだけ ぬりましょう。

→

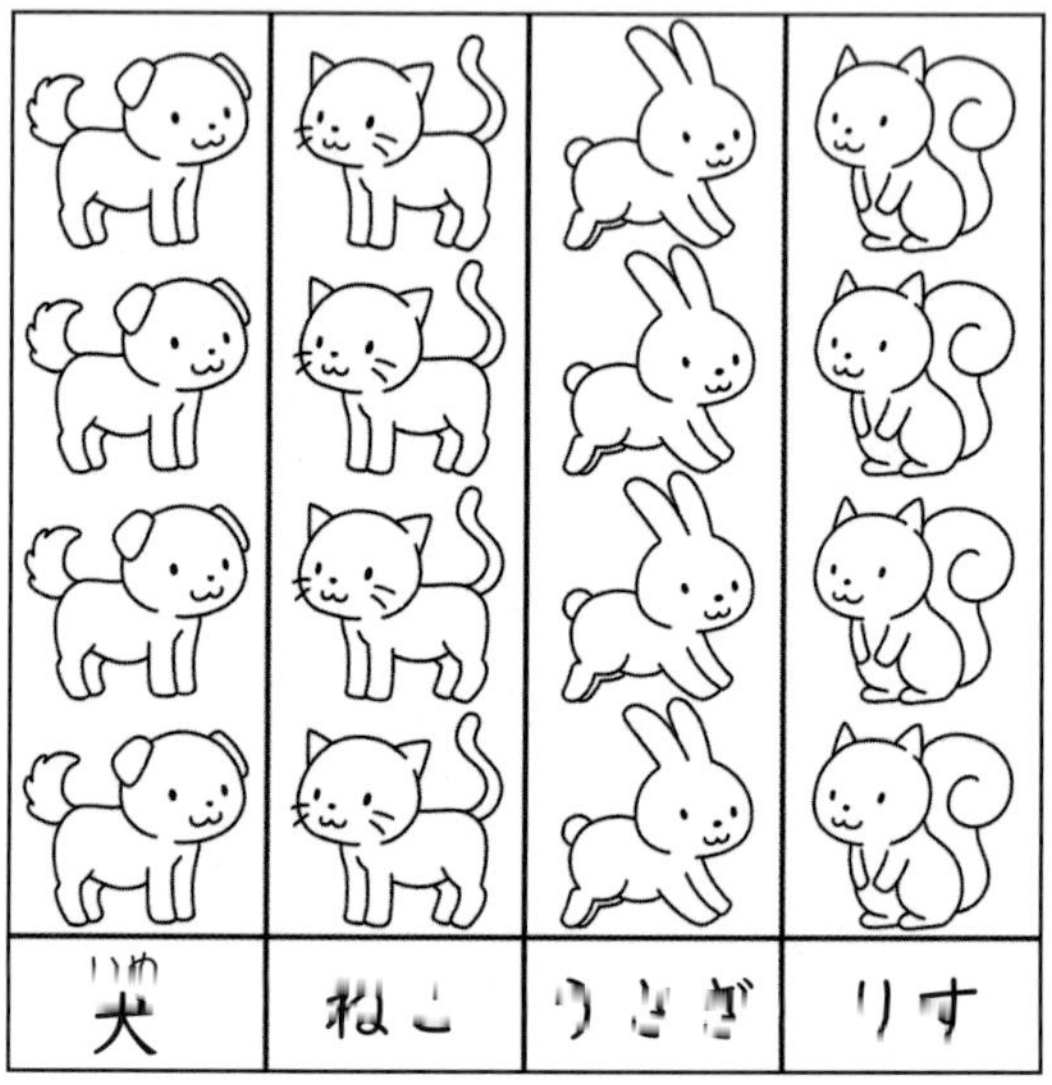

できた シール 〈かずを よみとる〉

2 はるとさんが つかまえた 虫《むし》の かずを しらべて せいりしました。

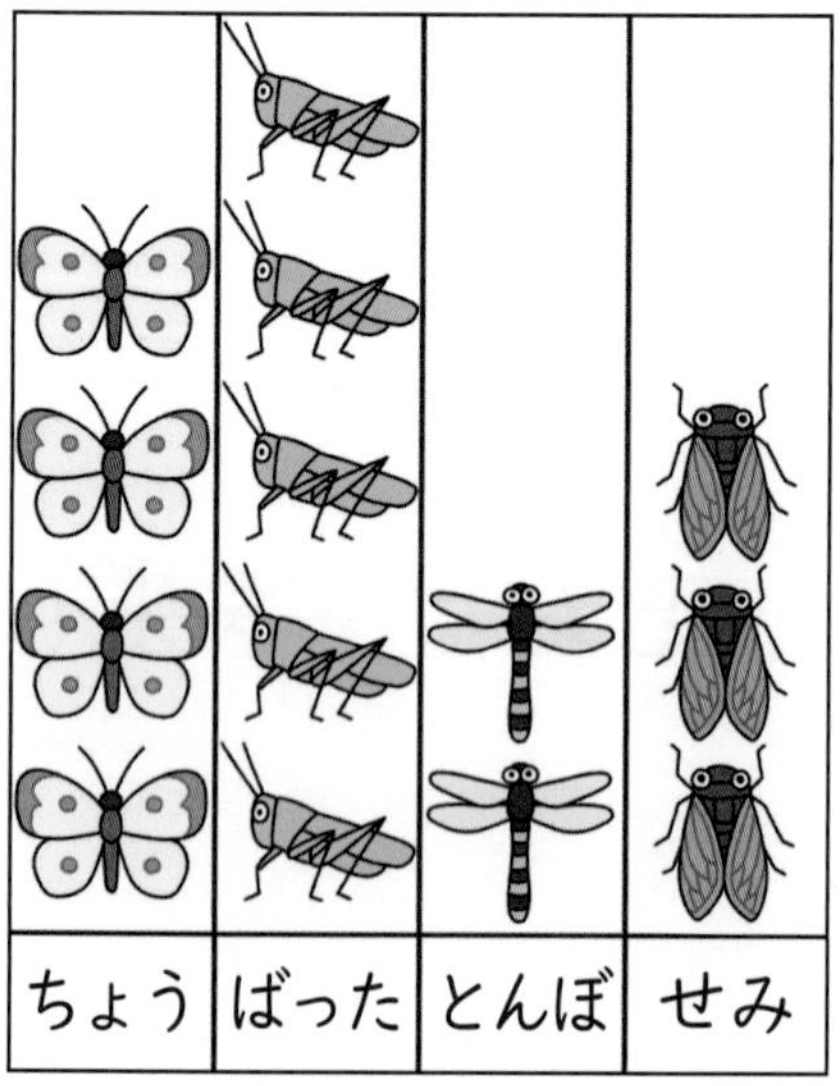

① せみは なんびき つかまえましたか。（　　　）

② いちばん おおく つかまえた 虫《むし》は なんですか。（　　　）

18 かい　とけい

学《がく》しゅう日《び》　　月《がつ》　　日《にち》

ごうかくシール
ぜんもん 正《せい》かいに できたら ごうかくシール《しいる》 を はろう！

できたシール　〈とけいを　よむ（なんじ）〉

1 とけいを よみましょう。

①

（　　　）

②

（　　　）

できたシール　〈とけいを　よむ（なんじはん）〉

2 とけいを よみましょう。

①

（　　　）

②

（　　　）

できたシール　〈とけいを　よむ（なんじなんぷん）〉

3 とけいを よみましょう。

①

（　　　）

②

（　　　）

できたシール　〈はりを　かく（なんじ）〉

4 ながい　はりを　　で かきましょう。

①

5 じ

②

11 じ

できたシール　〈はりを　かく（なんじはん）〉

5 ながい　はりを　　で かきましょう。

①

3 じはん

②

9 じはん

できたシール　〈はりを　かく（なんじなんぷん）〉

6 ながい　はりを　　で かきましょう。

①

8 じ 5 ふん

②

1 じ 45 ふん

できなかった　ところは、もう　いちど　やって　みましょう。正《ただ》しく　なおせたら　**できたシール**を　はりましょう。

ひろさ(めんせき)

できたシール　〈ひろさの　くらべかた〉

1 ひろい　ほうの　(　)に　◯を　かきましょう。

①
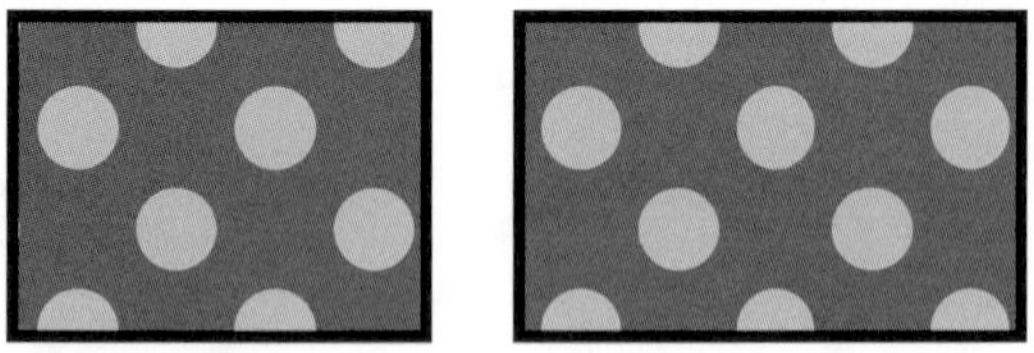
あ(　　)　い(　　)

②
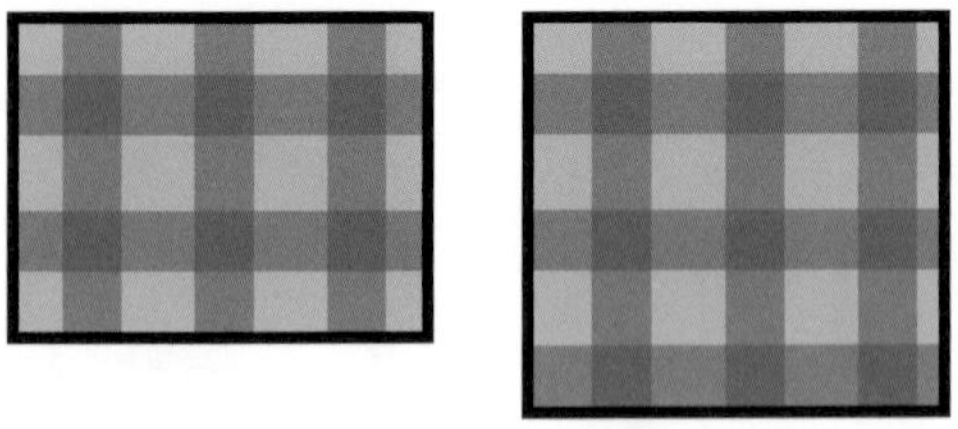
あ(　　)　い(　　)

できたシール　〈□で　ひろさを　くらべる〉

2 青《あお》(□)と　赤《あか》(□)では，どちらが　ひろいでしょうか。
ひろい　ほうを　(　)に　かきましょう。

①
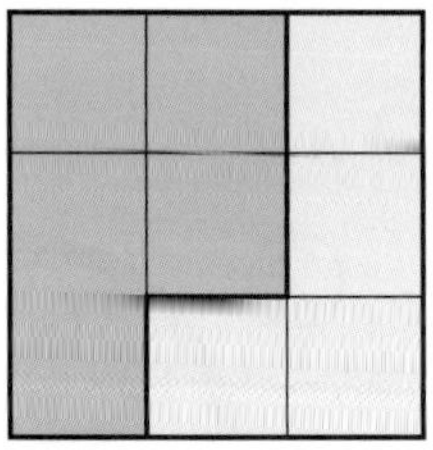
(　　)

②
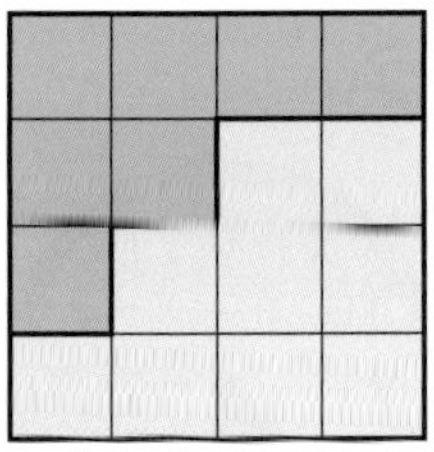
(　　)

できたシール　〈□が　いくつぶん　ひろいか〉

3 青《あお》(□)と　赤《あか》(□)では，どちらが　□　いくつぶん
ひろいでしょうか。

①
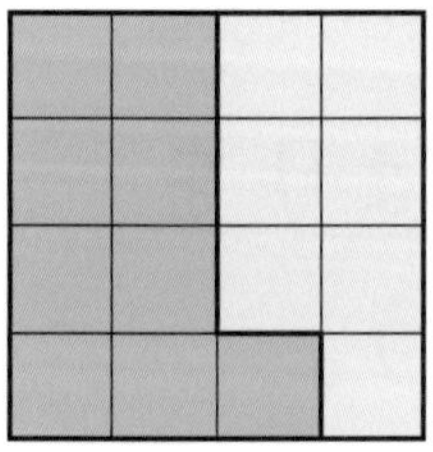
(　　)の　ほうが
□が　(　　)つぶん　ひろい。

②
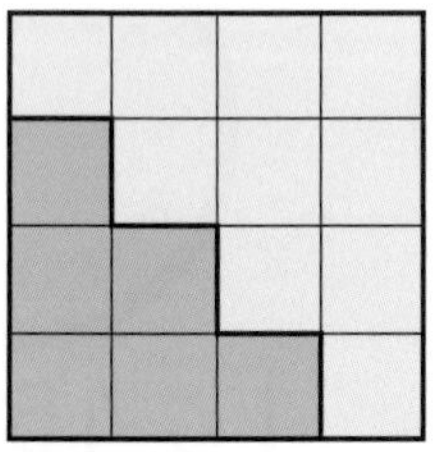
(　　)の　ほうが
□が　(　　)つぶん　ひろい。

16かい かさ(たいせき)

学《がく》しゅう日《び》　月《がつ》　日《にち》

ごうかくシール
ぜんもん 正《せい》かいに できたら ごうかくシール《しいる》を はろう!

できたシール　〈かさの　くらべかた〉

1 水《みず》は　どちらの　入《い》れものに　おおく　入《はい》って　いますか。おおい　ほうの　(　)に　○を　かきましょう。

①
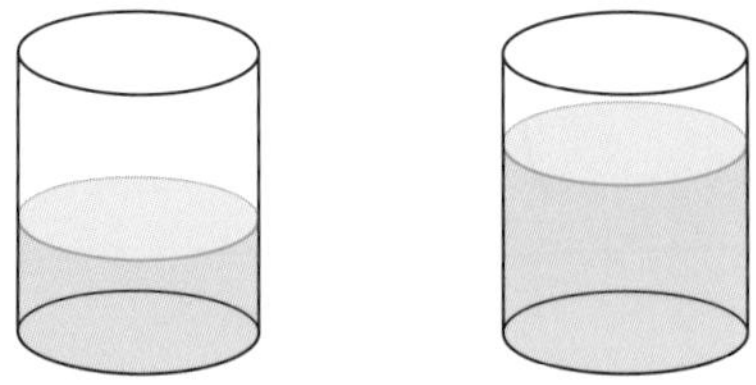

あ(　　)　い(　　)

②
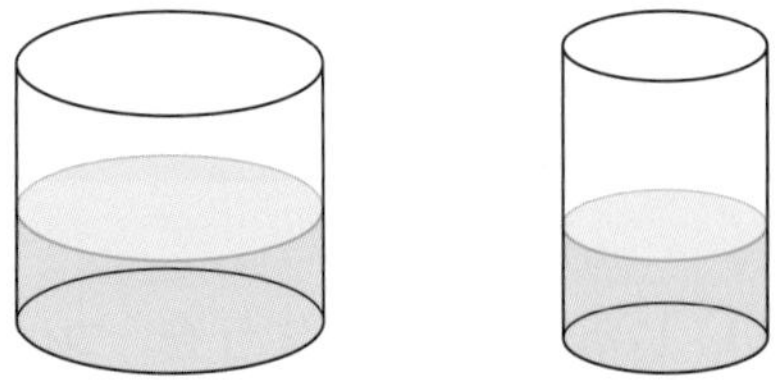

あ(　　)　い(　　)

できたシール　〈コップの　かずで　かさを　くらべる〉

2 あと　いの　入《い》れものでは，水《みず》は　どちらに　どれだけ　おおく　入《はい》って　いましたか。

あ
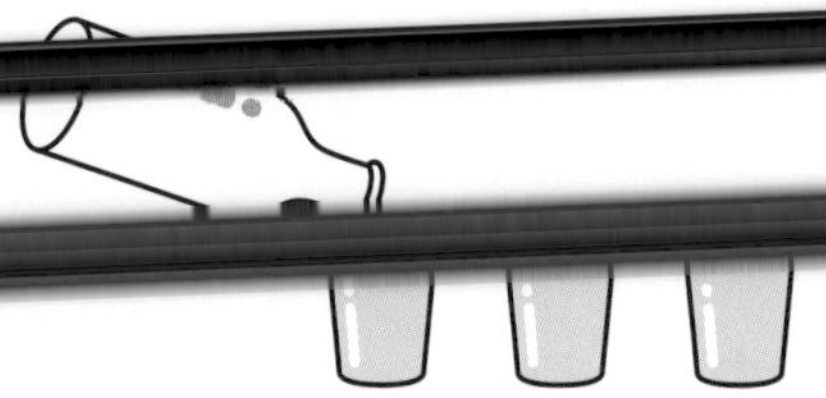

い

(　　)の　ほうが　コップで　(　　)はいぶん　おおい。

できたシール　〈おおい　じゅんに　ばんごうを　つける〉

3 水《みず》が　おおく　入《はい》って　いた　じゅんに　１，２，３と　ばんごうを　(　)に　かきましょう。

あ  (　　)

い  (　　)

う  (　　)

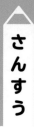

そくてい

15 かい ながさ

学《がく》しゅう日《び》

月《がつ》　日《にち》

ごうかくシール

ぜんもん 正《せい》かいに できたら ごうかくシール《しいる》を　はろう！

できたシール 〈はしを　そろえて　ながさを　くらべる〉

1 ながい　ほうの　(　)に　◯を　かきましょう。

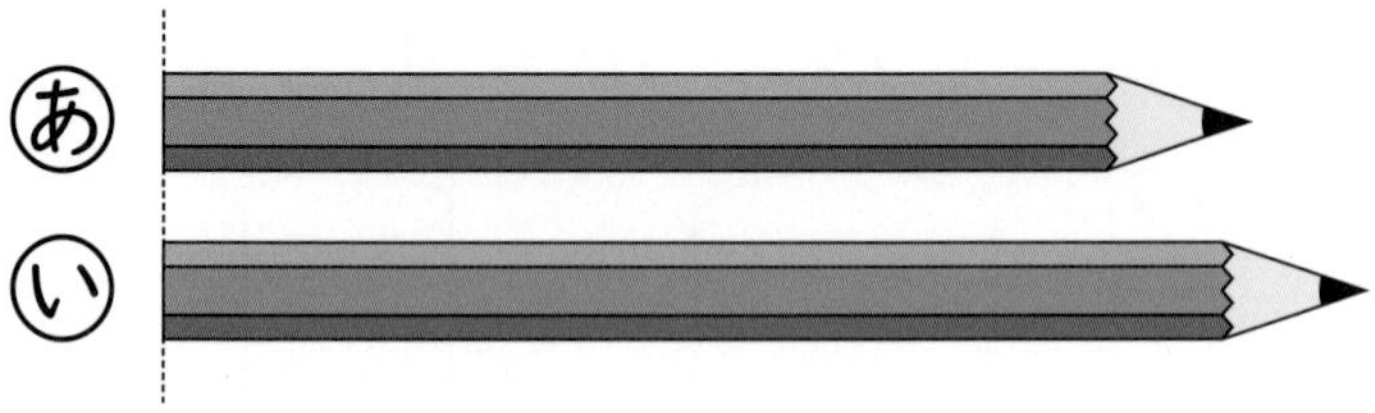

(　　)

(　　)

できたシール 〈ながい　じゅんに　ばんごうを　つける〉

2 テープの　ながさを　くらべて　います。ながい　じゅんに，1，2，3と　ばんごうを　(　)に　かきましょう。

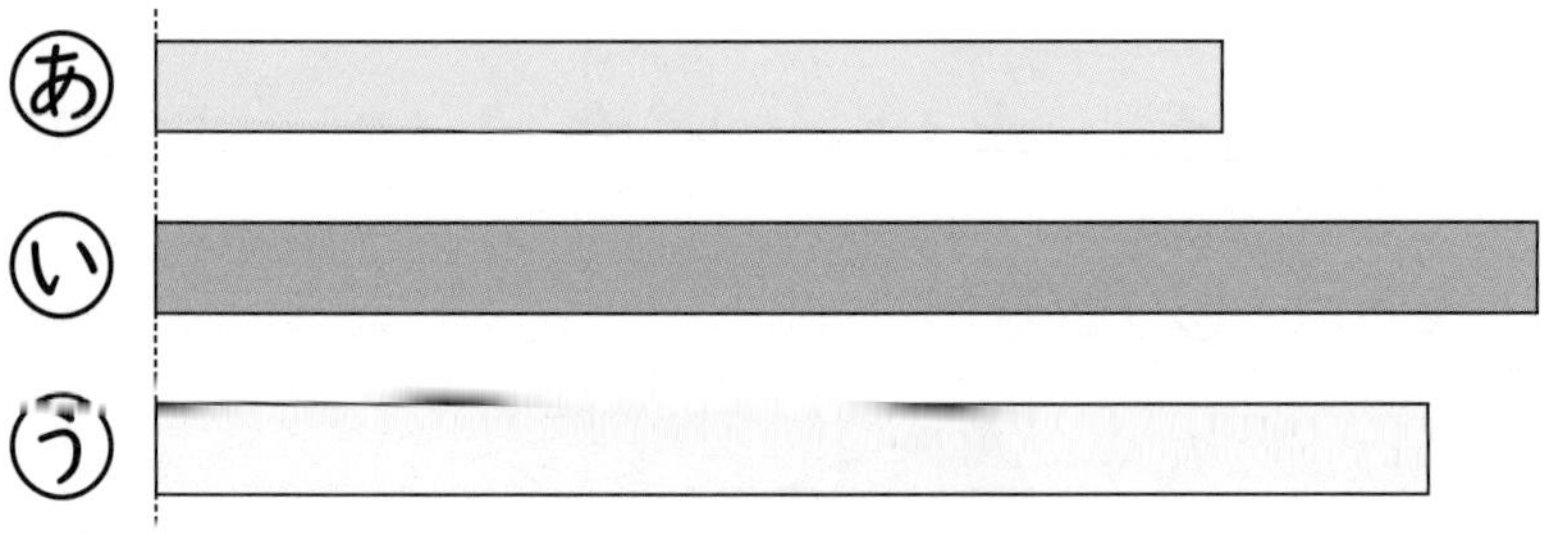

(　　)

(　　)

(　　)

できたシール 〈めもりで　ながさを　くらべる〉

3 ながい　ほうを　(　)に　かきましょう。

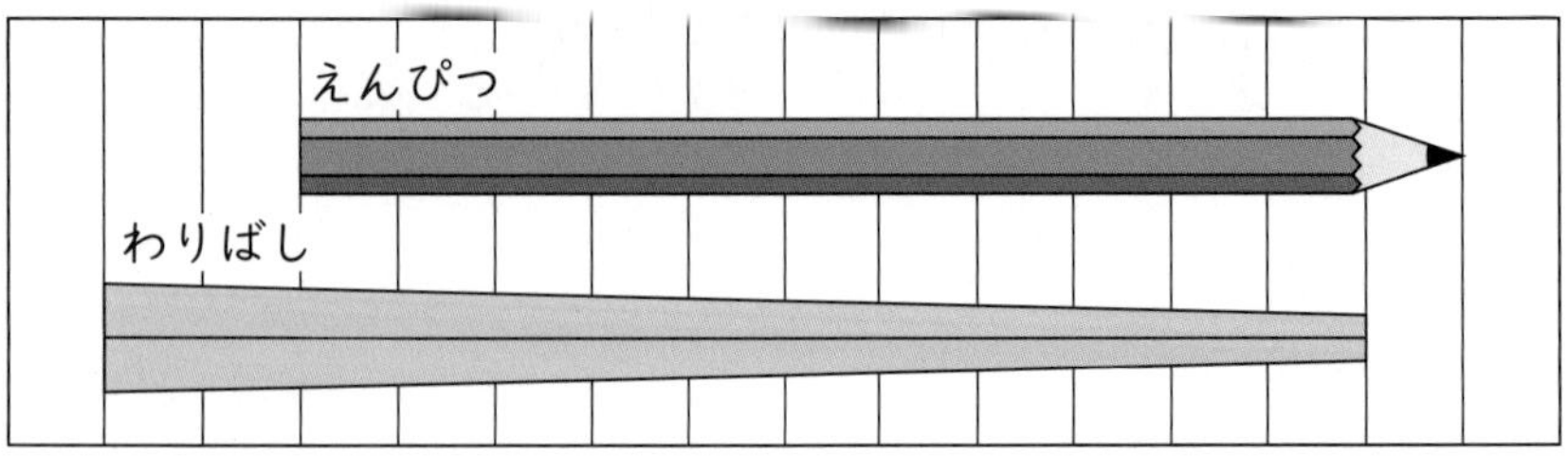

(　　　　)

できたシール 〈めもり　いくつぶん　ながいか〉

4 ㋐と　㋑の　テープでは，どちらが　めもり　いくつぶん　ながいですか。

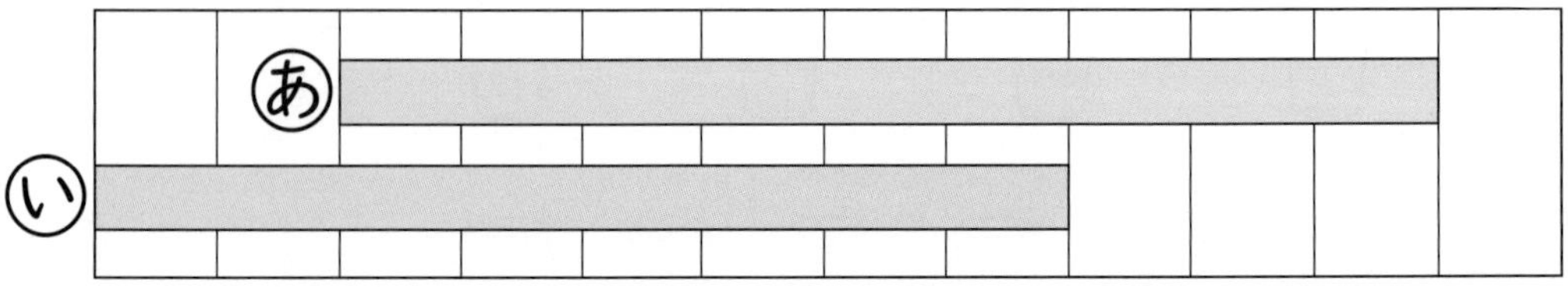

(　　)の　ほうが　めもり　(　　)つぶん　ながい。

14かい かたち

できたシール 〈うつして　できる　かたち〉

1 ①から　④の　つみきから，下《した》のように　かたちを　うつしとって　います。できる　かたちを　あ，い，う，え から　さがして，あ，い，う，えで　こたえましょう。

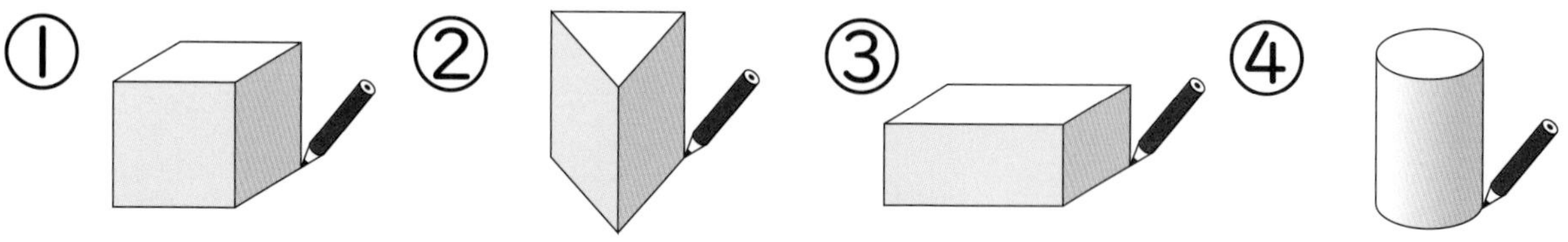

(　　)　(　　)　(　　)　(　　)

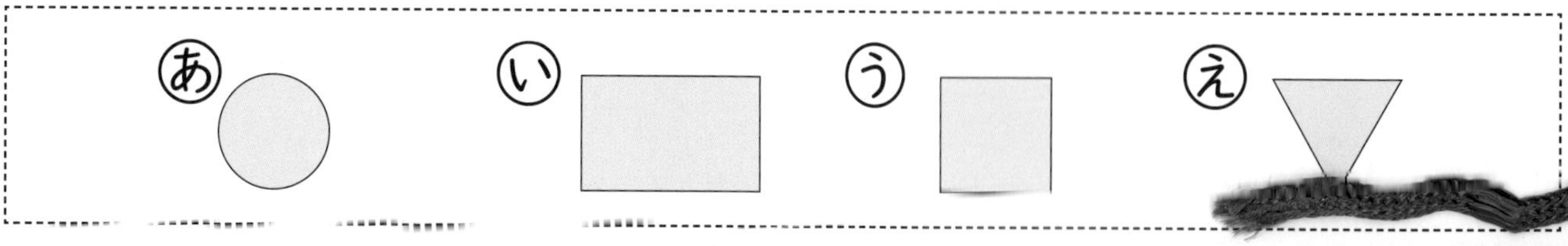

できたシール 〈かたちづくり〉

2 あから　えの　かたちは，◺の [illegible] まい　つかうと　できますか。

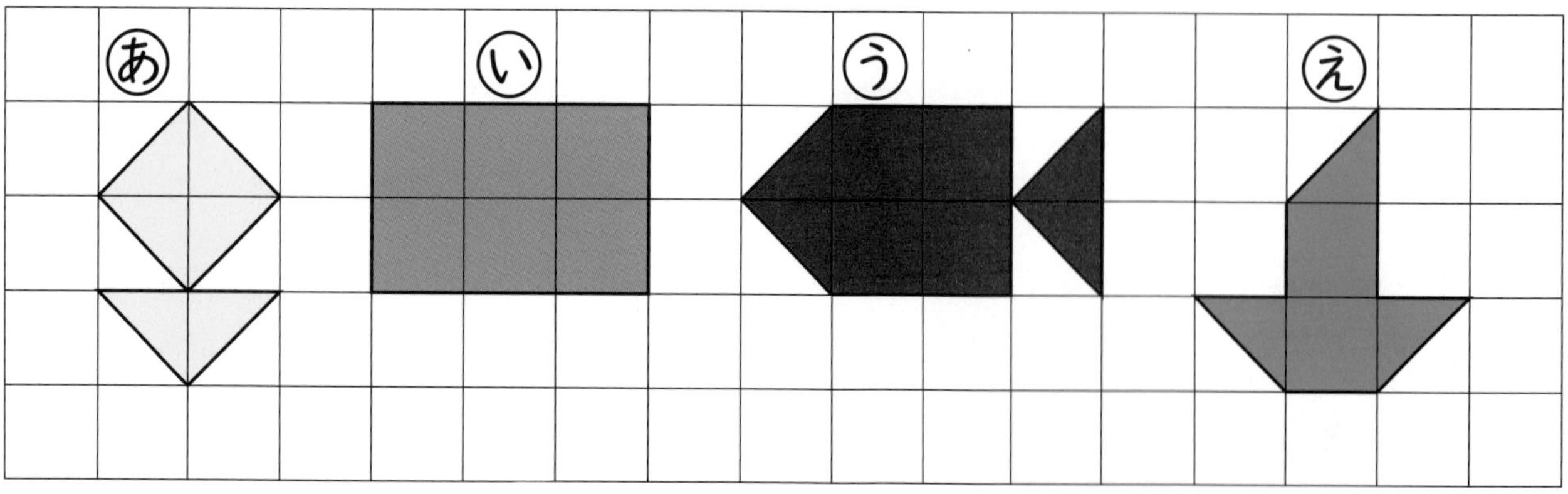

あ (　　　)まい　い (　　　)まい

う (　　　)まい　え (　　　)まい

 できなかった　ところは、もう　いちど　やって　みましょう。正《ただ》しく　なおせたら　**できたシール**を　はりましょう。

13 かい 3つの かずの けいさん

学《がく》しゅう日《び》

月《がつ》　日《にち》

ごうかくシール

ぜんもん 正《せい》かいに できたら ごうかくシール《しいる》を はろう!

できた シール 〈3 つの かずの たしざん〉

1 けいさんを しましょう。

① 3＋2＋4＝

② 7＋4＋3＝

できた シール 〈3 つの かずの ひきざん〉

2 けいさんを しましょう。

① 8－1－3＝

② 12－4－2＝

できた シール 〈3 つの かずの ひきざんと たしざん〉

3 けいさんを しましょう。

① 7－4＋2＝

② 13－8＋5＝

できた シール 〈3 つの かずの たしざんと ひきざん〉

4 けいさんを しましょう。

① 5＋1－4＝

② 13＋4－6＝

12 かい ひきざん(2)

学《がく》しゅう日《び》　　月《がつ》　　日《にち》

ごうかくシール
ぜんもん 正《せい》かいに できたら ごうかくシール《しいる》を　はろう！

できた シール 〈くり下《さ》がりの　ある　ひきざん〉

1 ひきざんを　しましょう。

① 11−3＝　　② 11−9＝

③ 14−9＝　　④ 17−8＝

⑤ 12−6＝　　⑥ 11−6＝

⑦ 18−9＝　　⑧ 13−9＝

⑨ 15−7＝　　⑩ 11−8＝

できた シール 〈くり下《し》がりの　ない　2 けたと　1 けたの　ひきざん〉

2 ひきざんを　しましょう。

① 24−4＝　　② 28−6＝

③ 43−1＝　　④ 49−5＝

できた シール 〈なん十《じゅう》の　ひきざん〉

3 ひきざんを　しましょう。

① 40−20＝　　② 60−50＝

③ 70−30＝　　④ 100−40＝

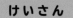

11かい ひきざん(1)

学《がく》しゅう日《び》

月《がつ》　日《にち》

ごうかくシール

ぜんもん 正《せい》かいに できたら ごうかくシール《しいる》を　はろう！

できたシール 〈5までの　かずから　ひく〉

1 ひきざんを　しましょう。

① $3-1=$　　② $5-4=$

③ $5-2=$　　④ $2-1=$

⑤ $4-1=$　　⑥ $4-3=$

できたシール 〈10までの　かずから　ひく〉

2 ひきざんを　しましょう。

① $6-2=$　　② $9-1=$

③ $9-7=$　　④ $8-3=$

⑤ $7-4=$　　⑥ $10-7=$

できたシール 〈くり下《さ》がりの　ない　2けたと　1けたの　ひきざん〉

3 ひきざんを　しましょう。

① $15-5=$　　② $13-1=$

③ $17-2=$　　④ $16-5=$

できたシール 〈0の　ひきざん〉

4 ひきざんを　しましょう。

① $5-0=$　　② $9-9=$

10 かい たしざん(2)

学《がく》しゅう日《び》

月《がつ》　日《にち》

ごうかくシール

ぜんもん
正《せい》かいに　できたら
ごうかくシール《しいる》
を　はろう！

できたシール〈くり上《あ》がりの　ある　たしざん〉

1 たしざんを　しましょう。

① 9＋2＝　　② 8＋4＝

③ 6＋7＝　　④ 9＋6＝

⑤ 3＋8＝　　⑥ 4＋9＝

⑦ 7＋5＝　　⑧ 7＋8＝

⑨ 8＋6＝　　⑩ 5＋6＝

できたシール〈くり上《あ》がりの　ない　2けたと　1けたの　たしざん〉

2 たしざんを　しましょう。

① 20＋8＝　　② 25＋1＝

③ 33＋4＝　　④ 42＋5＝

できたシール〈なん十《じゅう》の　たしざん〉

3 たしざんを　しましょう。

① 30＋10＝　　② 10＋40＝

③ 40＋50＝　　④ 30＋70＝

できなかった　ところは、もう　いちど　やって　みましょう。正《ただ》しく　なおせたら　**できたシール**を　はりましょう。

9 かい たしざん(1)

学《がく》しゅう日《び》
月《がつ》 日《にち》

ごうかくシール
ぜんもん
正《せい》かいに できたら
ごうかくシール《しいる》
を はろう！

できた シール 〈たして 5まで〉

1 たしざんを しましょう。

① 1+2＝　　② 2+3＝

③ 4+1＝　　④ 2+2＝

⑤ 3+1＝　　⑥ 1+4＝

できた シール 〈たして 10まで〉

2 たしざんを しましょう。

① 4+2＝　　② 2+7＝

③ 6+3＝　　④ 3+5＝

⑤ 1+9＝　　⑥ 2+8＝

できた シール 〈くり上《あ》がりの ない 2けたと 1けたの たしざん〉

3 たしざんを しましょう。

① 10+4＝　　② 12+3＝

③ 17+2＝　　④ 13+4＝

できた シール 〈0の たしざん〉

4 たしざんを しましょう。

① 4+0＝　　② 0+9＝

8 かい　大《おお》きい　かず(2)

学《がく》しゅう日《び》
月《がつ》　日《にち》

ごうかくシール
ぜんもん 正《せい》かいに できたら ごうかくシール《しいる》 を はろう!

できた シール 〈かずの せん〉

1 □に　あう　かずを　かきましょう。

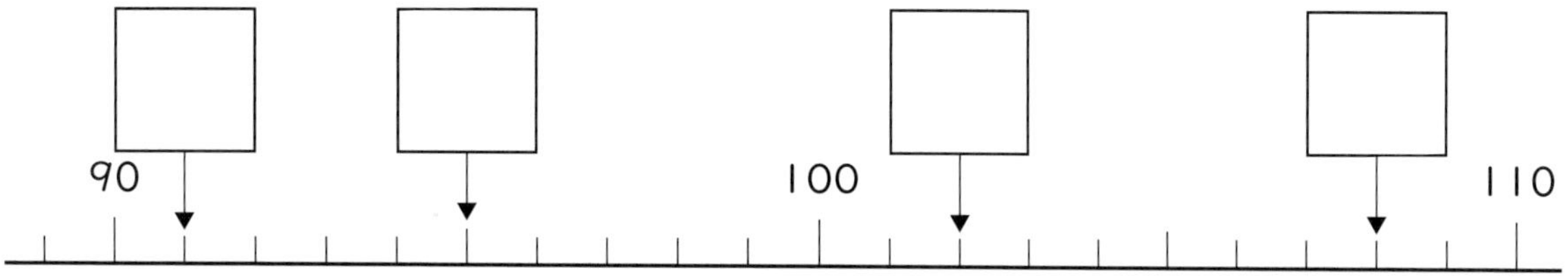

できた シール 〈1 大《おお》きい　かず，1 小《ちい》さい　かず〉

2 □に　あう　かずを　かきましょう。

① 89 より　1　大《おお》きい　かずは □ です。

② 100 より　1　小《ちい》さい　かずは □ です。

できた シール 〈2 ずつ，5 ずつ，10 ずつ　とんだ　かずの　じゅんじょ〉

3 □に　あう　かずを　かきましょう。

① 10 — 12 — □ — 16 — □ — 20

② 70 — 75 — □ — □ — 90 — 95 — □

③ 60 — 70 — □ — 90 — □ — □ — 120

できた シール 〈2 ずつ　かぞえる，5 ずつ　かぞえる〉

4 ふうせんと　バナナの　かずを □ に　かきましょう。

① 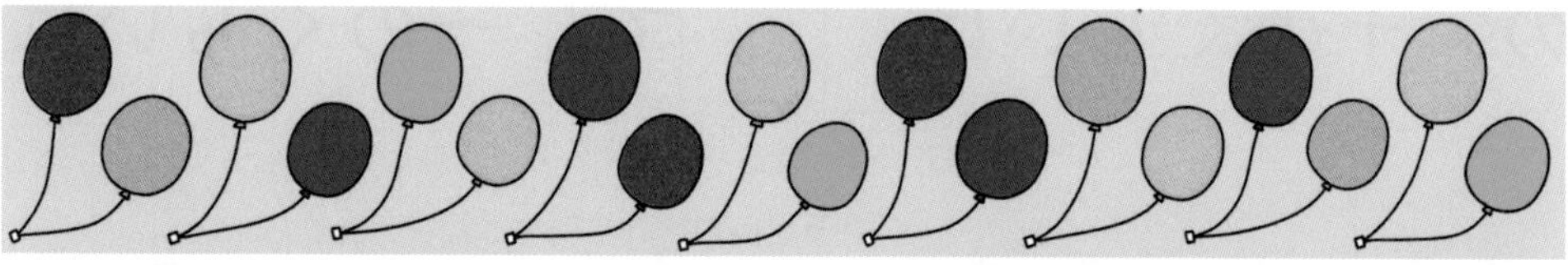 □ こ

②  □ 本《ぽん》

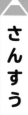

7 かい　大《おお》きい　かず(1)

学《がく》しゅう日《び》　月《がつ》　日《にち》

ごうかくシール
ぜんもん
正《せい》かいに できたら
ごうかくシール《しいる》
を　はろう！

できた シール 〈かぞえかた〉

1 えの　かずを □ に　かきましょう。

① 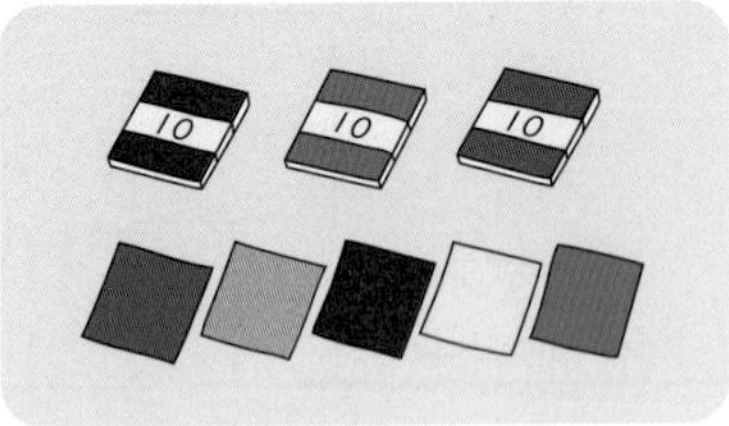

□ まい

② 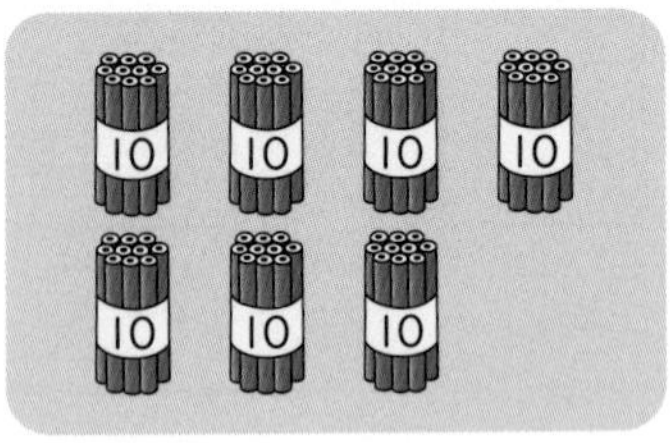

□ 本《ぽん》

できた シール 〈あわせた　かず〉

2 □ に　あう　かずを　かきましょう。

① 10が　2つと　1が　7つで □

② 10が　8つで □

③ 10が　10で □

できた シール 〈10が　いくつと　1が　いくつ〉

3 □ に　あう　かずを　かきましょう。

① 49は　10が □ つと　1が □ つ

② 90は　10が □ つ

できた シール 〈十《じゅう》のくらい，一《いち》のくらい〉

4 □ に　あう　かずを　かきましょう。

① 36の　十《じゅう》のくらいは □ で，一《いち》のくらいは □ です。

② 十《じゅう》のくらいが　7で，一《いち》のくらいが　4の　かずは □ です。

くもんの小学生向け学習書

くもんの学習書には、「ドリル」「問題集」「テスト」「ワーク」があり、課題や目標にあわせてぴったりの１冊と出合うことができます。

くもんのドリル

- 独自のスモールステップで配列された問題と繰り返し練習を通して、やさしいところから到達目標まで、テンポよくステップアップしながら力をつけることができます。
- 書き込み式と１日単位の紙面構成で、毎日学習する習慣が身につきます。

くもんの問題集

- たくさんの練習問題が、効果的なグルーピングと順番でまとまっている本で、力をしっかり定着させることができます。
- 基礎～標準～発展・応用まで、目的やレベルにあわせて、さまざまな種類の問題集が用意されています。

くもんのテスト

- 力が十分に身についているかどうかを測るためのものです。苦手がはっきりわかるので、効率的な復習につなげることができます。

くもんのワーク

- １冊の中でバリエーションにとんだタイプの問題に取り組み、はじめての課題や教科のわくにおさまらない課題でも、しっかり見通しを立て、自ら答えを導きだせる力が身につきます。

2020年11月現在

20までの　かず(2)

学《がく》しゅう日《び》　月《がつ》　日《にち》

ごうかくシール
ぜんもん 正《せい》かいに できたら ごうかくシール《しいる》 を はろう！

できたシール 〈大《おお》きく　なる　かずの　じゅんじょ〉

1 □に　あう　かずを　かきましょう。

11 — 12 — □ — 14 — □ — 16

できたシール 〈小《ちい》さく　なる　かずの　じゅんじょ〉

2 □に　あう　かずを　かきましょう。

20 — 19 — □ — 17 — □ — 15

できたシール 〈かずのせん〉

3 □に　あう　かずを　かきましょう。

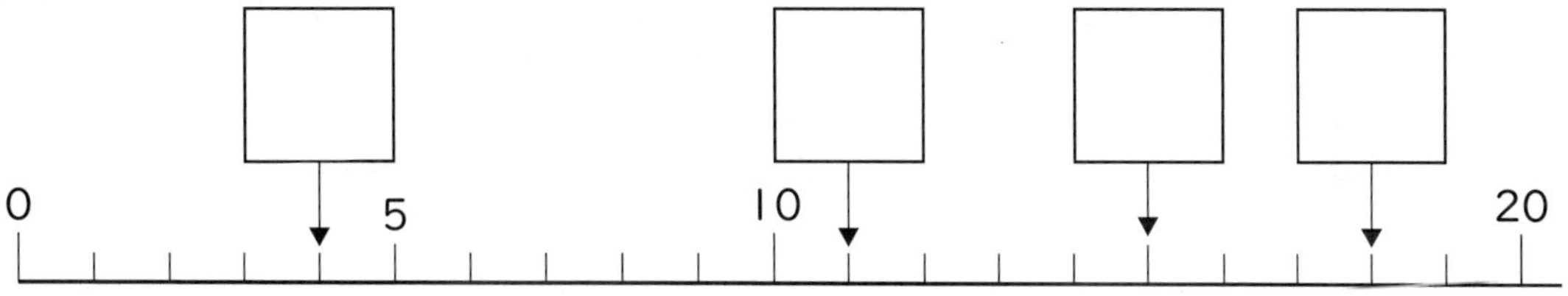

できたシール 〈大《おお》きい　ほうの　かず〉

4 大《おお》きい　ほうの　かずに　◯を　かきましょう。

① 10　11
(　　)(　　)

② 18　15
(　　)(　　)

できたシール 〈2　大《おお》きい　かず，2　小《ちい》さい　かず〉

5 □に　あう　かずを　かきましょう。

① 15より　2　大《おお》きい　かずは　□です。

② 15より　2　小《ちい》さい　かずは　□です。

できなかった　ところは、もう　いちど　やって　みましょう。正《ただ》しく　なおせたら　**できたシール**を　はりましょう。

5 かい　20までの　かず⑴

学《がく》しゅう日《び》

月《がつ》　日《にち》

ごうかくシール

ぜんもん
正《せい》かいに できたら
ごうかくシール《しいる》
を　はろう！

できた シール　〈10と　いくつ〉

1 えの　かずを　□に　かきましょう。

① 

□本《ほん》

② 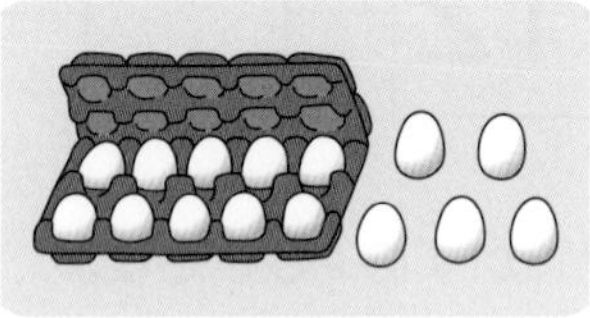

□こ

できた シール　〈かぞえかた〉

2 えの　かずを　□に　かきましょう。

① 

□わ

② 

□こ

できた シール　〈10と　いくつ〉

3 □に　あう　かずを　かきましょう。

① 10と　2で　□　　② 10と　7で　□

③ 10と　10で　□

できた シール　〈いくつは　10と　いくつ〉

4 □に　あう　かずを　かきましょう。

① 14は　10と　□　　② 18は　10と　□

4 かい なんばんめ

学《がく》しゅう日《び》
月《がつ》　日《にち》

ごうかくシール
ぜんもん
正《せい》かいに できたら
ごうかくシール《しいる》
を　はろう！

できたシール〈まえから　なんびき〉

1 まえから　４ひきの　犬《いぬ》に　いろを　ぬりましょう。

（まえ）

（うしろ）

できたシール〈まえから　なんだいめ〉

2 まえから　４だいめの　じどうしゃに　いろを　ぬりましょう。

（まえ）

（うしろ）

できたシール〈左《ひだり》からと　右《みぎ》からの　じゅんばん〉

3 ぼうしが　かかって　います。

そうた　こはる　なつみ　はるき　いぶき　いちか　あられ　めい

（左《ひだり》）
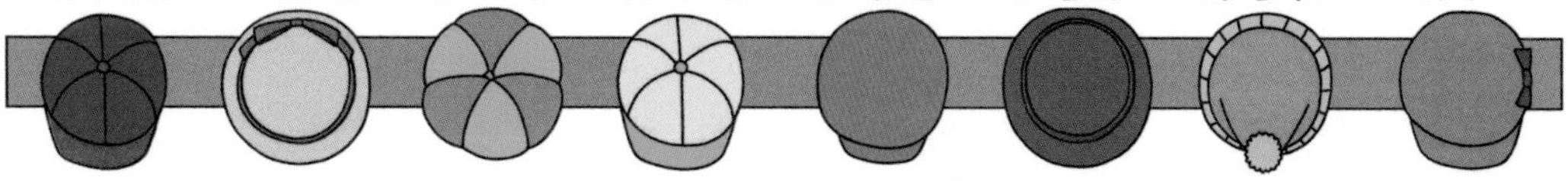
（右《みぎ》）

① はるきさんの　ぼうしは　左《ひだり》から　なんばんめですか。
（　　　）ばんめ

② いちかさんの　ぼうしは　右《みぎ》から　なんばんめですか。
（　　　）ばんめ

③ 左《ひだり》から　３ばんめの　ぼうしは　だれの　ぼうしですか。
（　　　）さん

④ 右《みぎ》から　４ばんめの　ぼうしは　だれの　ぼうしですか。
（　　　）さん

　できなかった　ところは、もう　いちど　やって　みましょう。正《ただ》しく　なおせたら　**できたシール**を　はりましょう。

3かい　いくつと　いくつ

学《がく》しゅう日《び》　月《がつ》　日《にち》

ごうかくシール　ぜんもん 正《せい》かいに できたら ごうかくシール《しいる》を　はろう！

できたシール　〈あと　いくつで　7に　なるか〉

1　7に　なるように　●を　かきくわえましょう。

①
●●●●●
○○○○○

②
●●●○○
○○○○○

できたシール　〈あと　いくつで　10に　なるか〉

2　左《ひだり》と　右《みぎ》の　●の　かずが　ぜんぶで　10に　なる ように　右《みぎ》の　□に　●を　かきましょう。

①　●●●●● ●●　と　○○○○○ ○○○○○

②　●●　と　○○○○○ ○○○○○

できたシール　〈いくつと　いくつ〉

3　□に　あう　かずを　かきましょう。

①　5は　3と　□　　②　8は　2と　□

③　6は　□と　4　　④　9は　□と　1

⑤　10は　4と　□　　⑥　7は　□と　2

できたシール　〈いくつは　いくつと　いくつ〉

4　□に　あう　かずを　かきましょう。

①　□は　2と　5　　②　□は　8と　2

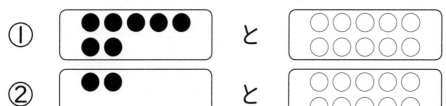

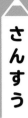

2かい 10までの　かず(2)

学《がく》しゅう日《び》　月《がつ》　日《にち》

ごうかくシール

ぜんもん 正《せい》かいに できたら ごうかくシール《しいる》を　はろう!

できたシール 〈大《おお》きく　なる　かずの　じゅんじょ〉

1 □に　あう　かずを　かきましょう。

① 1－2－□－4　② 7－8－□－10

できたシール 〈小《ちい》さく　なる　かずの　じゅんじょ〉

2 □に　あう　かずを　かきましょう。

① 5－□－3－2　② 9－□－7－6

できたシール 〈かずのせん〉

3 □に　あう　かずを　かきましょう。

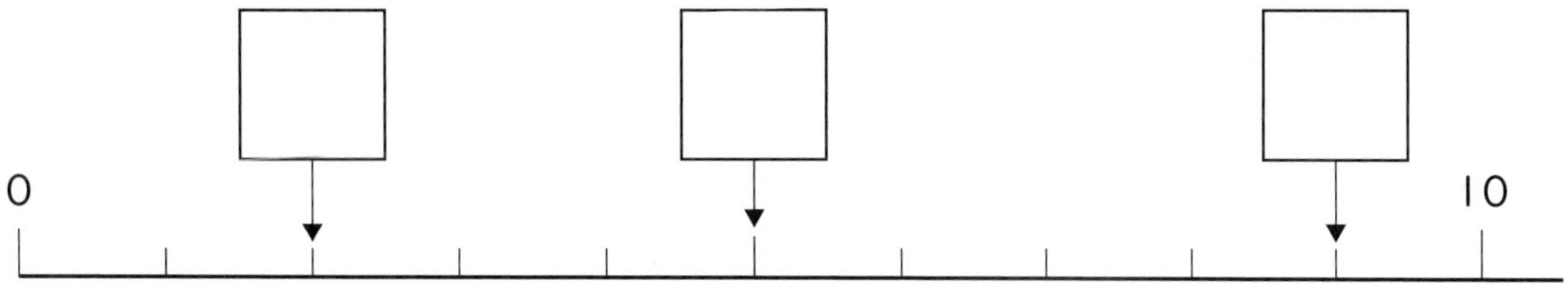

できたシール 〈大《おお》きい　ほうの　かず〉

4 大《おお》きい　ほうの　かずに　○を　かきましょう。

① 4（　）　7（　）　② 10（　）　8（　）

できたシール 〈1　大《おお》きい　かず〉

5 5より　1　大《おお》きい　かずを　右《みぎ》の　□に　かきましょう。

□

　できなかった　ところは、もう　いちど　やって　みましょう。正《ただ》しく　なおせたら　**できたシール**を　はりましょう。

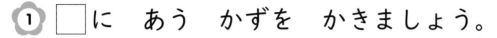

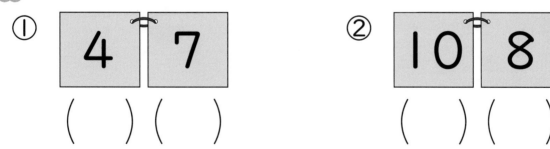

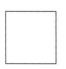

さんすう

かず

1 かい　10までの　かず(1)

学《がく》しゅう日《び》

月《がつ》　日《にち》

ごうかくシール

ぜんもん
正《せい》かいに できたら
ごうかくシール《しいる》
を　はろう！

⬇こたえあわせを　して、こたえが　あって　いたら、ここに　**できたシール**を　はろう。

できたシール　〈おなじ　かず〉

1 えの　かずだけ，○に　いろを　ぬりましょう。

① 

○○○○○
○○○○○

② 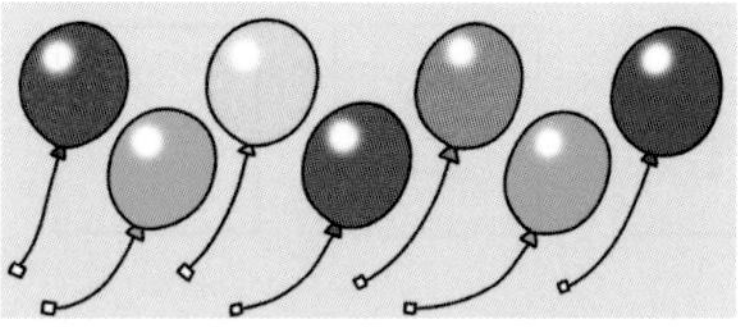

○○○○○
○○○○○

できたシール　〈えの　かずを　かく〉

2 えの　かずは　いくつですか。□に　すう字《じ》を　かきましょう。

① 

□ こ

② 

□ ひき

できたシール　〈0と　いう　かず〉

3 おさらに　ある　りんごの　かずを　かぞえて，□の　中《なか》に　すう字《じ》を　かきましょう。

 □ こ　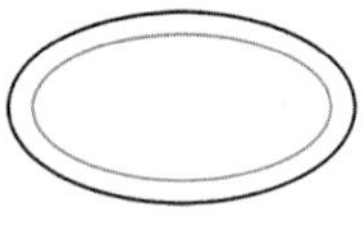 □ こ　 □ こ

できたシール　〈どちらが　おおい〉

4 どちらが　おおいでしょうか。おおい　ほうの　（　）に　○を　かきましょう。

みかん 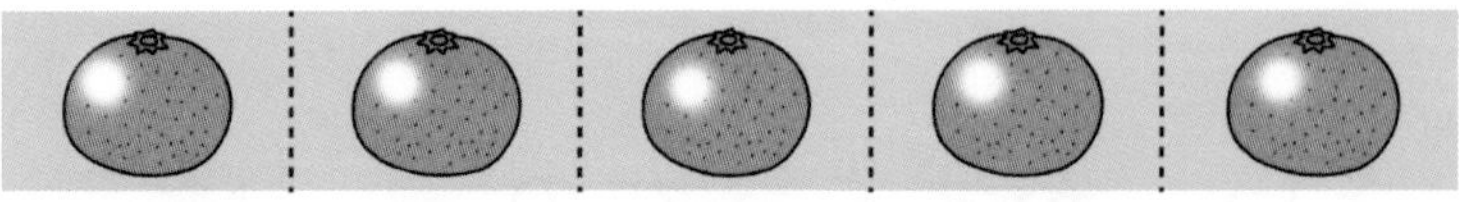 （　　）

りんご  （　　）

アルファベット

6 かい

アルファベット《あるふぁべっと》の 大文字《おおもじ》を ゆびで なぞって みよう

学《がく》しゅう日《び》

月《がつ》　日《にち》

ごうかくシール

ぜんもん 正《せい》かいに できたら ごうかくシール《しいる》を はろう！

051

1 音《おん》せいを　きいて，まねして　いいながら，アルファベット《あるふぁべっと》を　ゆびで　なぞりましょう。

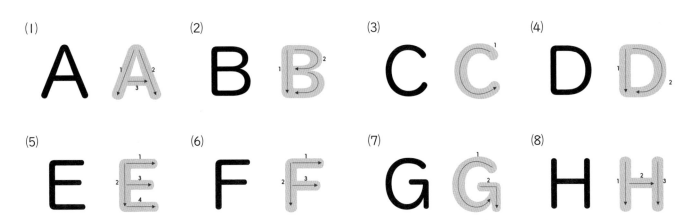

(1) A A

(2) B B

(3) C C

(4) D D

(5) E E

(6) F F

(7) G G

(8) H H

(9) I I

(10) J J

(11) K K

(12) L L

(13) M M

(14) N N

(15) O O

(16) P P

(17) Q Q

(18) R R

(19) S S

(20) T T

(21) U U

(22) V V

(23) W W

(24) X X

(25) Y Y

(26) Z Z

アルファベット《あるふぁべっと》の　かきじゅんには，正《せい》しきな　きまりは　ありません。　この　ドリル《どりる》では，かきやすさなどを　かんがえて　かきじゅんを　しめして　いますが，この　とおりの　かきじゅんで　なくても　かまいません。

5かい アルファベット《あるふぁべっと》の うた

学《がく》しゅう日《び》 月《がつ} 日《にち》

ごうかくシール
ぜんもん 正《せい》かいに できたら ごうかくシール《しいる》を はろう！

052

① アルファベット《あるふぁべっと》は 26文字《もじ》あり，それぞれに 大文字《おおもじ》と 小文字《こもじ》が あります。音《おん》せいを きいて，まねして いいましょう。

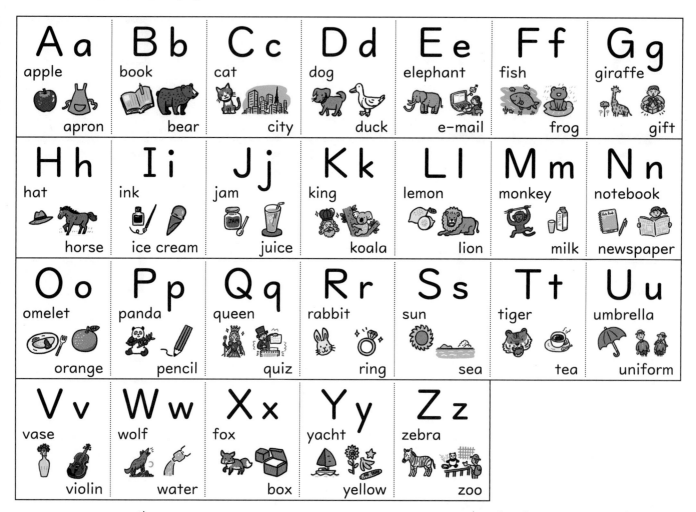

A a	B b	C c	D d	E e	F f	G g
apple	book	cat	dog	elephant	fish	giraffe
apron	bear	city	duck	e-mail	frog	gift
H h	I i	J j	K k	L l	M m	N n
hat	ink	jam	king	lemon	monkey	notebook
horse	ice cream	juice	koala	lion	milk	newspaper
O o	P p	Q q	R r	S s	T t	U u
omelet	panda	queen	rabbit	sun	tiger	umbrella
orange	pencil	quiz	ring	sea	tea	uniform
V v	W w	X x	Y y	Z z		
vase	wolf	fox	yacht	zebra		
violin	water	box	yellow	zoo		

② 1かい目《め》は，うたを ききながら アルファベット《あるふぁべっと》を ゆびで さして おいましょう。2かい目《め》は，いっしょに うたいましょう。

A B C D E F G H I J K L M N O P Q
R S T U V W and X Y Z
Happy, happy, I'm happy. I can sing my ABC.

くもんの 小学1年の総復習ドリル 算《さん》数《すう》教《きょう》科《か》書《しょ》対《たい》照《しょう》表《ひょう》 小学1年生

くもんの小学1年の総復習ドリル			教科書のページ					
かい	たんげん名	ページ	東京書籍 あたらしい さんすう 1	啓林館 わくわく さんすう 1	学校図書 みんなとまなぶ しょうがっこう さんすう 1ねん	日本文教出版 しょうがく さんすう 1ねん	教育出版 しょうがく さんすう 1	大日本図書 たのしいさんすう 1ねん
1	10までの かず(1)	50	①3~11, 14~19, 32~34	8~17	上6~23	上10~27	10~27	10~27
2	10までの かず(2)	49						
3	いくつと いくつ	48	①12~13, 20~31, 40~41	22~29	上24~31	上32~41	31~41	31~39
4	なんばんめ	47	①36~39	18~21	上66~69	上28~31	24~27	28~30
5	20までの かず(1)	46	②36~43	66~73	上74~81	上74~81	74~82	71~81
6	20までの かず(2)	45						
7	大きい かず(1)	44	②46~47, 91~101	130~141	下34~42	下47~58	142~156	135~145
8	大きい かず(2)	43						
9	たしざん(1)	42	②2~11, 44~45, 60~68, 102~104	38~47, 74~75, 94~101, 122~123, 152~155	上32~47, 82~83 下2~7, 43~44	上42~53, 82~83 下4~14	43~54, 83~84, 104~113	41~50, 82~83, 104~115, 146~147
10	たしざん(2)	41						
11	ひきざん(1)	40	②14~25, 44~45, 76~84, 102~104	50~59, 74~75, 110~117, 122~123, 152~154	上50~64, 82~83 下11~17, 45~46	上54~66, 82~83 下24~34	57~65, 83~84, 116~125	51~61, 82~83, 104~105, 120~126, 146~147
12	ひきざん(2)	39						
13	3つの かずの けいさん	38	②51~54	88~92	上92~94	上91~95	98~102	89~94
14	かたち	37	②72~75, 120~124	30~37, 104~108	上86~91, 下62~64	下18~22, 82~85	90~94, 168~171	129~133, 162~165
15	ながさ	36	②26~31	82~85	下23~26	上86~90	128~133	97~101
16	かさ(たいせき)	35	②55~58	86~87	下27~29	下38~41	134~136	118~119
17	ひろさ(めんせき)	34	②106~107	158~159	下30	下42~43	137~138	102~103
18	とけい	33	②48~49, 108~110	80~81, 144~146	上84~85, 下48~50	上84~85, 下62~65	28~29, 158~160	85~87, 150~154
19	かずしらべ	32	②32~34	62~65	上70~71, 下60~61	上68~71	86~89	66~69
20	たしざん	31	上のたしざん, ひきざんのページにくわえて, ②86~87, 114~117	上のたしざん, ひきざんのページにくわえて, 124, 148~149, 156~157	上のたしざん, ひきざんのページにくわえて, 下20~21, 53~57	上のたしざん, ひきざんのページにくわえて, 下67~81, 86~87	上のたしざん, ひきざんのページにくわえて, 68~70, 164~165	上のたしざん, ひきざんのページにくわえて, 62, 96, 158~160
21	ひきざん	30						
22	たしざんと ひきざん	29						
23	3つの かずの けいさん	28	②51~54	88~92	上92~94	上91~95	98~102	89~94
24	ならびかた	27	②112~113, 118~119	125	下51~52	下73~81	162~164	155~157

くもんの小《しょう》学《がく》ドリルシリーズとの対《たい》照《しょう》表《ひょう》

総復習《そうふくしゅう》ドリルをやってみて、さらに基《き》礎《そ》からしっかり学習《がくしゅう》したいときには、この表《ひょう》にある小学《しょうがく》ドリルで学習《がくしゅう》するとよいでしょう。

さんすう

くもんの小学1年の総復習ドリル			くもんの小学ドリル
かい	たんげん名	ページ	
1	10までの　かず(1)	50	1年生のすう・りょう・ずけい
2	10までの　かず(2)	49	1年生のすう・りょう・ずけい
3	いくつと　いくつ	48	1年生のすう・りょう・ずけい
4	なんばんめ	47	1年生のすう・りょう・ずけい
5	20までの　かず(1)	46	1年生のすう・りょう・ずけい
6	20までの　かず(2)	45	1年生のすう・りょう・ずけい
7	大きい　かず(1)	44	1年生のすう・りょう・ずけい
8	大きい　かず(2)	43	1年生のすう・りょう・ずけい
9	たしざん(1)	42	1年生のたしざん
10	たしざん(2)	41	1年生のたしざん
11	ひきざん(1)	40	1年生のひきざん
12	ひきざん(2)	39	1年生のひきざん
13	3つの　かずの　けいさん	38	1年生のたしざん　1年生のひきざん
14	かたち	37	1年生のすう・りょう・ずけい
15	ながさ	36	1年生のすう・りょう・ずけい
16	かさ(たいせき)	35	1年生のすう・りょう・ずけい
17	ひろさ(めんせき)	34	1年生のすう・りょう・ずけい
18	とけい	33	1年生のすう・りょう・ずけい
19	かずしらべ	32	1年生のすう・りょう・ずけい
20	たしざん	31	1年生の文しょうだい
21	ひきざん	30	1年生の文しょうだい
22	たしざんと　ひきざん	29	1年生の文しょうだい
23	3つの　かずの　けいさん	28	1年生の文しょうだい
24	ならびかた	27	1年生の文しょうだい

こくご

くもんの小学1年の総復習ドリル			くもんの小学ドリル
かい	たんげん名	ページ	
1	ひらがな	1	1年生の言葉と文のきまり　1年生のひらがな
2	「゛」「゜」の　つく　じ	2	1年生の言葉と文のきまり　1年生のひらがな
3	ちいさく　かく　じ	3	1年生の言葉と文のきまり　1年生のひらがな
4	のばす　おん・「は」「を」「へ」	4	1年生の言葉と文のきまり　1年生のひらがな
5	なかまの　ことば	5	1年生の言葉と文のきまり
6	ことばの　つかいかた	6	1年生の言葉と文のきまり
7	ぶんの　くみたて(1)	7	1年生の言葉と文のきまり
8	ぶんの　くみたて(2)	8	1年生の言葉と文のきまり
9	まる(。)てん(、)かぎ(「」)の　つかいかた(1)	9	1年生の言葉と文のきまり
10	まる(。)てん(、)かぎ(「」)の　つかいかた(2)	10	1年生の言葉と文のきまり
11	かたかな(1)	11	1年生の言葉と文のきまり　1年生のカタカナ
12	かたかな(2)	12	1年生の言葉と文のきまり　1年生のカタカナ
13	かん字の　かき	13	1年生のかん字
14	なかまの　かん字(1)	14	1年生のかん字
15	なかまの　かん字(2)	15	1年生のかん字
16	なかまの　かんじ(3)	16	1年生のかん字
17	なかまの　かんじ(4)	17	1年生のかん字
18	かんじの　つかいかた	18	1年生のかん字
19	ものがたりの　よみとり(1)	19	1年生の文しょうの読解
20	ものがたりの　よみとり(2)	20	1年生の文しょうの読解
21	せつめい文の　よみとり(1)	21	1年生の文しょうの読解
22	せつめい文の　よみとり(2)	22	1年生の文しょうの読解
23	さく文(1)	23	1年生の言葉と文のきまり
24	さく文(2)	24	1年生の言葉と文のきまり

えいごの 文《ぶん》

4かい なんじですか？ ○○じです。

学《がく》しゅう日《び》 月《がつ》 日《にち》

ごうかくシール
ぜんもん 正《せい》かいに できたら ごうかくシール《しいる》を はろう！

053

1 音《おん》せいを きいて，まねして いいましょう。

(1)

9じ

What time is it?
なんじですか？

It's 9.
9じです。

(2)

What time is it?

It's 2.

2じ

(3)

6じ

What time is it?

It's 6.

2 リズム《りずむ》に あわせて かずを いいましょう。

1	2	3	4	5	6	7	8	9	10	11	12
one	two	three	four	five	six	seven	eight	nine	ten	eleven	twelve

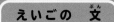

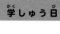

えいご

かず

3 かい　1から　10まで　かぞえよう

学《がく》しゅう日《び》

月《がつ》　日《にち》

ごうかくシール

ぜんもん
正《せい》かいに　できたら
ごうかくシール《しいる》
を　はろう！

054

1 音《おん》せいを　きいて，まねして　いいましょう。

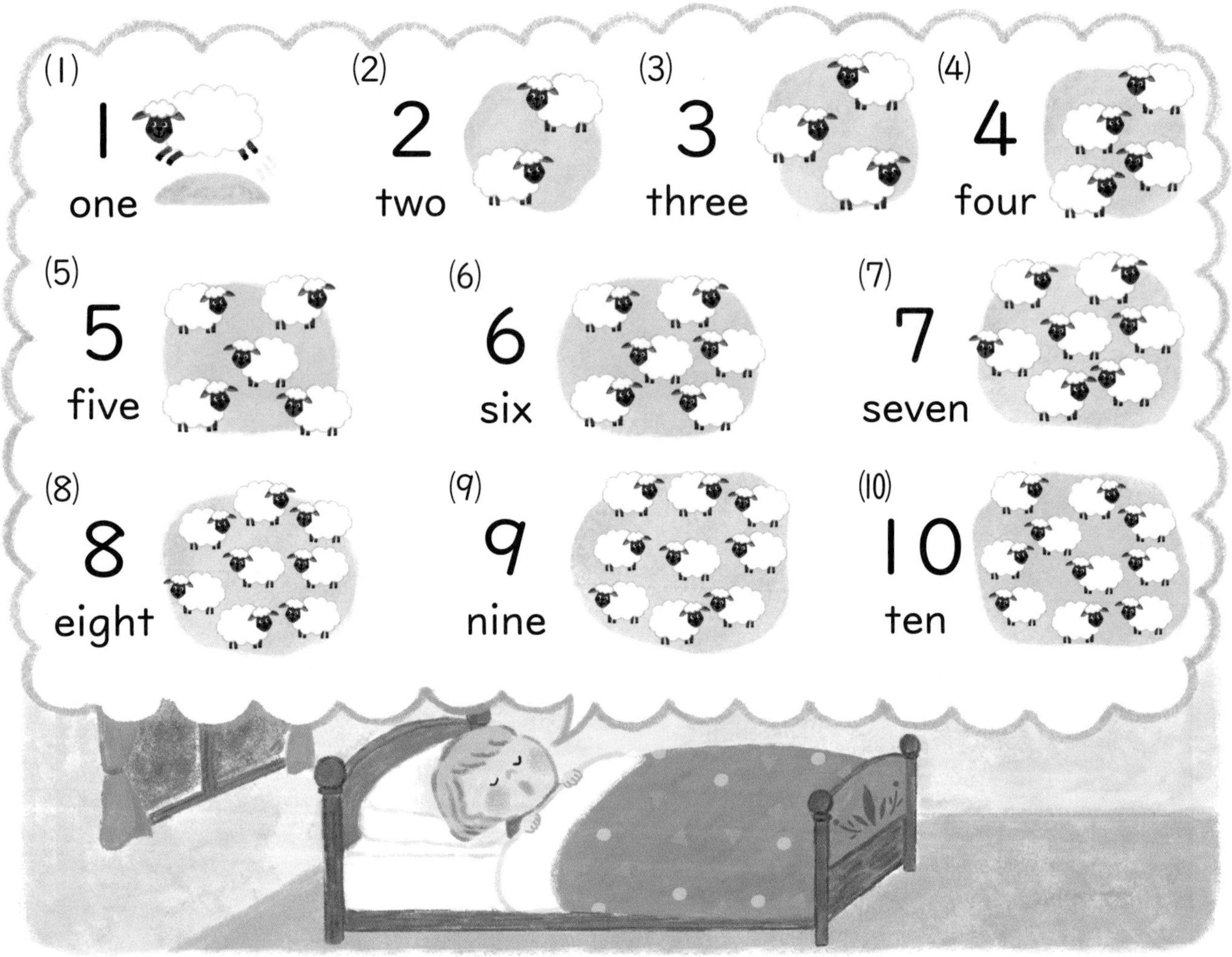

2 音《おん》せいを　きいて，まねして　いいましょう。

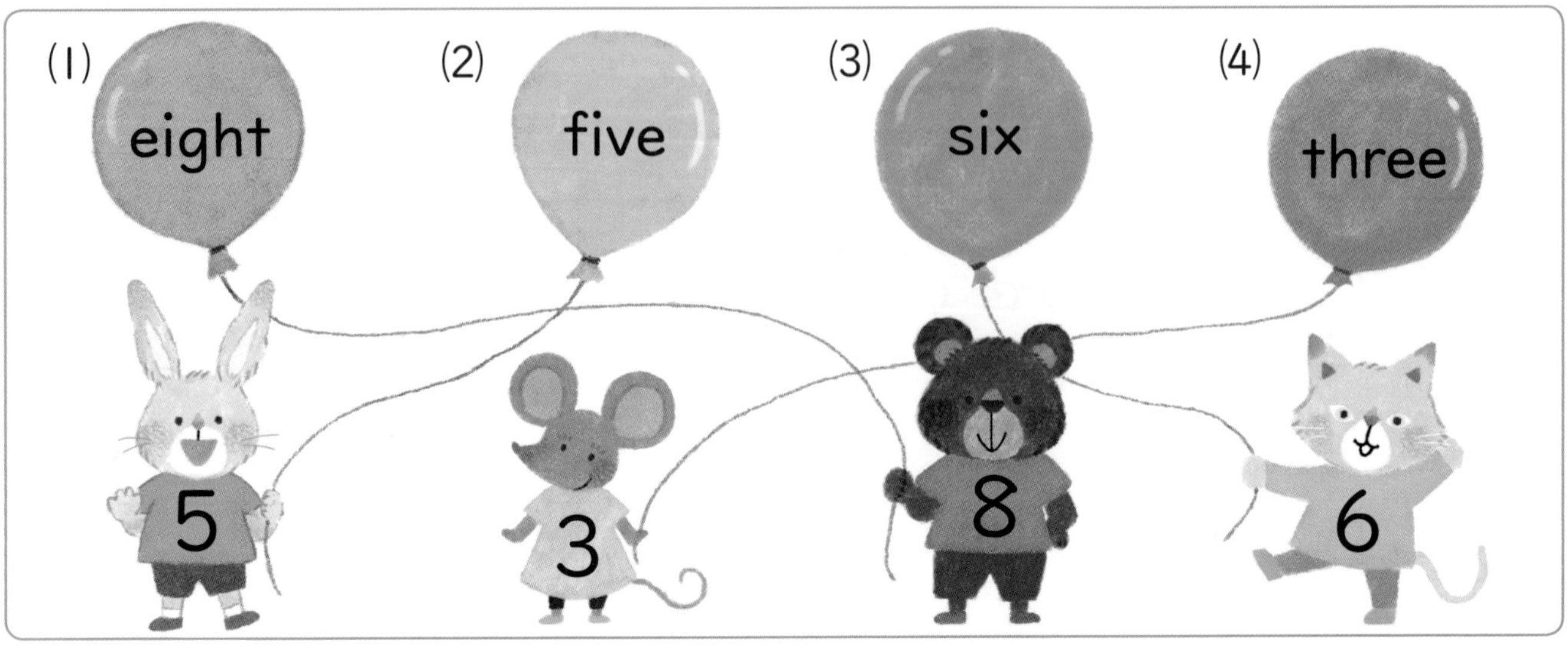

えいご

あいさつ

2 かい　一日《いちにち》の　あいさつ

学《がく》しゅう日《び》

月《がつ》　日《にち》

ごうかくシー

ぜんもん
正《せい》かいに できた
ごうかくシール《しいる》
を　はろう！

055

① 音《おん》せいを　きいて，まねして　いいましょう。

② 音《おん》せいを　きいて，まねして　いいましょう。「おやすみ」と　あいさつしているのは　だれですか。(1)〜(3から　えらんで，□に　かきましょう。

(1) Good night.

(2) Hello.

(3) Good bye.

➡こたえ (

あいさつ

1かい　あさの　あいさつ

学《がく》しゅう日《び》

月《がつ》　日《にち》

ごうかくシール

ぜんもん
正《せい》かいに できたら
ごうかくシール《しいる》
を　はろう！

056

音《おん》せいを　きく　じゅんびを　しましょう。

えいごは，スマートフォン《すまあとふおん》や
タブレット《たぶれっと》などを　つかって　音《おん》せいを
ききながら　学《がく》しゅうするよ。

おうちの　人《ひと》に
そうだんしよう。

おうちのかたへ 》》　056　があるページは，音声《おんせい》を聞《き》きながら学習《がくしゅう》を進《すす》めます。
数字《すうじ》は，「きくもん」アプリを使《つか》うときに入力《にゅうりょく》する，ページ番号《ばんごう》です。

音声《おんせい》の聞《き》き方《かた》

音声《おんせい》アプリ「きくもん」をダウンロード

❶くもん出版《しゅっぱん》のガイドページにアクセス
❷指示《しじ》にそって，アプリをダウンロード
❸アプリのトップページで「小学《しょうがく》1年《ねん》の総復習《そうふくしゅう》ドリル」を選《えら》ぶ
※「きくもん」アプリは無料《むりょう》ですが，ネット接続《せつぞく》の際《さい》の通信《つうしん》料金《りょうきん》は別途《べっと》発生《はっせい》いたします。

くもん出版《しゅっぱん》のサイトから，ダウンロード

音声《おんせい》ファイルを
ダウンロードすることも
できます。

① 音《おん》せいを　きいて，まねして　いいましょう。

(1) Good morning.
おはよう。

(2) Good morning.

(3) Good morning.

(4) Good morning.

くもんの小学1年生の総復習ドリル

こたえと ポイント

＋

［さいしゅう チェックもんだい］

こくご・さんすう

＋

［先《さき》どりドリル］

- こくご…14～16ページ
- さんすう…19～17ページ

❶ こたえが あって いたら，「できたシール」を はりましょう。

こたえが あって いたら，まるを つけ，もんだいの ところに
「できたシール」(小《ちい》さい シール)を はりましょう。(シールだけ はっても よいです。)

❷ まちがえたら，ポイントを よんで，正《ただ》しく なおしましょう。

ポイントは，もんだいを とく ときの かんがえかたや ちゅういてんなどです。
まちがえた ところは，ポイントを よく よんで，もう いちど やって みましょう。

❸ ぜんもん正《せい》かいに なったら，「ごうかくシール」を はりましょう。

「できたシール」を ぜんぶ はれたら，ページの 上《うえ》に
「ごうかくシール」(大《おお》きい シール)を はりましょう。
ページぜんたいに 大《おお》きな まるを つけてから，シールを はっても よいです。

❹ さんすうと こくごは，さいしゅうチェックで さいごの おさらいを しましょう。

こたえは 「こたえと ポイント」の さいごに あります。

こくごの ちゅういてん

- 文《ぶん》や 文《ぶん》しょうを つかった もんだいでは，文《ぶん》しょう中《ちゅう》の ことばを 正《せい》かいと して います。にた いいかたの ことばで こたえても かまいません。
- ( )は，こたえに あっても よい ものです。〈 〉は，ほかの こたえかたです。
- れい の こたえでは，にた ないようが かけて いれば 正《せい》かいです。
- ひらがなや，かたかな，かん字《じ》の ことばを かく もんだいでは，ぜんぶ かけて ひとつの 正《せい》かいと なります。
- こたえあわせが しやすいように，わかちがき(一字空《いちじあ》き)で，しめして います。じっさいに かく ときには，空《あ》ける ひつようは ありません。

しあげテスト
- こくご…13ページ
- さんすう…20ページ

さんすう 32～21ページ はんたいがわから はじまります

こくご 1～12ページ この ページから はじまります

1 こくご ひらがな

①
(1) い・え
(2) か・く・こ
(3) さ・す・そ
(4) ち・て
(5) な・ぬ・の
(6) は・ふ・ほ
(7) み・め
(8) ゆ・よ
(9) ら・る・ろ
(10) わ

②
(1) くつした
(2) ひまわり

1ページ

2 こくご ひらがな 「゛」「゜」の つく じ

①
(1) かき
(2) かぎ
(3) まど
(4) まと
(5) こま
(6) ごま
(7) ふた
(8) ぶた

②
(1) あさがお
(2) ふでばこ
(3) ながぐつ
(4) えんぴつ
(5) たんぽぽ

2ページ

ポイント できなかったら、ここを よんで なおそう！

② 「゛」や 「゜」は、じの みぎうえに かきましょう。

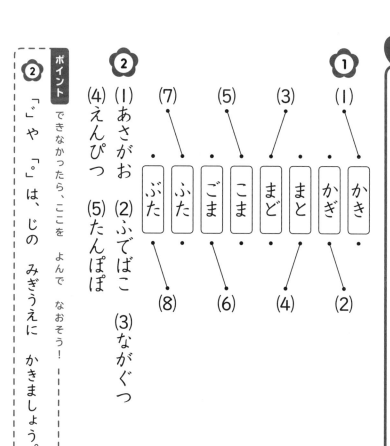

3 こくご

ひらがな

ちいさく かく じ

3ページ

①

(1)（ ）（○）

(2)（○）（ ）

(3)（○）（ ）

(4)（ ）（○）

(5)（ ）（○）

②

(1)らっぱ (2)でんしゃ (3)しょうゆ

(4)ちきゅう (5)しゃしん

ポイント

① えの ことばを こえに だして みましょう。それから、したの もじを ゆっくり よんで みると よいでしょう。

② ちいさく かく じは、ますの みぎうえ 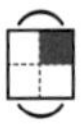 に かきます。

\ さいしゅうチェック1 /

❶えに あう ことばを かきましょう。

(1) あ□□□

(2) き□□□

(3) が□□

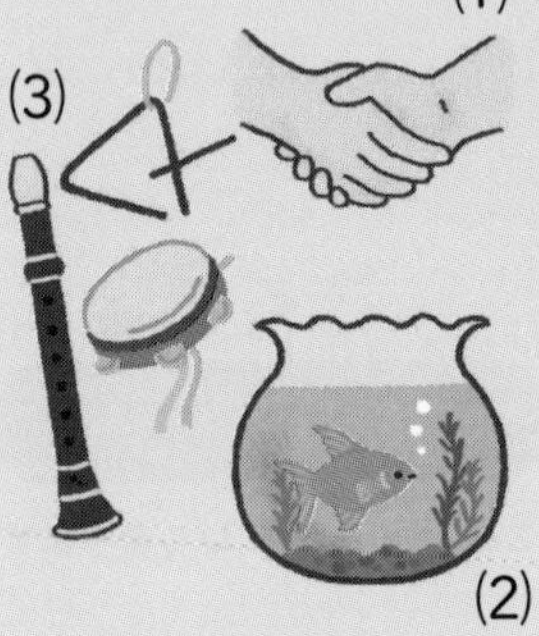

こたえは 12ページ

4 こくご

ひらがな

のばす おん・「は」「を」「へ」

4ページ

①

(1)う (2)あ (3)い (4)え (5)う

②

(1)を|おにごっこお|を する。

(2)いもうとわ|は、スープお|を のんだ。

(3)きょうわ|は、こうえんえ|へ いった。

(4)は|わたしわ|は、えきえ|へ いく。

ポイント

① (1)を 「おとおさん」、(4)を 「おねいさん」と かかないように きを つけましょう。

② ことばの あとに つく 「は」「を」「へ」は、「ワ」「オ」「エ」と よみます。ことばの はじめや とちゅうで つかう ことは ありません。

\ さいしゅうチェック2 /

❶まちがって いる じに ——《せん》を ひき、ただしく かきなおしましょう。

(1) おとうとわ、へやえ はいった。

(2) きのうわ、かくれんぼお した。

こくご

5 なかまの ことば

ことばの きまり

① (1)ひまわり・たんぽぽ　(2)みどり・あお
(3)ねこ・くま　(4)ふね・じてんしゃ
※ことばの じゅんは、それぞれ はんたいでも よい。

② (1)なつ　(2)ひる　(3)きょう

③ (1)ちいさい　(2)ほそい　(3)たかい

5ページ

ポイント

① (1)～(4)の なかまの ことばは、ほかにも たくさん あります。

② (1)は 「きせつ」、(2)は 「いちにちの うつりかわり」を あらわします。

③ 「おおきい き。」↕「ちいさい き。」のように、みじかい ぶんに して かんがえて みましょう。
また、ことばを おぼえる ときには、はんたいの いみの ことばも、いっしょに おぼえましょう。

さいしゅうチェック3

❶ はんたいの いみの ことばを かきましょう。

(1) [ちかい] みせ。 ↔ （　　） みせ。

(2) [ながい] ひも。 ↔ （　　） ひも。

(3) [おもい] はこ。 ↔ （　　） はこ。

(4) [あかるい] へや。 ↔ （　　） へや。

こくご

6 ことばの つかいかた

ことばの きまり

① (1)なげる　(2)はしる　(3)たべる

② (1)さむい　(2)おおきい　(3)ほそい

③ (1)カーカー　(2)ぱくぱく　(3)すいすい

④ (1)ゆっくり　(2)たっぷり　(3)ぼんやり

6ページ

ポイント

● ①～④（　）に、それぞれの ことばを あてはめて みましょう。そして、ぶんの いみが とおるか どうかを たしかめましょう。

① (1)は ボール《ぼうる》を、(2)は いぬが、(3)は パン《ぱん》を どう するのかを かんがえて、ことばを えらびます。

③ (1) からすの なきごえを あらわす ことばを えらびます。

④ (1) ぞうが あるく ようすに あう ことばを えらびます。

さいしゅうチェック4

❶ （　）に あう ことばを、[　] から えらんで かきましょう。

(1) かめが （　　） あるく。

(2) やまが （　　） みえる。

[はっきり・ゆっくり]

7 こくご

ことばの きまり

ぶんの くみたて(1)

7ページ

1 (1)が・を (2)が・に (3)に・を

2 (1)と・の (2)や・で (3)と・へ

3 (1)おばあちゃんが (2)わたしが (3)ともだちが

4 (1)くるまが (2)くつが (3)とりが

ポイント

1 2 たった ひともじの ひらがなですが、まちがった つかいかたを すると、おかしな ぶんに なったり、いみが ちがったり します。きを つけて、つかいましょう。

3 「だれ」は、ひとを あらわします。「〜が」まで ─《せん》を ひくように しましょう。

4 「なに」は、ものを あらわします。「なにが」の ほかに、「なにを」「なにで」「なにに」に あたる ことばも あるので、きを つけましょう。

さいしゅうチェック5

1 「なに（だれ）が」に あたる ことばを、（　）に かきましょう。

(1) ねこが さかなを たべる。（　　）

(2) おとうとが たいこを たたく。（　　）

---

8 こくご

ことばの きまり

ぶんの くみたて(2)

8ページ

1 (1)あらう (2)つくる (3)いく (4)やる

2 (1)れい ねこ・のんで〈なめて〉 (2)れい じてんしゃ・のって (3)れい しんぶん・よんで〈みて〉

ポイント

1 「どう する」は、うごきを あらわす ことばです。「なにを」や「なにに」に あたる ことばでは ありません。きを つけましょう。ふつう、ぶんの おわりに あります。

2 はじめに えの なかの どうぶつや ひとが、なにを して いる ところかを かんがえます。それから、□に あう ことばを かくように しましょう。

さいしゅうチェック6

1 「どう する」に あたる ことばを、（　）に かきましょう。

(1) さかなが みずの なかを およぐ。（　　）

(2) おとうさんが にもつを はこぶ。（　　）

9 こくご

ことばの きまり

まる（。）てん（、）かぎ（「 」）の つかいかた⑴

❶ ⑴きょうは、~はれる。

⑵おねえさんが、~かう。

⑶わたしは、~する。

❷ ~でした。~ありました。~しました。

❸ ⑴あさ、~のむ。 ⑵~いって、~みた。

❹ おかあさんは、~いきました。~かいました。

ポイント

❶ まる（。）は、ぶんの おわりに つけます。てん（、）は、ぶんの なかの いみの きれめや、よむ ときの リズムの きれめなどに つけます。

❸❹ まる（。）も てん（、）も、したのように ますの みぎうえに かきます。

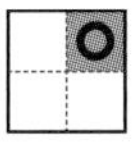

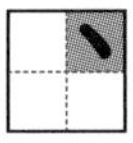

さいしゅうチェック7

❶ つぎの ぶんに、まる（。）と てん（、）を ひとつずつ つけましょう。

⑴ きょう ともこちゃんと あそんだ

⑵ バスに のって ゆうえんちに いった

10 こくご

ことばの きまり

まる（。）てん（、）かぎ（「 」）の つかいかた⑵

❶ ⑴「おはよう。」 ⑵「ただいま。」

⑶「かわいい。」 ⑷「きょうは さむいね。」

❷ ⑴わたしは、「いってきます。」~でかけた。

⑵テレビを みて、「おもしろいね。」~わらった。

⑶~おかあさんが、「きれいだね。」と いった。

ポイント

❶ ひとが はなした ことばに かぎ（「 」）を つけます。かぎは、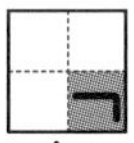と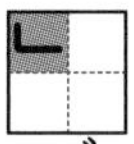で ひとくみです。ただしい いちに かくように しましょう。

❷ かぎの まえには、かならず てん（、）を つけます。また、ぶんの おわりには、かならず まる（。）を つけます。

さいしゅうチェック8

❶ つぎの ぶんしょうに てん（、）を ひとつずつ、かぎ（「 」）を ひとくみずつ つけましょう。

⑴ わたしは ありがとう。 と いった。

⑵ おとうとは おやすみ。 と いって、ねた。

11 こくご かたかな
かたかな(1)

11ページ

❶ (1)オムレツ (2)ジュース (3)テーブル (4)ポケット (5)ワイシャツ

❷ (1)ア|マフラー・ハンカテ|チ (2)イギリヌ|ス・ラ|フランス (3)ペンギソ|ン・アツ|シカ (4)ホットケーモ|キ・バク|ター (5)チョユ|コレート・キャラナ|メル

ポイント
❶ (2)の 「ジュース」、(3)の 「テーブル」 のような のばす 音《おん》は、「ー」を つかいます。(2)「ジュウス」、(3)「テエブル」 と かかないように しましょう。
(2)「ュ」、(4)「ッ」、(5)「ャ」 は、ますの みぎうえ に かきます。

さいしゅうチェック9

❶ □に かたかなを かきましょう。
(1) のうと…
(2) せえたあ…

12 こくご かたかな
かたかな(2)

12ページ

❶ (1)トラック・ヨット (2)コート・ドレス (3)グラタン・オレンジ・プリン (4)ライオン・ゴリラ・パンダ

❷ (1)スカーフ・ベスト (2)カンガルー・コアラ (3)マカロニ・サラダ (4)モノレール・タクシー

※❶❷とも、ことばの じゅんは ちがっても よい。

ポイント
❶ □の ことばは、ぜんぶ 「がいこくから きた ことば」です。「がいこくから きた ことば」は、かたかなで かきます。
❷ (1)「スカーフ」「ベスト」は 「ようふく」、(2)「カンガルー」「コアラ」は 「どうぶつ」、(3)「マカロニ」「サラダ」は 「たべもの」、(4)「モノレール」「タクシー」は 「のりもの」です。どれも、「がいこくから きた ことば」です。

さいしゅうチェック10

❶ □に かたかなを かきましょう。
(1) ごりら
(2) ぺりかん
(3) ぱんだ
(4) かんがるう

こくご かん字《じ》

13 かん字《じ》の かき

13ページ

1 (1)金 (2)犬 (3)雨 (4)百・玉 (5)糸 (6)学校・本

2 (1)王・耳 (2)千円

3 (1)竹・見 (2)花・水 (3)手・力

ポイント

1 てんや せんを つけわすれたり、よけいに つけたり すると、ちがう かん字《じ》に なって しまう ことが あります。とくに、(2)の 「犬」、(4)の 「玉」、(6)の 「本」に 気《き》を つけましょう。

2 せんと せんが せっする ところと、まじわる ところに 気《き》を つけましょう。

(1) ×耳 ○耳　(2) ×円 ○円

3 はねる ところに 気《き》を つけます。(1)「竹」(2)「水」
(3)「手」「力」では、左上《ひだりうえ》に はねます。

さいしゅうチェック11

1 □に かん字《じ》を かきましょう。

(1) □《みみ》たぶ　(2) □《みず》たまり
(3) □《あめ》ふり　(4) □《たけ》の子《こ》

こくご かん字《じ》

14 なかまの かん字《じ》(1)

14ページ

1 (1)一・二 (2)五・六 (3)九十 (4)三・百 (5)七・八 (6)四千

2 (1)中 (2)大・小

3 (1)月 (2)火 (3)水 (4)木 (5)金 (6)土 (7)日

ポイント

1 (2)「五」は、「一丆丂五」の じゅんで かきます。
(3)「九」の 「乙」は、さいごを 上《うえ》に はねます。
「十」の よみかたに 気《き》を つけましょう。
「十かい」…×じゅっ ○じっ
「十日《か》」…×じゅう ○とお

2 (1)「中」を 「中」と かかないように しましょう。
(2)「大」を 「犬」と かかないように しましょう。

3 (1)「月」の 「亅」は、左上《ひだりうえ》に はねます。
(2)「火」の てんの むきに 気《き》を つけましょう。

さいしゅうチェック12

1 □に かん字《じ》を かきましょう。

(1) □《く》月《がつ》　(2) □《よ》年生《ねんせい》
(3) たき□《び》　(4) 水《すい》□《ちゅう》めがね

こくご

15 なかまの かん字《じ》(2)

かん字《じ》

15ページ

1 (1)上・下 (2)右・左

2 (1)白 (2)赤 (3)青

3 (1)山・田 (2)空 (3)夕・雨 (4)天気 (5)森・林 (6)川・石

ポイント

1 (2)「右」は「ノナ」、「左」は「一ナ」の じゅんで かきます。

2 (1)「白」を「日」と かくと、ちがった かん字《じ》に なって しまいます。(2)「赤」の「土」、(3)「青」の「龶」の たてせんは、上《うえ》に つき出《で》ます。

3 (2)「空」の「穴」を「穴」や「穴」と かかないように 気《き》を つけましょう。(5)「森」「林」は、「木」の かずが ちがいます。

さいしゅうチェック13

1 □に かん字《じ》を かきましょう。

(1) □《みぎ》がわ

(2) □《あか》ちゃん

(3) □《き》もち

(4) 青《あお》い □《そら》。

16 なかまの かんじ(3)

こくご かんじ

16ページ

1 (1)竹・草 (2)木・花

2 (1)王・子 (2)女・人 (3)男・先生

3 (1)車 (2)音 (3)字 (4)町・村・名 (5)年・文 (6)学校

ポイント

1 (2)「花」の「匕」の かたちを 正《ただ》しく おぼえましょう。

2 (2)「女」の「ノ」は、よこせんの 上《うえ》に すこし つき出《で》ます。(3)「先」の「生」を「生」と かかないように 気《き》を つけましょう。「乚」は、上《うえ》に はねます。

3 (4)「村」、(6)「校」の てんを わすれないように しましょう。(4)の「町」を「町」と、(5)の「年」を「年」と かかないように しましょう。

さいしゅうチェック14

1 □に かん字《じ》を かきましょう。

(1) □《くさ》かり

(2) □《おんな》の子《こ》

(3) さく□《ぶん》

(4) □《むら》人《びと》

こくご 17 かんじ

なかまの かんじ(4)

1 (1)貝 (2)虫 (3)犬

2 (1)手足 (2)目・耳 (3)口

3 (1)立 (2)入・休 (3)出・見

4 (1)早 (2)正

ポイント

1 (2)「虫」の さいごの てんを わすれないように しましょう。(3)「犬」を「太」と かくと、べつの かん字《じ》に なります。

2 (1)「手」の たてせんは、左上《ひだりうえ》に はねます。正《ただ》しい かたちで かきましょう。(2)「目」の 中《なか》に 入《はい》る よこせんは 二本《にほん》です。

3 (2)「入」は、「ノ入」の じゅんで かきます。「人」と かくと べつの かん字《じ》に なります。

4 (1)「早」は、「日」と「十」で できて います。

さいしゅうチェック15

1 □に かん字《じ》を かきましょう。

(1) □《いぬ》ごや

(2) りょう□《て》

(3) □《い》り口《ぐち》

(4) □《み》上《あ》げる

こくご 18 かんじ

かんじの つかいかた

1 (右《みぎ》から) (1)石・右 (2)入・人 (3)学・字 (4)大・犬 (5)王・玉 (6)貝・見

2 (1)千・先 (2)小・子 (3)正・小 (4)花・火

ポイント

1 それぞれの かん字《じ》の かたちが ちがう ところに 気《き》を つけて かきましょう。(4)の「大」と「犬」、(5)の「王」と「玉」は、てんが あるか ないかに 気《き》を つけましょう。

2 (1)「先」は、「まっ先《さき》」「先月《せんげつ》」のように、「人《ひと》よりも 先《さき》」「いまよりも まえ」と いう いみです。

さいしゅうチェック16

1 □に かん字《じ》を かきましょう。

(1) □《せん》生《せい》　□《せん》円《えん》さつ

(2) □《か》だん　□《か》山《ざん》

(3) □《ひゃっ》本《ぽん》　□《しろ》い

(4) □《き》の かげ。　□《ほん》を よむ。

こくご 19

ものがたりの　よみとり(1)

読解《どっかい》

19ページ

① (1)ケンちゃん
(2)（いなかの）　おばあちゃん

② （うらの）　たけやぶ

③ （くろい　つちを　もっくり　もちあげて　いる）
たけのこ

ポイント

① 「〜が」や　「〜は」と　いう　ことばに　気《き》を　つけましょう。(1)は、はじめの　文《ぶん》に　あります。(2)は、「おばあちゃんは〜いいました。」の　あとの　「　」に、おみやげの　ことが　かかれて　います。

②③ 「どこ」と　きかれたら、ばしょを　こたえます。たろは、「たけのこ」を　みつけて、ほりはじめました。

＼さいしゅうチェック17／

■ つぎの　文《ぶん》しょうを　よんで、もんだいに　こたえましょう。

子《こ》ざるが、とらに　おいかけられて、木《き》に　のぼりました。
そして、大《おお》きな　こえで　子《こ》ざるが　さけびました。

❶ とらに　おいかけられたのは、だれですか。（　　　　）

❷ 大《おお》きな　こえで　さけんだのは、だれですか。（　　　　）

こくご 20

ものがたりの　よみとり(2)

読解《どっかい》

20ページ

① (1)ねずみ　(2)ノブくん

② れい（あわてて）　うわぎを　とろうと　したから。

ポイント

① (1)は　「　」の　まえの　文《ぶん》に、(2)は　「　」の　あとの　文《ぶん》に　気《き》を　つけて　よみましょう。「〜は」と　いう　ことばを　さがしましょう。

② たろは、うわぎを　すぐ　そばの　たけのこに　かけました。その　たけのこが　のびたので、「あわてて　うわぎを　とろうと」して、たけのこに　とびついたのです。また、「どうして」と　きかれたら、「〜から。」と　こたえるように　しましょう。

＼さいしゅうチェック18／

■ つぎの　文《ぶん》しょうを　よんで、もんだいに　こたえましょう。

「先生《せんせい》の　こえだ。」
ゆいが　いった。
「先生《せんせい》、わたしは　ここに　いるよ。」
ゆいの　こえが　森《もり》の　中《なか》に　ひびいた。

❶ [　　]は、だれが　いった　ことばですか。（　　　　）

21 こくご 読解《どっかい》 せつめい文《ぶん》の よみとり(1)

21ページ

1 (1) ロープウェイ (2) ケーブルカー

※(1)と (2)の こたえは ぎゃくに かいて いても 正《せい》かいです。

2 (1) (からい あじを 出す) スパイス

(2) (しょくぶつの) みや はっぱ

ポイント

1 はじめに 「ロープウェイ」と いう のりものに ついて、つぎに 「ケーブルカー」と いう のりものに ついて、かかれて います。

2 (1) はじめの 文《ぶん》に かかれて います。

(2) 二《ふた》つ目《め》の 文《ぶん》に、「スパイスは～を すりつぶして つくります。」と あります。

さいしゅうチェック19

■ つぎの 文《ぶん》しょうを よんで、もんだいに こたえましょう。

> つばめは、のきしたに すを つくります。たまごや ひなが、雨《あめ》などに あたらないように する ためです。

1 つばめは、どこに すを つくりますか。

［　　　　］

---

22 こくご 読解《どっかい》 せつめい文《ぶん》の よみとり(2)

22ページ

1 (1) れい とおくまで たねを とばす。

※「たねを とばす」ことが わかれば 正《せい》かいです。

(2) (白い) わたげ

2 れい みを まもる ため。

ポイント

1 (1) はじめの 文《ぶん》に たんぽぽが かぜに よって 「たねを とばす」 ことが かかれて います。

(2) たんぽぽの たねには かぜを うけやすい ものが ついて います。

2 さいごの 文《ぶん》に かかれて います。

さいしゅうチェック20

■ つぎの 文《ぶん》しょうを よんで、もんだいに こたえましょう。

> つめたい 空気《くうき》と あたたかい 空気《くうき》が ぶつかる ところに、くもが できます。くもの 中《なか》では、水《みず》の つぶが ぶつかって、雨《あめ》に なります。

1 くもは、どんな ところに できますか。

［　　　　］

2 くもの 中《なか》で、水《みず》の つぶが ぶつかると なにが できますか。

［　　　　］

23 こくご

さく文《ぶん》 さく文《ぶん》(1)

❶ (1)犬 (2)さる

❷ (1)女の子 (2)ゆたか

❸ (1)本〈きょうかしょ・ノート〉

(2)ミルク〈水〉

❹ (1)（お）ふろ (2)でん車〈のりもの〉

※❸❹とも、その　ものを　あらわす　ことばで　あれば、正《せい》かいです。

23ページ

ポイント

❶ (1)ボールを　おって　いる　もの、(2)木《き》に　のぼって　いる　ものを　かきます。

❷ (1)まどを　ふいて　いる　人《ひと》、(2)ボールを　なげて　いる　人《ひと》を　かきます。

❸ (1)先生《せんせい》が　よんで　いる　もの、(2)赤《あか》ちゃんが　のんで　いる　ものを　かきます。

❹ (1)おとうさんが　入《はい》って　いる　もの、(2)女《おんな》の　人《ひと》が　のろうと　して　いる　ものを　かきます。

さいしゅうチェック21

❶ つぎの　文《ぶん》で、「なにが」に　あたる　ことばに、——《せん》を　ひきましょう。

(1)　はとが　まめを　たべる。

(2)　かめが　すなはまを　あるく。

24 こくご

さく文《ぶん》 さく文《ぶん》(2)

❶ (1) れい ねこ (2) れい たべる (3) れい こま

(4) れい まわす (5) れい かみ〈がようし〉 (6) れい かく

※(1)(3)(5)は、その　ものを　あらわす　ことば、(2)(4)(6)は、その　ものの　うごきを　あらわす　ことばで　あれば　正《せい》かいです。

❷ (1) れい しっぽを　ふる。

(2) れい ちょうが、花の中を　とぶ。

(3) れい 金ぎょが、あわを出す。

24ページ

さいしゅうチェック　こたえ

1 ❶ (1)あくしゅ (2)きんぎょ (3)がっき

2 ❶ (1)おとうとわ|は、へやえ|へ　はいった。 (2)きのうわ|は、かくれんぼお|を　した。

3 ❶ (1)とおい (2)みじかい (3)かるい (4)くらい

4 ❶ (1)ゆっくり (2)はっきり

5 ❶ (1)ねこが (2)おとうとが

6 ❶ (1)およぐ (2)はこぶ

7 ❶ (1)きょう、～あそんだ。 (2)～のって、～いった。

8 ❶ (1)わたしは、「ありがとう。」～。 (2)おとうとは、「おやすみ。」～。

9 ❶ (1)ノート (2)セーター

10 ❶ (1)ゴリラ (2)ペリカン (3)パンダ (4)カンガルー

11 ❶ (1)耳 (2)水 (3)雨 (4)竹

12 ❶ (1)九 (2)四 (3)火 (4)中

13 ❶ (1)右 (2)赤 (3)気 (4)空

14 ❶ (1)草 (2)女 (3)文 (4)村

15 ❶ (1)犬 (2)手 (3)入 (4)見

16 ❶ (右《みぎ》から) (1)先・千 (2)花・火 (3)百・白 (4)木・本

17 ❶ 子ざる ❷ 子ざる

18 ❶ ゆい

19 ❶ のきした（に）

20 ❶ つめたい　空気と　あたたかい　空気が　ぶつかる　ところ（に） ❷ 雨

21 ❶ (1)はとが (2)かめが

こくご しあげテスト

25ページ

1 ①いちねん ②入

2 ⑴アサガオ ⑵花

3 六（月）二十一（日ごろ）

4 花を さかせる じゅんび

5 なつ休み

ポイント

1 ①「一年」は「いちねん」と よみます。
②「入」を「人」と しないように 気《き》を つけましょう。一《いっ》かく目《め》は 左《ひだり》に みじかく はらいます。
また、「入」の かきじゅんにも ちゅういします。

2 この 文《ぶん》しょうは、「アサガオ」が 花《はな》を さかせる ために、ひるとよるの ながさを はかって いる ことを せつめいして います。

3 もっとも ひるの じかんが ながく なる 日《ひ》は、「げし」と いいます。また、「げし」は 六月《ろくがつ》二《に》十一日《じゅういちにち》ごろだと かかれて います。

4 文《ぶん》しょうの「アサガオは、よるが ながく なるのを しってから、」と いう ぶぶんを よんで みましょう。その あとに、なにを はじめるかが かかれて います。「花《はな》を さかせる じゅんびを はじめるのです。」と あります。

5 「七月《しちがつ》を すぎる ころ」に つるを のばし、「なつ休《やす》み」に はいる ころに 花《はな》を たのしませて くれると かかれて います。

ちょっと

先《さき》どりドリル こくご

二年生《にねんせい》で ならう かん字《じ》

みんなより ひと足先《あしさき》に、二年生《にねんせい》の かん字《じ》を ちょっとだけ べんきょうして みよう！

ぜんぶ できたら「ごうかくシール」を はろう！

1 □と□に かん字《じ》を かきましょう。うすい 字《じ》は、すう字《じ》の じゅんに なぞりましょう。

うごきを あらわす かん字《じ》

(1) そとに □《で》る。

(2) 木《き》の 下《した》で □《やす》む。

(3) しんぶんを □《み》る。

(4) 字《じ》を 書《か》く。

(5) 先生《せんせい》に 会《あ》って、おれいを 言《い》う。

(6) デパートへ 行《い》く。

□は，二年生《にねんせい》で ならう かん字《じ》だよ。

2 かきじゅんに 気《き》を つけて、□に かん字《じ》を かきましょう。

うごきを あらわす かん字《じ》

(1) 字《じ》を □《か》く。

(2) デパートへ □《い》く。

(3) 先生《せんせい》に □《あ》って、おれいを □《い》う。

3 □と□に かん字《じ》を かきましょう。うすい 字《じ》は、すう字《じ》の じゅんに なぞりましょう。

うごきを あらわす かん字《じ》

(1) 大《おお》きな 木《き》が □《た》って いる。

(2) ふとんに □《はい》る。

(3) 字《じ》を 読《よ》む。

(4) 大《おお》きな こえで 話《はな》す。

学校《がっこう》に つながりの ある かん字《じ》

(5) 国《こく》語《ご》と 算《さん》数《すう》。

4 かきじゅんに 気《き》を つけて、□に かん字《じ》を かきましょう。

うごきを あらわす かん字《じ》

(1) かん字《じ》を □《よ》む。

(2) 大《おお》きな こえで □《はな》す。

(3) ともだちと □《はな》しあう。

(4) 本《ほん》を □《よ》む。

学校《がっこう》に つながりの ある かん字《じ》

(5) □《こく》□《ご》と □《さん》□《すう》。

5 かきじゅんに 気《き》を つけて かきましょう。

（ ）は おくりがな。《 》は 小学校《しょうがっこう》で ならわない よみかた。

書
よみかた ショ・か(く)

言
よみかた ゲン・ゴン・い(う)・こと

読
よみかた ドク・トク・トウ・よ(む)

国
よみかた コク・くに

算
よみかた サン

会
よみかた カイ・《エ》・あ(う)

行
よみかた コウ・ギョウ・《アン》・い(く)・ゆ(く)・おこな(う)

話
よみかた ワ・はな(す)・はなし

語
よみかた ゴ・かた(る)・かた(らう)

数
よみかた スウ・《ス》・かず・かぞ(える)

6 □に かん字《じ》を かきましょう。

(1) かん字《じ》の □《よ》みを □《か》く。

(2) □□《こくご》と □□《さんすう》の テスト。

(3) 大《おお》きな こえで □《はな》す。

(4) 母《はは》と かいものに □《い》く。

(5) ともだちに □《あ》って、おれいを □《い》う。

先《さき》どりドリル こたえ

1 (1)出 (2)休 (3)見 (4)～(6)※ていねいに かきましょう。
2 (1)書 (2)行 (3)会・言
3 (1)立 (2)入 (3)～(5)※ていねいに かきましょう。
4 (1)読 (2)話 (3)話 (4)読 (5)国語・算数
5 ※ていねいに かきましょう。
6 (1)読・書 (2)国語・算数 (3)話 (4)行 (5)会・言

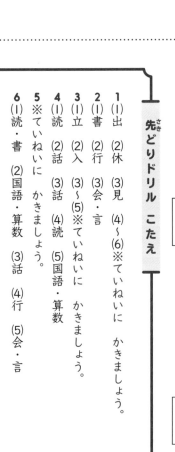

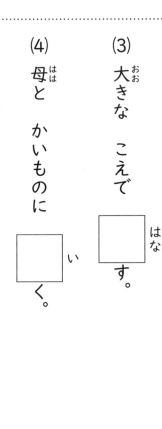

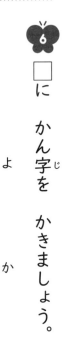

10 けいさんを　しましょう。

① $\begin{array}{r} 11 \\ +32 \\ \hline \end{array}$　② $\begin{array}{r} 43 \\ +15 \\ \hline \end{array}$

③ $\begin{array}{r} 56 \\ +13 \\ \hline \end{array}$　④ $\begin{array}{r} 30 \\ +27 \\ \hline \end{array}$

11 けいさんを　しましょう。

① $\begin{array}{r} 45 \\ +15 \\ \hline \end{array}$　② $\begin{array}{r} 47 \\ +25 \\ \hline \end{array}$

③ $\begin{array}{r} 58 \\ +26 \\ \hline \end{array}$　④ $\begin{array}{r} 59 \\ +38 \\ \hline \end{array}$

12 けいさんを　しましょう。

① $\begin{array}{r} 23 \\ -11 \\ \hline \end{array}$　② $\begin{array}{r} 38 \\ -15 \\ \hline \end{array}$

③ $\begin{array}{r} 49 \\ -23 \\ \hline \end{array}$　④ $\begin{array}{r} 57 \\ -26 \\ \hline \end{array}$

13 けいさんを　しましょう。

① $\begin{array}{r} 32 \\ -19 \\ \hline \end{array}$　② $\begin{array}{r} 45 \\ -16 \\ \hline \end{array}$

③ $\begin{array}{r} 50 \\ -25 \\ \hline \end{array}$　④ $\begin{array}{r} 61 \\ -23 \\ \hline \end{array}$

先《さき》どりドリル こたえ

1 ①8　②8　③16　④16　⑤3　⑥3　⑦12　⑧12
2 ①13　②7　③3
3 ①25　②45　③57
4 ①27　②2　③6
5 ①32　②54
6 ①46　②2　③1
7 ①21　②34　③44
8 ①15　②7　③2
9 ①14　②36
10 ①43　②58　③69　④57
11 ①60　②72　③84　④97
12 ①12　②23　③26　④31
13 ①13　②29　③25　④38

②

	十のくらい	一のくらい
	3	5
+	2	7
		□

［一のくらいの けいさん］

5+7=12

一のくらいに 2を かいて，十のくらいに 1 くり上げる。

③

	十のくらい	一のくらい
	3	5
+	2	7
	□	2

※がっこうでは 3の うえに，くり上げた 1を かく ことも あります。

［十のくらいの けいさん］

くり上げた 1 と 3で 4

4+2=6

十のくらいに 6を かきます。

5 けいさんを しましょう。

① 15 + 17

② 29 + 25

6 58−46の けいさんを ひっさんで します。□に あう かずを かきましょう。

①

	十のくらい	一のくらい
	5	8
−	□	□

58と 46を くらいを たてに そろえて かきます。

②

	十のくらい	一のくらい
	5	8
−	4	6
		□

［一のくらいの けいさん］

8−6=2

一のくらいに 2を かきます。

③

	十のくらい	一のくらい
	5	8
−	4	6
	□	2

［十のくらいの けいさん］

5−4=1

十のくらいに 1を かきます。

7 けいさんを しましょう。

① 32 − 11

② 46 − 12

③ 68 − 24

8 42−15の けいさんを ひっさんで します。□に あう かずを かきましょう。

①

	十のくらい	一のくらい
	4	2
−	□	□

42と 15を くらいを たてに そろえて かきます。

②

	十のくらい	一のくらい
	4	2
−	1	5
		□

［一のくらいの けいさん］

十のくらいから 1 くり下げて

12−5=7

一のくらいに 7を かきます。

③

	十のくらい	一のくらい
	4	2
−	1	5
	□	7

※がっこうでは 4を けして 3と かく ことも あります。

［十のくらいの けいさん］

1 くり下げたので 3

3−1=2

十のくらいに 2を かきます。

9 けいさんを しましょう。

① 32 − 18

② 52 − 16

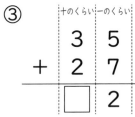

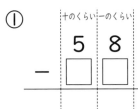

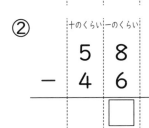

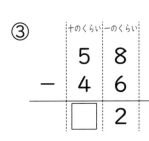

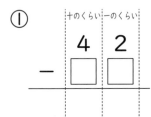

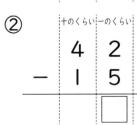

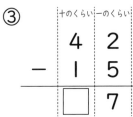

ちょっと

先《さき》どりドリル　さんすう

2年生《ねんせい》で　ならう　ひっさん

ぜんぶ　できたら「ごうかくシール」を　はろう！

みんなより　ひと足先《あしさき》に　2年生《ねんせい》で　ならう
たしざんと　ひきざんの　ひっさんを
ちょっとだけ　べんきょうしてみよう！

先《さき》どりドリル ▾ さんすう

1 けいさんを　しましょう。

① 5＋3＝□

② ひっさん

```
  5
＋3
───
 [8]  ←ここに こたえを かきましょう。
```

③ 12＋4＝□

④ ひっさん

```
 1 2
＋  4
─────
 □ □
```

十のくらい 1　一のくらい 2＋4

⑤ 8－5＝□

⑥ ひっさん

```
  8
－5
───
 □  ←ここに こたえを かきましょう。
```

⑦ 16－4＝□

⑧ ひっさん

```
 1 6
－  4
─────
 □ □
```

十のくらい 1　一のくらい 6－4

2 24＋13の　けいさんを　ひっさんで　します。□に　あう　かずを　かきましょう。

①

	十のくらい	一のくらい
	2	4
＋	[1]	[3]

24と　13を　くらいを　たてに　そろえて　かきます。

②

	十のくらい	一のくらい
	2	4
＋	1	3
		□

［一のくらいの　けいさん］
4＋3＝7
一のくらいに　7を　かきます。

③

	十のくらい	一のくらい
	2	4
＋	1	3
	□	7

［十のくらいの　けいさん］
2＋1＝3
十のくらいに　3を　かきます。

3 けいさんを　しましょう。

①

```
  1 4
＋1 1
─────
```

②

```
  2 4
＋2 1
─────
```

③

```
  3 4
＋2 3
─────
```

4 35＋27の　けいさんを　ひっさんで　します。□に　あう　かずを　かきましょう。

①

	十のくらい	一のくらい
	3	5
＋	□	□

35と　27を　くらいを　たてに　そろえて　かきます。

さんすう　しあげテスト　26ページ

1

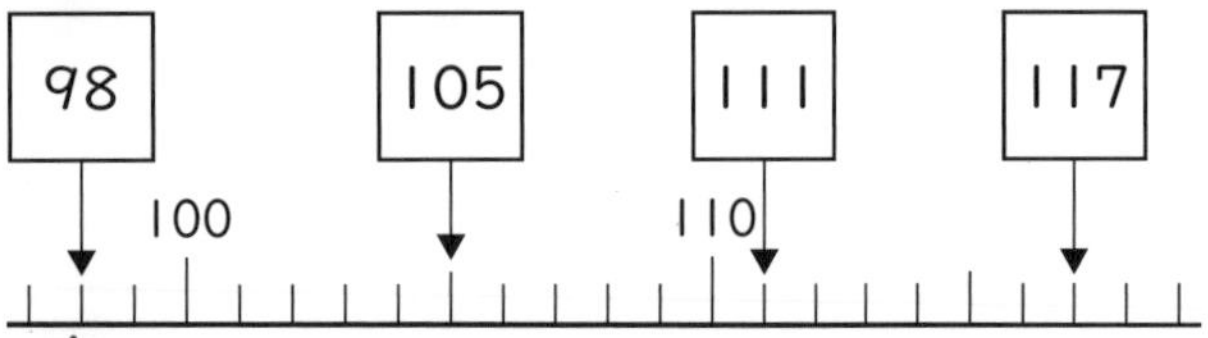

2 ①13　②11
③12　④9
⑤7　⑥7

□の　かずを
かぞえるよ。

3 ①あに　○
②いに　○

4 ①4じはん〔4じ30ぷん〕
②6じ
③1じ17ふん
④10じ26ぷん

5 しき　12－4＝8
こたえ　8人《にん》

ポイント

1　1ずつ　大《おお》きく　なって　います。

2 ①～③　こたえは　10より　大《おお》きく　なります。あわせて　10と　いくつに　なるかを　かんがえましょう。
④～⑥　こたえは　10より　小さく　なります。

3　□が　いくつぶんに　なるかを　しらべると，ひろさを　くらべることが　できます。

4　みじかい　はりで「○じ」を，ながい　はりで「○ふん」を　よみます。
①　ながい　はりが　6を　さして　いるときは，「○じはん」とも　いいます。
②　ながい　はりは　12を　さして　いるので，ふんは　0です。こたえは「○じ」だけに　なり，6じと　よみます。

5　ぜんぶの　人《にん》ずうから　うしろから　かいとさん　までの　人《にん》ずうを　ひいて　もとめます。

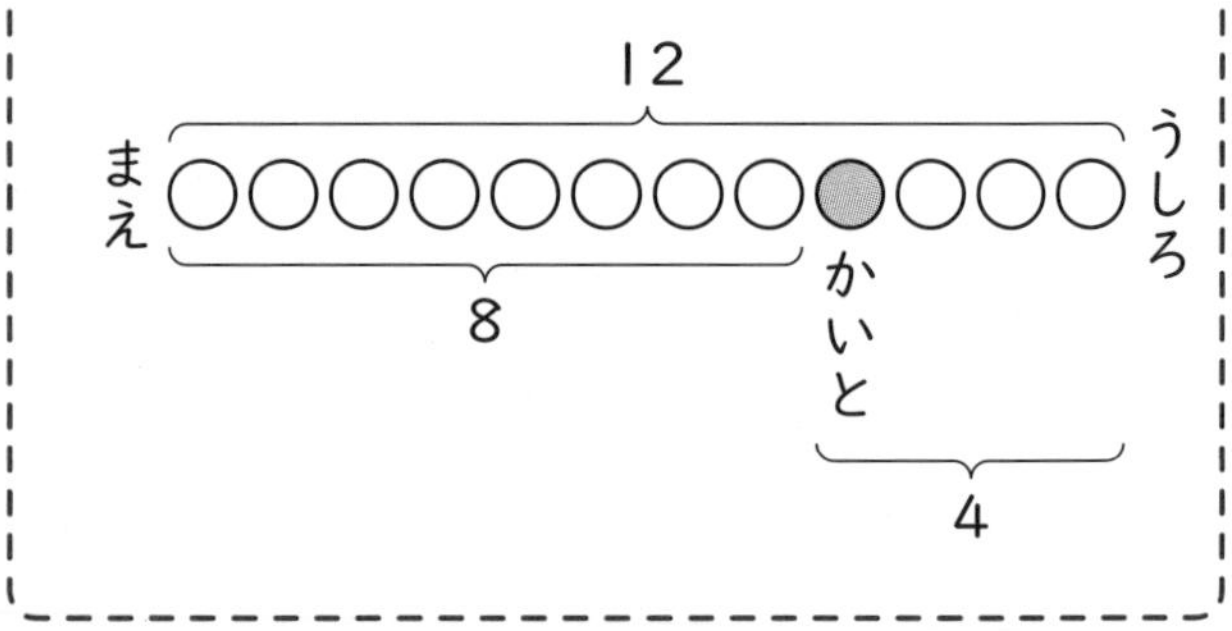

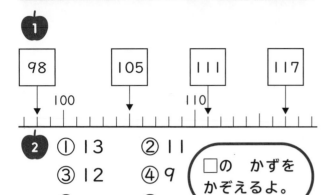

\さいしゅうチェック24/

❶ 子《こ》どもが　１れつに　ならんで　います。はるかさんの　まえに　６人《にん》　います。はるかさんは　まえから　なんばんめですか。

しき

こたえ ＿＿＿＿＿＿

❷ １１人《にん》の　人《ひと》が　１れつに　なって　バスを　まって　います。ゆうとさんは　まえから　３ばんめです。ゆうとさんの　うしろには　なん人《にん》　いますか。

しき

こたえ ＿＿＿＿＿＿

さいしゅうチェックの　こたえ

1 ❶①5　②9

2 ❶(あ)3　(い)8　❷9

3 ❶①1　②3　③3　④9　⑤7

4 ❶①5ばんめ　②ゆみさん

5 ❶①13　②16　③5　④10

6 ❶①18　②17

7 ❶①63　②(じゅんに) 5, 8　③10　④82

8 ❶119　❷(左《ひだり》から) 55, 65, 95　❸35

9 ❶①5　②8　③7　④7　⑤19　⑥13

10 ❶①11　②12　③38　④13　⑤12　⑥29
⑦80　⑧90

11 ❶①2　②14　③13　④4　⑤2　⑥3
⑦8　⑧0

12 ❶①9　②7　③70　④24　⑤4　⑥30
⑦20　⑧6

13 ❶①15　②2　③8　④11　⑤7

14 ❶①(う), (え)　②(い), (え)

15 ❶(あ)2　(い)1　(う)3　❷(左《ひだり》から) (い), 3

16 ❶(あ)3　(い)1　(う)2

17 ❶(じゅんに) ①くろ, 2　②赤《あか》, 2

18 ❶①10じはん〔10じ30ぷん〕　②7じ25ふん

19 ❶右《みぎ》の　えグラフ
❷①みかん　②バナナ
③いちご

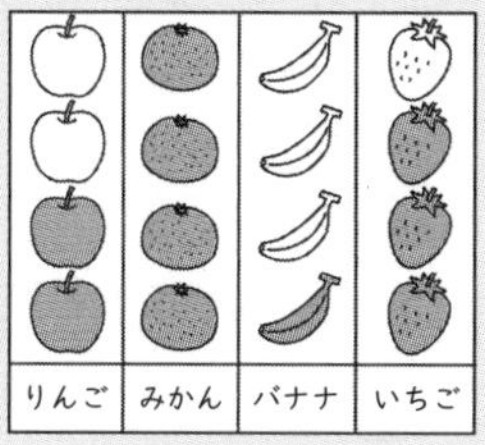

20 ❶しき 6＋8＝14
こたえ 14本《ほん》
❷しき 7＋3＝10
こたえ 10人《にん》

21 ❶しき 12−4＝8　こたえ 8こ
❷しき 11−9＝2　こたえ うしが　2とう　おおい。

22 ❶しき 10−2＝8　こたえ 8こ
❷しき 8＋3＝11　こたえ 11人《にん》

23 ❶しき 8＋2−3＝7　こたえ 7人《にん》
❷しき 9−5＋2＝6　こたえ 6人《にん》

24 ❶しき 6＋1＝7　こたえ 7ばんめ
❷しき 11−3＝8　こたえ 8人《にん》

さんすう 23 文《ぶん》しょうだい

3つの　かずの　けいさん

28ページ

① しき　4＋3＋2＝9
こたえ　9本《ほん》

② しき　8－2－4＝2
こたえ　2わ

③ しき　6＋2－3＝5
こたえ　5こ

④ しき　9－4＋2＝7
こたえ　7まい

ポイント

● ①～④　3つの　かずの　たしざんや　ひきざんの　しきを　つくって　こたえを　もとめる　もんだいです。もんだい文《ぶん》を　よく　よんで，正《ただ》しい　しきを　つくりましょう。

① 3つの　かずの　たしざんです。
4＋3＋2＝7＋2＝9

② 3つの　かずの　ひきざんです。
8－2－4＝6－4＝2

③ もんだい文《ぶん》の　じゅんに，たしてから　ひく　もんだいです。たす　ところを　ひいたり　しないように　ちゅういしましょう。
6＋2－3＝8－3＝5

④ もんだい文《ぶん》の　じゅんに，ひいてから　たす　もんだいです。
9－4＋2＝5＋2＝7

＼さいしゅうチェック23／

❶ こうえんで　子《こ》どもが　8人《にん》　あそんで　いました。そこへ　2人《ふたり》　やって　きました。そのあと　3人《にん》　かえりました。子《こ》どもは　なん人《にん》に　なりましたか。

しき

こたえ ＿＿＿＿＿＿

❷ バスに　おきゃくさんが　9人《にん》　のって　いました。ていりゅうじょで　5人《にん》　おりて，2人《ふたり》　のって　きました。おきゃくさんは　なん人《にん》に　なりましたか。

しき

こたえ ＿＿＿＿＿＿

さんすう 24 文《ぶん》しょうだい

ならびかた

27ページ

① しき　3＋1＝4
こたえ　4ばんめ

② しき　5－1＝4　こたえ　4人《にん》

③ しき　4＋5＝9　こたえ　9人《にん》

④ しき　10－3＝7　こたえ　7人《にん》

ポイント

① はるきさんの　まえに　ならんで　いる　3人《にん》に　1を　たして　もとめます。

② さくらさんまでが　5人《にん》ですから，さくらさんの　ぶんの　1を　ひいて　もとめます。

③ ずを　かいて　かんがえても　よいでしょう。

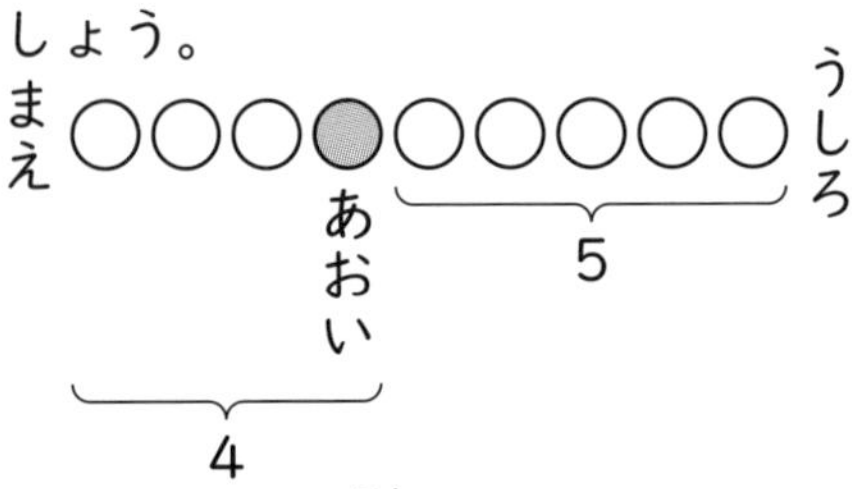

④ ぜんぶの　人《にん》ずうから　ゆうなさんまでの　人《にん》ずうを　ひいて，うしろに　いる　人《にん》ずうを　もとめます。

さんすう **21** 文《ぶん》しょうだい

ひきざん

30ページ

① しき 8－3＝5　こたえ 5こ

② しき 9－5＝4　こたえ 4こ

③ しき 11－8＝3　こたえ 3人《にん》

④ しき 10－7＝3
こたえ すずめが　3わ　おおい。

ポイント

① のこりの　かずを　もとめるので，ひきざんで　けいさんします。
② ちがいを　もとめるので，ひきざんで　けいさんします。
③ 「なん人《にん》　おおいか」を　もとめるときは，「ちがい」を　かんがえるので　ひきざんで　けいさんします。
④ こたえは　「○○が　○わ　おおい。」と　します。

さいしゅうチェック21

❶ みかんが　12こ　あります。4こ　たべると　のこりは　なんこに　なりますか。
しき　　こたえ

❷ うしが　11とう，うまが　9とう　います。どちらが　なんとう　おおいですか。
しき
こたえ

さんすう **22** 文《ぶん》しょうだい

たしざんと　ひきざん

29ページ

① しき 6＋2＝8　こたえ 8こ

② しき 12－3＝9　こたえ 9人《にん》

③ しき 6＋3＝9　こたえ 9人《にん》

④ しき 12－8＝4　こたえ 4こ

ポイント

●①～④ たしざんと　ひきざんの　どちらの　けいさんか　もんだい文《ぶん》を　よく　よんで　しきを　つくりましょう。
① 「ある　かずより　おおい　かず」を　もとめる　もんだいです。ある　かず（りんごの　かず）に　おおい　かず（2）を　たして　もとめます。
② 「ある　かずより　すくない　かず」を　もとめる　もんだいです。ある　かず（1年生《ねんせい》の　かず）から　すくない　かず（3）を　ひいて　もとめます。
③ いすの　かず　6つを　人《にん》ずうに　おきかえて　かんがえます。ぜんぶの　人《にん》ずうを　もとめるので　たしざんです。
④ 人《にん》ずうを　みかんの　かずに　おきかえて　かんがえます。あまる　かずを　もとめるので　ひきざんです。

さいしゅうチェック22

❶ みかんが　10こ　あります。りんごは　みかんより　2こ　すくないそうです。りんごは　なんこ　ありますか。
しき　　こたえ

❷ 1人《ひとり》がけの　いす　8つに　1人《ひとり》ずつ　すわりました。すわれない　子《こ》どもが　3人《にん》　います。子《こ》どもは　みんなで　なん人《にん》　いますか。
しき　　こたえ

さんすう 19 データ《でえた》のかつよう

かずしらべ

32ページ

1

2 ① 3 びき　②ばった

ポイント

1 犬《いぬ》は　3 びき，ねこは　2 ひき，うさぎは　4 ひき，りすは　3 びき　います。

2 それぞれの　虫《むし》の　かずを　かぞえます。

② ばったは　5 ひきで　いちばん　おおく　つかまえました。

＼さいしゅうチェック19／

1 くだものの　かずを　かぞえて，くだものを　おなじかずだけ　ぬりましょう。

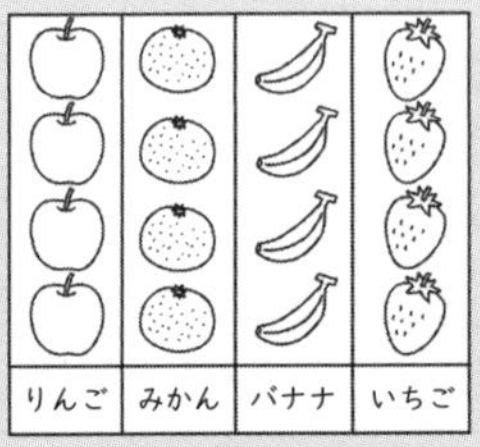

2 **1**を　見《み》て，つぎの　もんだいに　こたえましょう。

① いちばん　おおい　くだものは　なんですか。（　　　　）

② いちばん　すくない　くだものは　なんですか。（　　　　）

③ りんごと　いちごでは，どちらの　ほうが　おおいですか。（　　　　）

さんすう 20 文《ぶん》しょうだい

たしざん

31ページ

1 しき　3＋4＝7　こたえ　7 本《ほん》

2 しき　5＋6＝11　こたえ　11 人《にん》

3 しき　5＋3＝8　こたえ　8 だい

4 しき　12＋2＝14　こたえ　14 わ

ポイント

- **1**～**4**　もんだい文《ぶん》を　よく　よんで　しきを　かきましょう。こたえには，かならず　「本《ほん》」や「人《にん》」，「だい」，「わ」などを　つけましょう。
- **1** **2**　あわせた　かずを　もとめるので，たしざんで　けいさんします。
- **3** **4**　ふえると　いくつかを　もとめるので，たしざんで　けいさんします。

＼さいしゅうチェック20／

1 赤《あか》い　ばらが　6 本《ぽん》，白《しろ》い　ばらが　8 本《ぽん》あります。ばらは　あわせて　なん本《ぼん》ですか。

しき　　　　こたえ ＿＿＿＿

2 子《こ》どもが　7 人《にん》　あそんで　います。3 人《にん》やって　きました。　子《こ》どもは　なん人《にん》に　なりましたか。

しき　　　　こたえ ＿＿＿＿

＼さいしゅうチェック16／

❶ 水《みず》が　おおく　入《はい》って　いた　じゅんに　1，2，3と　ばんごうを　（　）に　かきましょう。

さんすう　そくてい
17 ひろさ（めんせき）
34 ページ

❶ ①(い)に　○　②(い)に　○

❷ ①青《あお》　②赤《あか》

❸ （じゅんに）①青《あお》，2
②赤《あか》，4

ポイント

❶　はしを　そろえ，かさねて　くらべると，下《した》のように　なります。

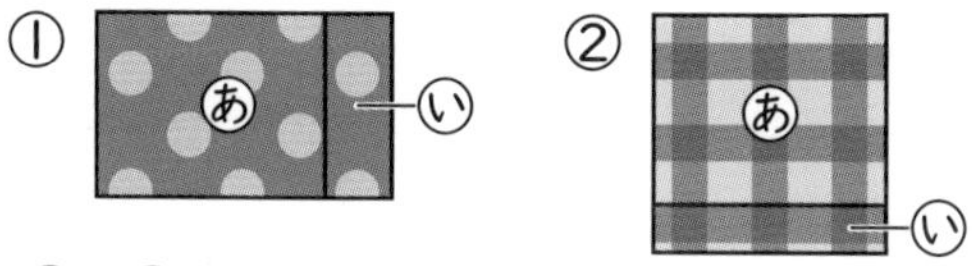

・❷❸　□が　いくつぶんに　なるかを　しらべると，ひろさを　くらべることが　できます。

❸①　青《あお》は　□が　9つぶん，赤《あか》は　□が　7つぶんの　ひろさですから，青《あお》の　ほうが　2つぶん　ひろいです。

＼さいしゅうチェック17／

❶ 赤《あか》（■）と　くろ（■）では，どちらが　□いくつぶん　ひろいでしょうか。

①
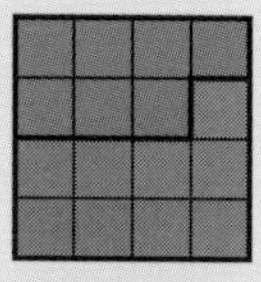
（　　）の　ほうが　□が
（　　）つぶん　ひろい。

②
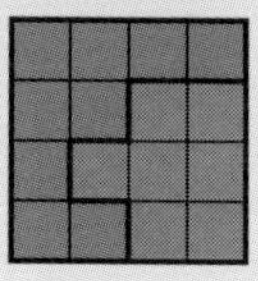
（　　）の　ほうが　□が
（　　）つぶん　ひろい。

さんすう　そくてい
18 とけい
33 ページ

❶ ①8じ　②3じ

❷ ①2じはん〔2じ30ぷん〕
②7じはん〔7じ30ぷん〕

❸ ①9じ6ぷん　②3じ54ぷん

❹ ①

②

❺ ①

②

❻ ①

②

ポイント

・❶～❸　みじかい　はりで「○じ」を，ながい　はりで「○ふん」を　よみます。

❶　ながい　はりは　12を　さして　いるので，ふんは　0です。こたえは「じ」だけに　なり，8じ，3じと　よみます。

❷　ながい　はりが　6を　さして　いるときは，「○じはん」とも　いいます。

＼さいしゅうチェック18／

❶ とけいを　よみましょう。

①

②

（　　　　）（　　　　）

❷ の　いろいたを　２まい　つかうと，下《した》のような　かたちが　できます。

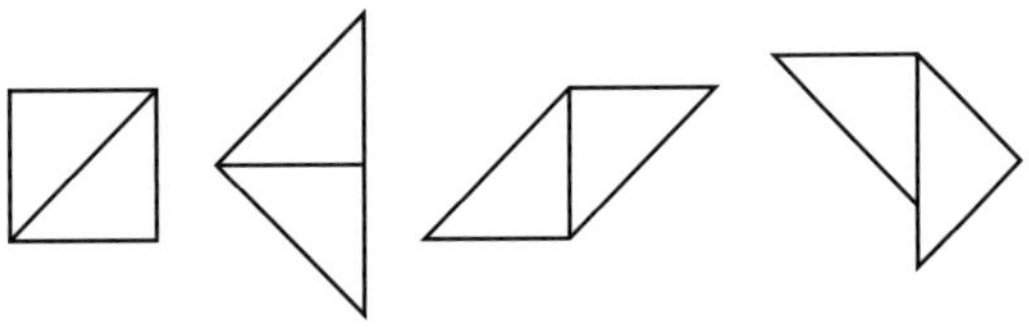

さいしゅうチェック14

❶ ①，②の　つみきで　２つの　かたちが　うつしとれます。うつしとれる　かたちを　(あ)，(い)，(う)，(え)から　２つずつ　えらびましょう。

①

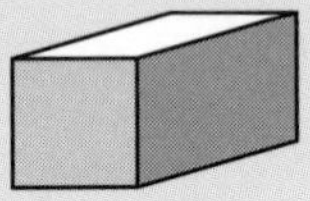

②

（　　　　）（　　　　）

(あ)　(い)　(う)　(え)

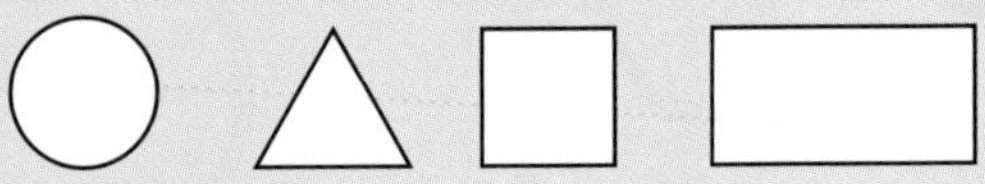

さんすう 15 そくてい ながさ　36ページ

❶ (い)に　○

❷ (あ)３　(い)１　(う)２

❸ わりばし

❹ （左《ひだり》から）(あ)，１

ポイント

- ❶❷　ながさを　くらべる　ときは，はしを　そろえて　くらべます。
- ❸❹　めもり　いくつぶんの　ながさを　しらべても，ながさを　くらべる　ことが　できます。

❸　えんぴつは　１２めもり，わりばしは　１３めもりの　ながさですから，わりばしの　ほうが　ながいです。

❹　(あ)は　めもり　９つぶん，(い)は　めもり　８つぶんの　ながさです。

さいしゅうチェック15

❶ テープの　ながさを　くらべて　います。ながい　じゅんに　１，２，３と　ばんごうを　（　）に　かきましょう。

(あ)　（　）
(い)　（　）
(う)　（　）

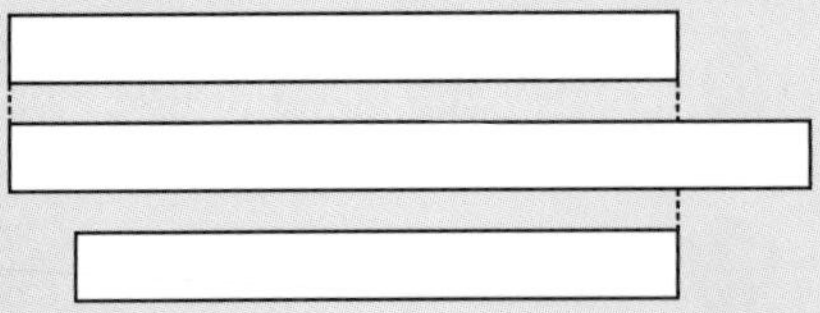

❷ (あ)と　(い)の　テープは，どちらが　めもり　いくつぶん　ながいですか。

(あ)
(い)

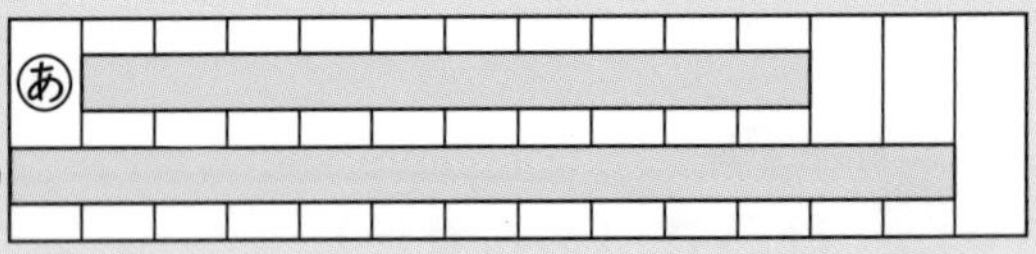

（　）の　ほうが　めもり　（　）つぶん　ながい。

さんすう 16 そくてい かさ（たいせき）　35ページ

❶ ①(い)に　○　②(あ)に　○

❷ （左《ひだり》から）(い)，２

❸ (あ)２　(い)３　(う)１

ポイント

❶ ①　入《い》れものの　大《おお》きさが　おなじ　ときは，水《みず》の　たかさで　くらべます。
②　水《みず》の　たかさが　おなじ　ときは，入《い》れものの　大《おお》きさで　くらべます。

- ❷❸　コップ　いくつぶんかで　かさを　くらべます。

❷　(あ)は　３ばい，(い)は　５はいなので，(い)の　ほうが　コップで　２はいぶん　おおいです。

❸　(あ)は　５はい，(い)は　４はい，(う)は　６ぱいです。

3 10と　いくつに　なるかを　かんがえます。

4 ①　ある　かずから　0を　ひくと，こたえは　もとの　かずに　なります。
②　おなじ　かずどうしを　ひくと，こたえは　0に　なります。

さいしゅうチェック11

❶ ひきざんを　しましょう。

①　4－2＝	②　15－1＝
③　18－5＝	④　7－3＝
⑤　2－0＝	⑥　9－6＝
⑦　10－2＝	⑧　5－5＝

さんすう 12 けいさん ひきざん(2)

39ページ

1 ①8　②2　③5　④9　⑤6
⑥5　⑦9　⑧4　⑨8　⑩3

2 ①20　②22　③42　④44

3 ①20　②10　③40　④60

ポイント

1 こたえは　10より　小《ちい》さく　なります。

2 なん十《じゅう》と　いくつに　なるかを　かんがえます。

3 なん十《じゅう》の　ひきざんです。10が　いくつぶんに　なるかを　かんがえます。

さいしゅうチェック12

❶ ひきざんを　しましょう。

①　12－3＝	②　16－9＝
③　80－10＝	④　27－3＝
⑤　11－7＝	⑥　35－5＝
⑦　90－70＝	⑧　13－7＝

さんすう 13 けいさん 3つの　かずの　けいさん

38ページ

1 ①9　②14

2 ①4　②6

3 ①5　②10

4 ①2　②11

ポイント

● **1**～**4**　3つの　かずの　けいさんは，左《ひだり》から　じゅんに　けいさんします。

1①　3＋2＋4＝5＋4＝9

2①　8－1－3＝7－3＝4

3①　7－4＋2＝3＋2＝5

4①　5＋1－4＝6－4＝2

さいしゅうチェック13

❶ けいさんを　しましょう。

①　7＋3＋5＝
②　9－3－4＝
③　11－1－2＝
④　8－1＋4＝
⑤　4＋8－5＝

さんすう 14 ずけい かたち

37ページ

1 ①(う)　②(え)　③(い)　④(あ)

2 (あ)6　(い)12　(う)12　(え)7

ポイント

1 うつしとって　できる　かたちには，つぎのような　ものが　あります。

しかく 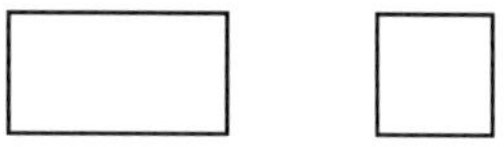

さんかく 　まる 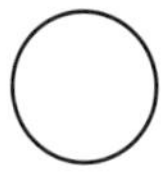

＼ さいしゅうチェック8 ／

❶ □に　あう　かずを　かきましょう。

● 120より　1　小《ちい》さい　かずは　□　です。

❷ □に　あう　かずを　かきましょう。

35－45－□－□－75－85－□

❸ バナナは　なん本《ぼん》　ありますか。

□本《ほん》

さんすう

9 けいさん たしざん(1)　42ページ

❶ ①3　②5　③5　④4　⑤4　⑥5

❷ ①6　②9　③9　④8　⑤10　⑥10

❸ ①14　②15　③19　④17

❹ ①4　②9

ポイント

● ❶～❹　2つの　かずを　あわせたら　いくつに　なるかを　かんがえます。

❶① 1＋2は，1と　2を　あわせる　けいさんです。1と　2を　あわせると　3に　なるので，1＋2＝3です。

❸ あわせて　10と　いくつに　なるかを　かんがえます。

❹① ある　かずに　0を　たすと，こたえは　もとの　かずに　なります。

② 0に　ある　かずを　たすと，こたえは　たした　かずに　なります。

＼ さいしゅうチェック9 ／

❶ たしざんを　しましょう。

① 3＋2＝　② 5＋3＝

③ 1＋6＝　④ 0＋7＝

⑤ 14＋5＝　⑥ 12＋1＝

さんすう

10 けいさん たしざん(2)　41ページ

❶ ①11　②12　③13　④15　⑤11　⑥13　⑦12　⑧15　⑨14　⑩11

❷ ①28　②26　③37　④47

❸ ①40　②50　③90　④100

ポイント

❶ こたえは　10より　大《おお》きく　なります。あわせて　10と　いくつに　なるかを　かんがえましょう。

❷ あわせて　なん十《じゅう》と　いくつに　なるかを　かんがえます。

❸ なん十《じゅう》の　たしざんです。10が　いくつぶんに　なるかを　かんがえます。

＼ さいしゅうチェック10 ／

❶ たしざんを　しましょう。

① 6＋5＝　② 9＋3＝

③ 31＋7＝　④ 7＋6＝

⑤ 4＋8＝　⑥ 23＋6＝

⑦ 20＋60＝　⑧ 80＋10＝

さんすう

11 けいさん ひきざん(1)　40ページ

❶ ①2　②1　③3　④1　⑤3　⑥1

❷ ①4　②8　③2　④5　⑤3　⑥3

❸ ①10　②12　③15　④11

❹ ①5　②0

ポイント

● ❶～❹　ひきざんは，まえの　かずから　あとの　かずを　とると，いくつに　なるかを　かんがえます。

❶① 3－1は，3から　1を　とる　けいさんです。3から　1を　とると　2に　なるので，3－1＝2です。

3

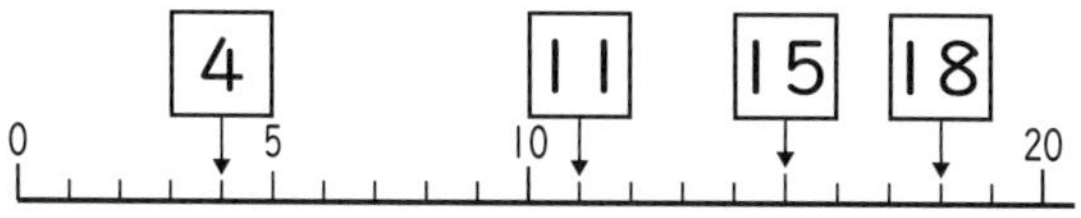

4 ① 11に ○　② 18に ○

5 ① 17　② 13

ポイント

1 1ずつ 大《おお》きく なって います。
2 1ずつ 小《ちい》さく なって います。
3 かずのせんの 1めもりは 1です。
4 20までの かずを すらすらと いえるように しましょう。
5 ① 15，16，17，…ですから，17です。
② 15，14，13，…ですから，13です。

さいしゅうチェック6

1 □に あう かずを かきましょう。
① 16より 2 大《おお》きい かずは □ です。
② 19より 2 小《ちい》さい かずは □ です。

さんすう 7 かず 大《おお》きい かず(1)　44ページ

1 ① 35　② 70

2 ① 27　② 80　③ 100

3 ①(左《ひだり》から) 4，9　② 9

4 ①(左《ひだり》から) 3，6　② 74

ポイント

1 大《おお》きな かずを かぞえる ときは 10が いくつ，1が いくつかを かんがえます。
① 10が 3つで 30，1が 5つで 5，30と 5で 35です。
② 10が 7つで 70です。
2 ① 10が 2つで 20，1が 7つで 7，20と 7で 27です。
② 10が 8つで 80です。
③ 10が 10で 100です。

3 ① 49は 40と 9ですから，10が 4つと 1が 9つです。
4 10の まとまりの かずが 十《じゅう》のくらいの すう字《じ》，1の まとまりの かずが 一《いち》のくらいの すう字《じ》です。

十《じゅう》のくらい	一《いち》のくらい
3	6

さいしゅうチェック7

1 □に あう かずを かきましょう。
① 10が 6つと 1が 3つで □
② 58は 10が □つと 1が □つ
③ 100は 10が □
④ 十《じゅう》のくらいが 8で，一《いち》のくらいが 2の かずは □

さんすう 8 かず 大《おお》きい かず(2)　43ページ

1

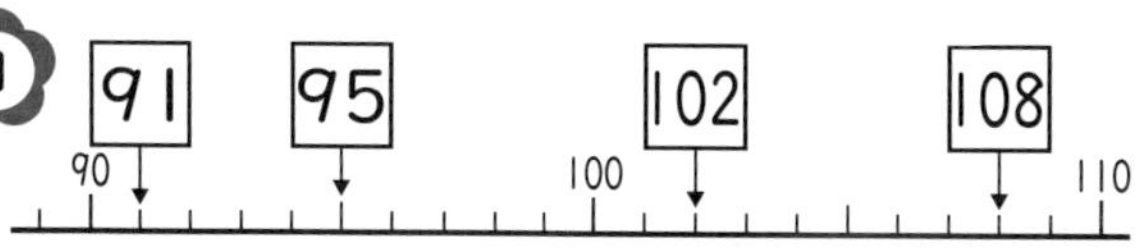

2 ① 90　② 99

3 ① 10－12－14－16－18－20
② 70－75－80－85－90－95－100
③ 60－70－80－90－100－110－120

4 ① 18　② 30

ポイント

1 かずのせんの 1めもりは 1です。
2 ② 100，99，98，…ですから，100より 1 小《ちい》さい かずは 99です。
3 いくつずつ 大《おお》きく なって いるか かんがえましょう。
①は 2ずつ，②は 5ずつ，③は 10ずつ 大《おお》きく なって います。
4 2ずつ，5ずつ まとめて かぞえる れんしゅうを しましょう。

さいしゅうチェック3

1 □に　あう　かずを　かきましょう。

① 6は　5と　□

② 7は　4と　□

③ 8は　□と　5

④ □は　3と　6

⑤ □は　1と　6

さんすう 4 かず なんばんめ 47ページ

1

2

3 ①4　②3　③なつみ

④いぶき

ポイント

1 まえから　じゅんに　1，2，3，4と　かぞえて，4ひきの　犬《いぬ》に　いろを　ぬります。

2 まえから　いくつと，まえから　なんばんめの　ちがいに　気《き》を　つけましょう。

・まえから　3つ

まえ ●●●○○○

・まえから　3ばんめ

まえ ○○●○○○

3 左《ひだり》から　かぞえるのか，右《みぎ》から　かぞえるのか　ちゅういしましょう。

さいしゅうチェック4

1 えが　かかって　います。

① はなさんの　えは　左《ひだり》から　なんばんめですか。（　　　　）

② 右《みぎ》から　6ばんめの　えは　だれの　えですか。（　　　　）

さんすう 5 かず 20までの　かず(1) 46ページ

1 ①12　②15

2 ①14　②19

3 ①12　②17　③20

4 ①4　②8

ポイント

1 10と　いくつ　あるか　かぞえます。

① 10本《ぽん》と　2本《ほん》で　12本《ほん》です。

② 10こと　5こで　15こです。

2 ていねいに　かぞえましょう。

● **3** **4**〈11から　20までの　かず〉

・10と　1で　11（じゅういち）

・10と　2で　12（じゅうに）

・10と　3で　13（じゅうさん）

・10と　4で　14（じゅうし）

・10と　5で　15（じゅうご）

・10と　6で　16（じゅうろく）

・10と　7で　17（じゅうしち）

・10と　8で　18（じゅうはち）

・10と　9で　19（じゅうく）

・10と　10で　20（にじゅう）

20までの　かずの　ならびを　おぼえましょう。

さいしゅうチェック5

1 □に　あう　かずを　かきましょう。

① 10と　3で　□

② 10と　6で　□

③ 15は　10と　□

④ 20は　10と　□

さんすう 6 かず 20までの　かず(2) 45ページ

1 11—12—13—14—15—16

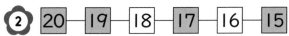

2 20—19—18—17—16—15

さいしゅうチェック1 ここで　さいごの　おさらい！

1 えの　かずは　いくつですか。
□に　すう字《じ》を　かきましょう。

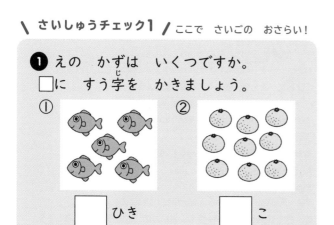

① 

□ ひき

② 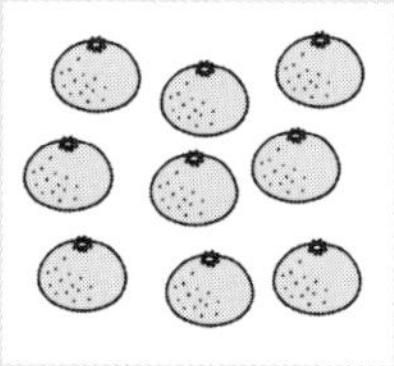

□ こ

こたえは　21 ページ

さんすう **2** かず

10までの　かず(2) 49ページ

1 ① 1―2―3―4

② 7―8―9―10

2 ① 5―4―3―2

② 9―8―7―6

3 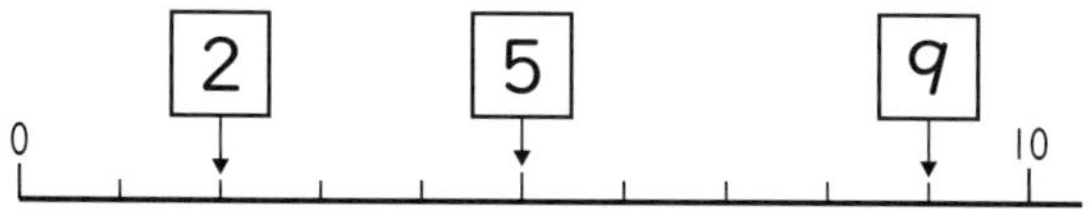

4 ①7に　○　②10に　○

5 6

ポイント

1 大《おお》きく　なる　かずの　じゅんじょを　おぼえましょう。また，とちゅうからでも　いえるように　しましょう。

2 1ずつ　小《ちい》さく　なって　います。1ずつ　小《ちい》さく　なる　かずを　いえるように　しましょう。

3 せんの　めもりは　左《ひだり》から　0，1，2，3，4，…と　なって　います。

4 ①　4と　7では，7の　ほうが　大《おお》きいです。
②　10と　8では，10の　ほうが　大《おお》きいです。

5 5より　1　大《おお》きい　かずは，5の　つぎの　かずです。

さいしゅうチェック2

1 □に　あう　かずを　かきましょう。

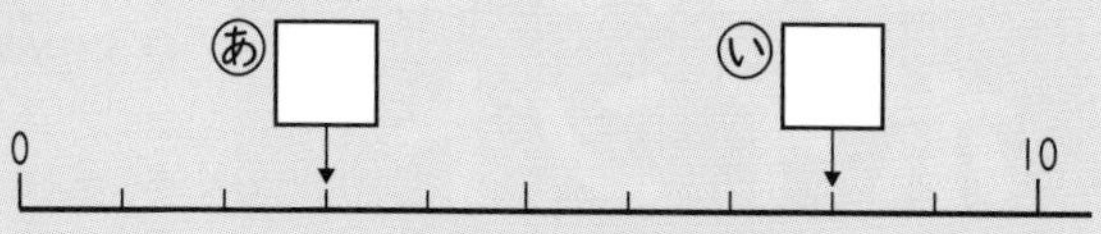

2 8より　1　大《おお》きい　かずを　かきましょう。　（　　　）

さんすう **3** かず

いくつと　いくつ 48ページ

1 ①
●●●●●
●●○○○

②
●●●●●
●●○○○

2 ①
●●●○○
○○○○○

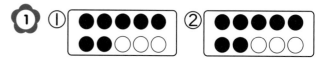

②
●●●●●
●●●○○

3 ①2　②6　③2　④8　⑤6　⑥5

4 ①7　②10

ポイント

・**1** **2** おなじ　かず　かけて　いれば　正《せい》かい　です。

1 あと　いくつで　7に　なるかを　かんがえて　●を　かきくわえます。
①　●は　5こ　あるので，あと　2こ　かきくわえます。
②　●は　3こ　あるので，あと　4こ　かきくわえます。

2 ①　●は　7こ　なので，3こ　かきます。
②　●は　2こ　なので，8こ　かきます。

3 ①　3と　2の　くみあわせで　5になります。
③　6に　なるのは　2と　4です。
わかりにくかったら，**2**のように　●を　つかって　かんがえましょう。

4 ①　2と　5を　あわせると，7です。
②　8と　2を　あわせると，10です。

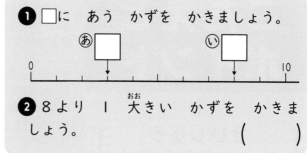

←ていねいに　ひっぱって　ください。とりはずせます。

くもんの小学 1 年生の総復習ドリル

こたえと ポイント

＋

［ さいしゅう チェックもんだい ］

こくご・さんすう

＋

［ 先《さき》どりドリル ］

- こくご…14～16ページ
- さんすう…19～17ページ

❶ こたえが　あって　いたら，「できたシール」を　はりましょう。
こたえが　あって　いたら，まるを　つけ，もんだいの　ところに
「できたシール」（小《ちい》さい　シール）を　はりましょう。（シールだけ　はっても　よいです。）

❷ まちがえたら，ポイントを　よんで，正《ただ》しく　なおしましょう。
ポイントは，もんだいを　とく　ときの　かんがえかたや　ちゅういてんなどです。
まちがえた　ところは，ポイントを　よく　よんで，もう　いちど　やって　みましょう。
正《ただ》しく　なおせたら　「できたシール」を　はりましょう。

❸ ぜんもん正《せい》かいに　なったら，「ごうかくシール」を　はりましょう。
「できたシール」を　ぜんぶ　はれたら，ページの　上《うえ》に
「ごうかくシール」（大《おお》きい　シール）を　はりましょう。
ページぜんたいに　大《おお》きな　まるを　つけてから，シールを　はっても　よいです。

❹ さんすうと　こくごは，さいしゅうチェックで　さいごの　おさらいを　しましょう。
まちがえた　ところや，じしんの　ない　ところは，さいしゅうチェックの　もんだいを
といて，さいごの　おさらいを　しましょう。
こたえは　「こたえと　ポイント」の　さいごに　あります。

さんすうの　ちゅういてん

- ［　］は，ほかの　こたえかたです。
- □に　あてはまる　こたえは　左《ひだり》から　じゅんに　なって　います。

さんすう　32～21ページ　この　ページから　はじまります

こくご　1～12ページ　はんたいがわから　はじまります

しあげテスト
- さんすう…20ページ
- こくご…13ページ

さんすう 1　かず　10までの　かず(1)　50ページ

1 ①(4つ　ぬる。)　②(7つ　ぬる。)

①
●●●●○
○○○○○

②
●●●●●
●●○○○

2 ①7　②4

3 (左《ひだり》から) 2, 0, 1

4 みかんに　○

ポイント　できなかったら、ここを　よんで　なおそう！

1 えの　かずと　いろを　ぬった　○の　かずが　おなじか　たしかめましょう。
　おなじ　かず　ぬれて　いれば　正《せい》かいです。
①　じどうしゃは　4だい　あるので　○を　4つ　ぬります。
②　ふうせんは　7つ　あるので　○を　7つ　ぬります。

- **2** **3** 1から　10までの　かずを　正《ただ》しく　かけるように　しましょう。

〈1から　10までの　かず〉
・1（いち）　・2（に）
・3（さん）　・4（し）
・5（ご）　・6（ろく）
・7（しち）　・8（はち）
・9（く）　・10（じゅう）

2 えの　かずと　すう字《じ》が　あって　いるか　たしかめましょう。
①　りんごは　7こです。
②　ねこは　4ひきです。

3 りんごが　おさらに　1こも　ないときは　0こです。

4 みかんは　5こ，りんごは　4こなので　みかんの　ほうが　おおいです。

⬆ていねいに引っぱってください。取り外せます。　⬇答えはそれぞれのカードのうら面にあります。

キリトリ

1 植物の発《はつ》芽《が》と成長

要点まるごとチェックカード　理科

●植物の発芽

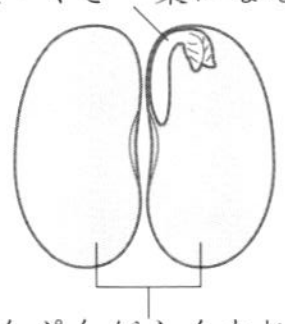

・植物の種子《しゅし》が発芽するためには，水，（ ① ），適当《てきとう》な温度が必要です。

・植物の種子には（ ② ）がふくまれていて，発芽するときの養分として使われます。

●植物の成長

・植物を育てるとき，「日光を当てた植物」と「日光を当てない植物」では，（ ③ ）のほうがよく育ちます。「肥料《ひりょう》をあたえた植物」と「肥料をあたえない植物」では，（ ④ ）のほうがよく育ちます。このことから，植物がよく育つためには，（ ⑤ ）と（ ⑥ ）が必要であることがわかります。

うら面の答え　**1** イ　**2** ①でんぷん　②変わりません

キリトリ

3 実のでき方

要点まるごとチェックカード　理科

●花のつくり

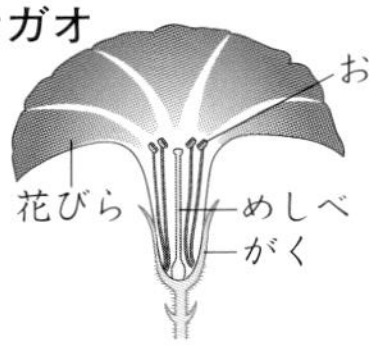

・花には，めしべ，おしべ，（ ① ），がくなどがあります。

▶めしべ…先は丸くねばねばしていて，根元は（ ② ）。

▶おしべ…先にはふくろがあり，（ ③ ）が出てきます。

・花には，１つの花にめしべとおしべがあるものと，めしべだけある（ ④ ）と，おしべだけある（ ⑤ ）の区別があるものがあります。

●花から実へ

・めしべの先におしべの花粉がつくことを（ ⑥ ）といい，（ ⑥ ）すると（ ⑦ ）ができます。

・植物は，（ ⑦ ）の中にできる（ ⑧ ）で，なかまをふやしていきます。

うら面の答え　**1** ①イ　②あ：めしべ　い：受粉

キリトリ

2 生命のつながり

要点まるごとチェックカード　理科

●メダカのた

・めすのう　すの出した精子《せいし》と結びつくことを（ ① ）といい，受《じゅ》精《せい》したた　といいます。

・たまごの　育つための（ ③ ）があります。

●人のたんし

・女性《じょせい》の体　（ ④ ）と男性の体内でつくられた（ ⑤ ）が結びつくことを　います。

・人の受精《じゅせい》卵は母親の（ ⑦ ）の中で育てられ，およそ（ ⑧ ）週間で子どもがうまれます。

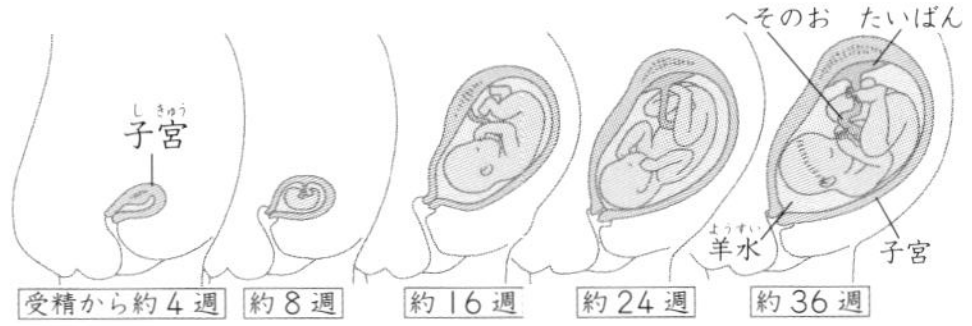

うら面の答え　**1** ①食べません　②養分　**2** ①ア：へそのお　イ：羊水　ウ：子宮　②ア

キリトリ

4 天気の変化

要点まるごとチェックカード　理科

●日本付近の天気の変化，台風

・春や秋の日本付近では，雲は（ ① ）から（ ② ）へ動きます。天気も雲の動きに合わせて，（ ③ ）のほうから変わっていきます。

・晴れとくもりの天気は，空全体の（ ④ ）の量で決めます。

・気象衛星《えいせい》からの情報《じょうほう》をもとに，雲のようすを表したものを，気象衛星の雲画像《くもがぞう》といい，雲のある部分は（ ⑤ ）く表されます。

・各地の雨の量や，風速，風向，気温などを自動的にはかり，そのデータをまとめるシステムを（ ⑥ ）といいます。

・台風は，夏から（ ⑦ ）にかけて日本付近を通過《つうか》したり，日本列島に上陸したりします。

うら面の答え　**1** ①ウ　②い→う→あ　③雲

キリトリ

1 植物の発芽《はつが》と成長　チェックテスト①　理科

1 インゲンマメの種子《しゅし》を発芽させます。発芽するものを，次のア〜ウから１つ選びましょう。

ア　しめっただっしめんの上にのせて，冷蔵庫《れいぞうこ》に入れた種子。

イ　しめっただっしめんの上にのせて，光が当たらないようにしておいた種子。

ウ　水の中に入れて，光がよく当たるようにしておいた種子。

2 インゲンマメの種子を発芽させて，しばらく育てました。次の問題に答えましょう。

①　ヨウ素液の色を変える養分を何といいますか。

②　発芽してしばらくたったインゲンマメの，しおれて小さくなった子葉を横に切り，切り口にヨウ素液《そえき》をつけると，ヨウ素液の色はどうなりますか。

表面の答え　①空気　②でんぷん　③日光を当てた植物　④肥料《ひりょう》をあたえた植物　⑤日光（肥料）　⑥肥料（日光）

キリトリ

2 生命のつながり　チェックテスト②　理科

1 次の問題に答えましょう。

①　たまごからかえってから数日間，メダカはえさを食べますか，食べませんか。

②　①のようにするのはどうしてですか。次の（　　）にあてはまることばを，答えましょう。

はらのふくろのようなものの中に，（　　）が入っているからです。

2 右の図は，母親の体内で育つ，人の子どものようすです。次の問題に答えましょう。

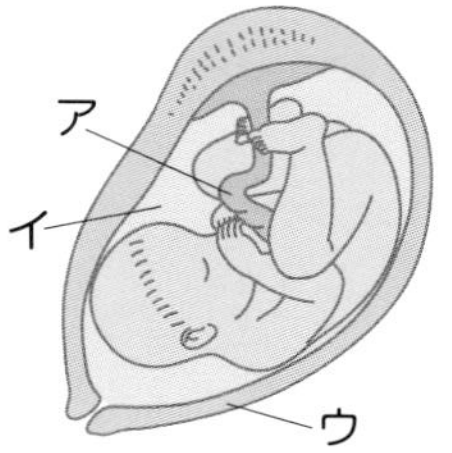

①　ア〜ウの部分を何といいますか。

②　育つための養分や，いらなくなったものが通っているところを，ア〜ウから１つ選びましょう。

表面の答え　①受精《じゅせい》　②受精卵《じゅせいらん》　③養分　④卵《らん》（卵子《らんし》）　⑤精子《せいし》　⑥受精　⑦子宮《しきゅう》　⑧38

キリトリ

3 実のでき方　チェックテスト③　理科

1 右の図のように，花がさく前のヘチマの，めばなのつぼみアとイに，ふくろをかけておきました。アのつぼみは，花がさいたあと一度ふくろをとり，おばなの花粉をつけてから，もう一度ふくろをかけました。イのつぼみは，花がさいてもそのままにしておきました。両方の花がしぼんだあと，ふくろをとりました。次の問題に答えましょう。

めばなのつぼみ

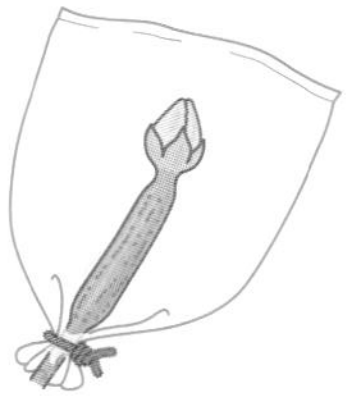

①　花がしぼんだあと実ができなかったのは，アとイのどちらですか。

②　①で答えたほうの花は，どうして実ができなかったのですか。次の（　　）にあてはまることばを，それぞれ答えましょう。

（　あ　）に花粉がつかず，（　い　）しなかったからです。

表面の答え　①花びら　②ふくらんでいます　③花粉　④めばな　⑤おばな　⑥受粉　⑦実　⑧種子《しゅし》

キリトリ

4 天気の変化　チェックテスト④　理科

1 右の図は，ある年の春の，３日間のアメダスの雨量情報《じょうほう》の記録です。次の問題に答えましょう。

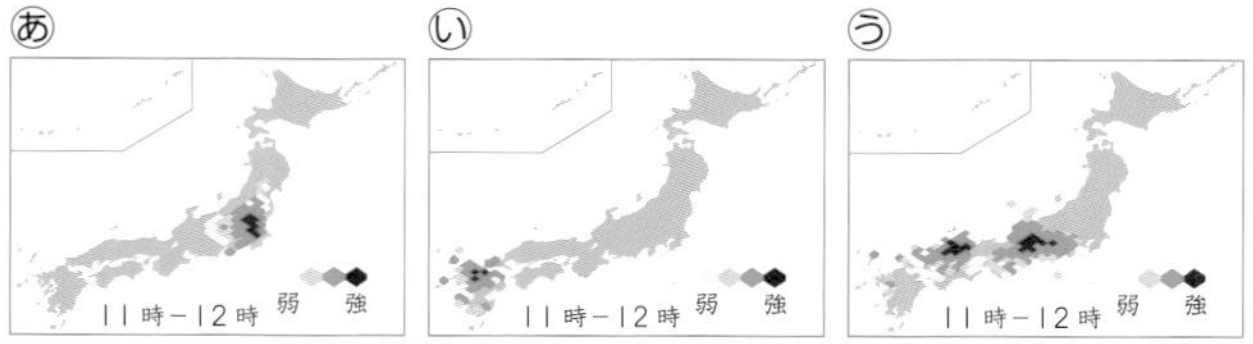

①　アメダスの雨量情報からわかることを，次のア〜ウから１つ選びましょう。

ア　雨のふっている地いきだけがわかる。

イ　ふっている雨の量だけがわかる。

ウ　雨のふっている地いきと，ふっている雨の量の両方がわかる。

②　あ〜うを，日付の古い順にならべましょう。

③　雨のふっている地いきが移《うつ》り変わるのは，何が動くからですか。

表面の答え　①西　②東　③西　④雲　⑤白　⑥アメダス　⑦秋

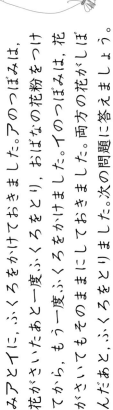

漢字の書き(2)

学習日　月　日

合格《ごうかく》シール
全問正解《せいかい》にできたら合格《ごうかく》シールをはろう！

1 □に漢字を書きましょう。

〈「とめ・はね・はらい」に注意して、正しく漢字が書ける〉

できたシール

(1) 算数の□《おう》用《よう》問題を解《と》く。

(2) 医《い》□《し》を目指す。

(3) □《ぬの》□《せい》品《ひん》を売る店。

(4) 食物の□《ゆ》入《にゅう》を□《せい》限《げん》する。

(5) 週《しゅう》□《かん》しを友達に□《か》す。

(6) □《れき》□《し》的《てき》な文化《ぶんか》□《ざい》。

(7) 情《じょう》□《ほう》が□《ふく》雑《ざつ》に入り混《ま》じる。

2 □に漢字を書きましょう。

〈画(線)の接《せっ》し方《かた》・交わり方に注意して、正しく漢字が書ける〉

できたシール

(1) □《しっ》敗《ぱい》の原《げん》□《いん》を考える。

(2) げき□《だん》の公《こう》□《えん》をみる。

(3) 新《しん》□《かん》線《せん》が□《てい》車《しゃ》する。

(4) 事《じ》□《こ》を調《ちょう》□《さ》する。

(5) 家族で先《せん》□《ぞ》の□《はか》参《まい》りに行く。

(6) 低《てい》気《き》□《あつ》が発達する。

(7) 校《こう》□《しゃ》のまどをふく。

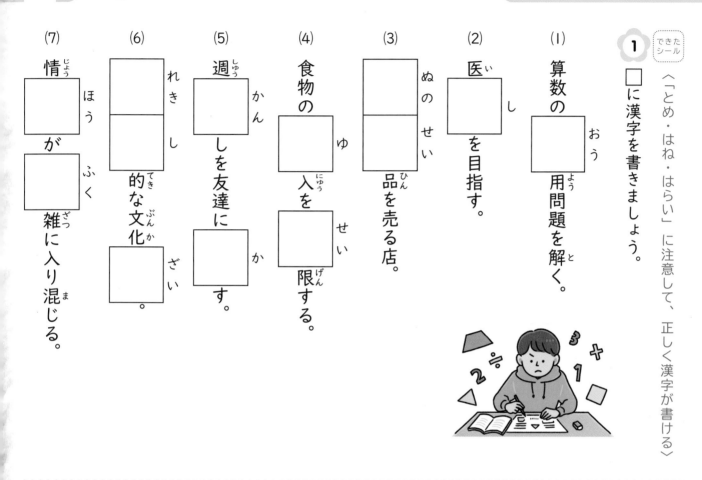

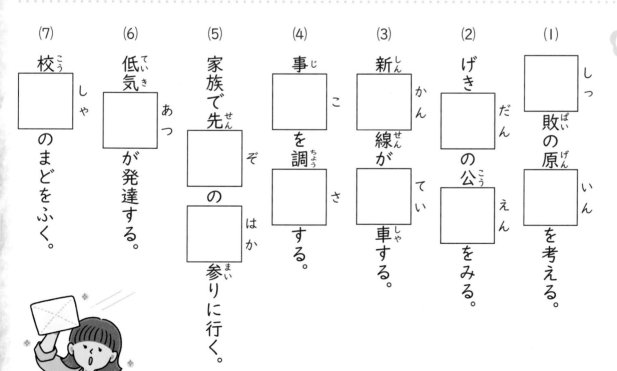

漢字の書き(1)

学習日　　月　　日

合格《ごうかく》シール
全問正解《せいかい》にできたら合格《ごうかく》シールをはろう！

⬅答え合わせをして、答えが合っていたら、ここに**できたシール**をはろう。

1

できたシール

□に漢字を書きましょう。

〈「とめ・はね・はらい」に注意して正しく漢字が書ける〉

(1) 語《ご》□《く》の意味を調べる。

(2) こしに刀を差した□《ぶ》士《し》。

(3) サッカークラブに所《しょ》□《ぞく》する。

(4) □□《じゅんじょ》よくならぶ。

(5) 仲のよい夫《ふう》□《ふ》。

(6) □《せい》治《じ》家《か》が演説《えんぜつ》する。

(7) □《ひ》常口《じょうぐち》の出入りを□《きん》止《し》する。

2

できたシール

□に漢字を書きましょう。

〈画（線）の接《せっ》し方《かた》・交わり方に注意して、正しく漢字が書ける〉

(1) □《ざい》校生《こうせい》と□《そつ》業生《ぎょうせい》。

(2) □《つみ》をつぐなう。

(3) □《はん》画《が》を使った年賀状《ねんがじょう》。

(4) 遠足で□《べん》当《とう》を食べる。

(5) くわしい説明を省《しょう》□《りゃく》する。

(6) □□《さんそ》ボンベをつけて水中にもぐる。

(7) 高《こう》□《か》な□《えき》状《じょう》のクリーム。

できなかったところは、もう一度やってみましょう。正しく直せたら**できたシール**をはりましょう。

7 情報《じょうほう》化《か》社会とわたしたちのくらし　チェックテスト⑦

1 ①～④の(　　)にあてはまることばを答えましょう。

・(　①　)をのせない。
➡年令，性別《せいべつ》，住所，電話番号など(　①　)がもれると，犯罪《はんざい》に利用されるおそれがあります。
・友人や知り合い，有名人など他人の(　②　)を書かない。
➡(　②　)を書いたり，(　③　)をすることは犯罪です。
・(　④　)に気をつける。
➡クレジットカードの番号がぬすまれるなどのひ害を受けます。

表面の答え　①(マス)メディア　②情報　③インターネット　④情報通信　⑤個人《こじん》情報

キリトリ

5 わたしたちのくらしと食料生産③　チェックテスト⑤

1 ①～⑤の(　　)にあてはまる国名やことばを答えましょう。

国内で消費《しょうひ》された食料品のうち，国産のしめる割合《わりあい》を(　①　)といい，右のグラフはオーストラリア，イタリア，日本，アメリカ，フランスの(　①　)を表しています。

アの国は(　②　)です。この国は南北に長い島国で，多くの食料を外国から(　③　)しています。イの国は，太平洋《たいへいよう》と大西洋《たいせいよう》にはさまれた国土をもつ(　④　)です。ウの国は(　⑤　)です。この国は南半球にあります。

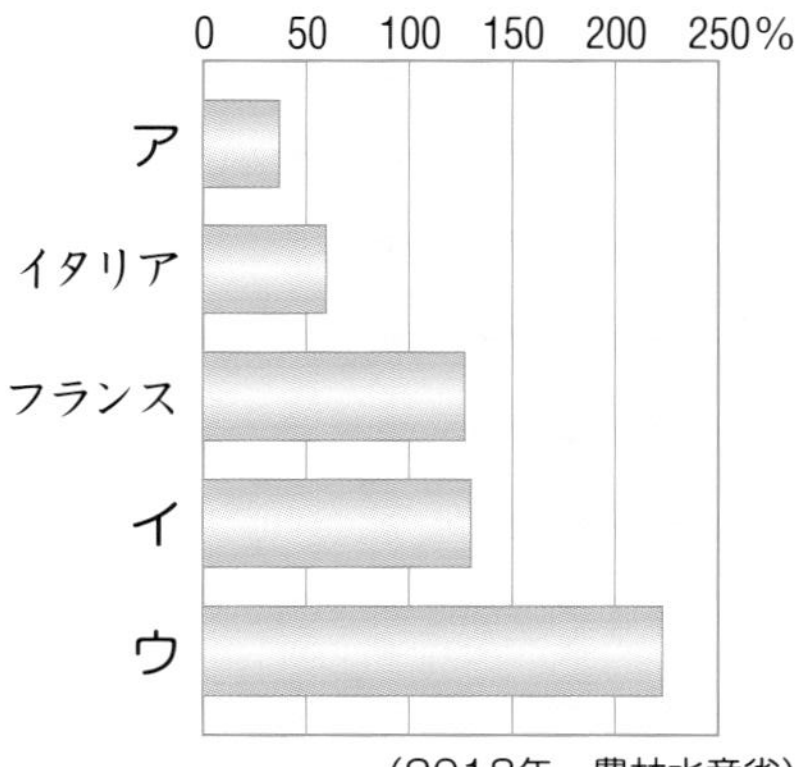

(2018年　農林水産省)

表面の答え　①冷《れい》とう(保存《ほぞん》・保管《ほかん》)　②安全性《せい》　③食料自給率《じきゅうりつ》　④会社　⑤地産地消《ちさんちしょう》

キリトリ

8 わたしたちのくらしと環境《かんきょう》　チェックテスト⑧

1 ①～⑤の(　　)にあてはまることばを答えましょう。

〈四大公害病〉

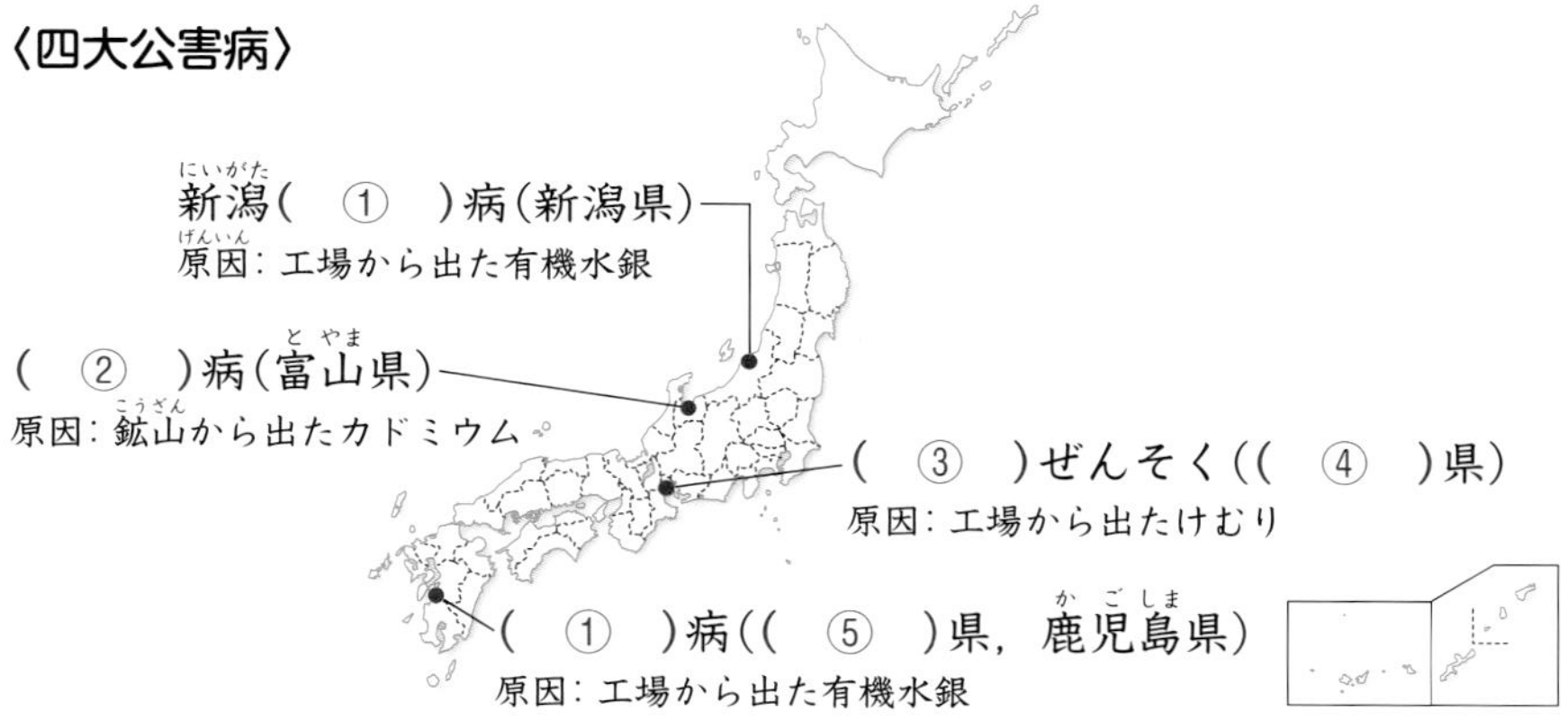

表面の答え　①人工林　②林　③防災《ぼうさい》　④公害　⑤イタイイタイ

キリトリ

6 わたしたちのくらしと工業生産　チェックテスト⑥

1 ①～⑥の(　　)にあてはまる地名やことばを答えましょう。

〈工業のさかんなところの例〉

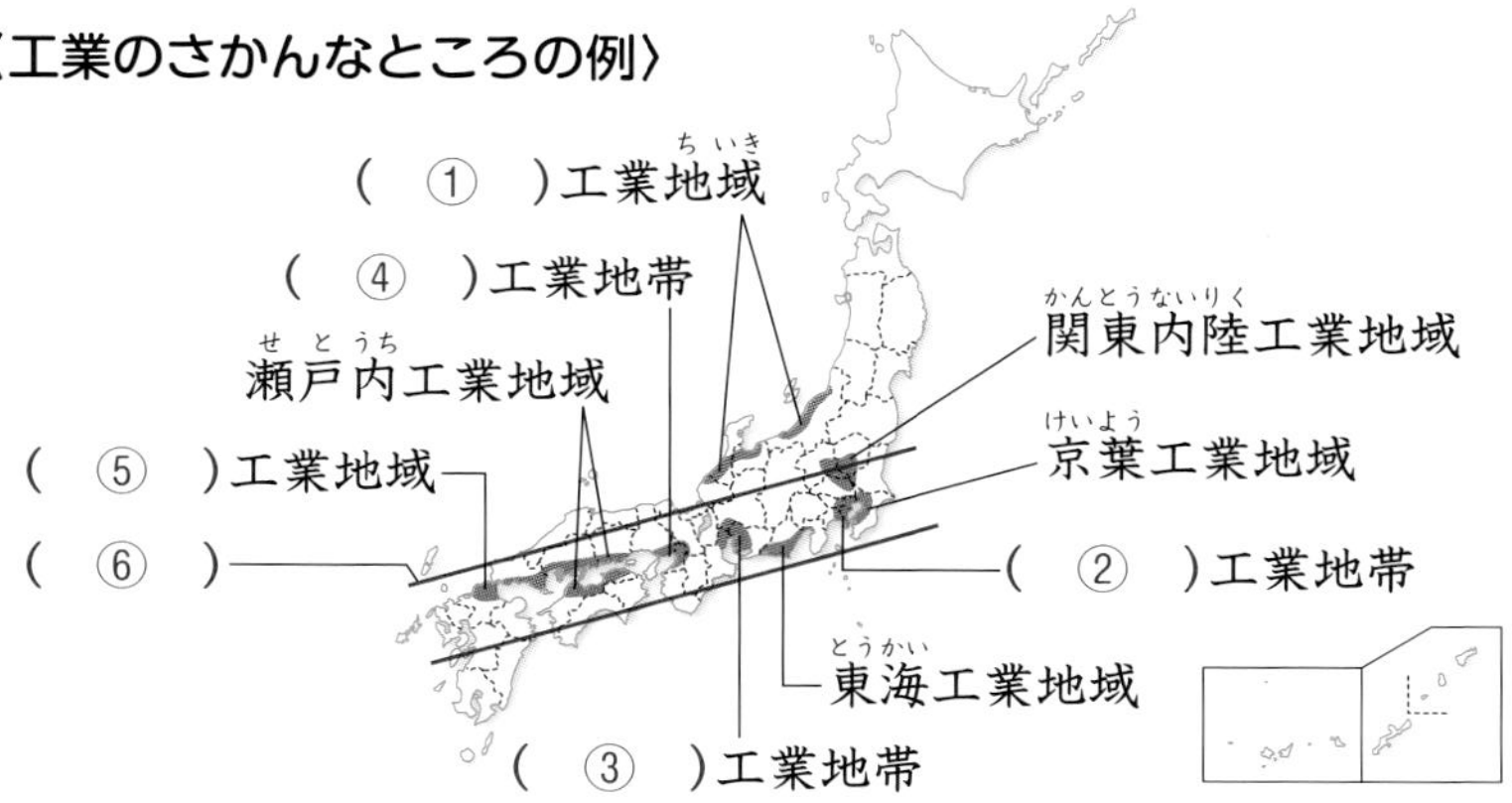

表面の答え　①中小　②大　③工業地帯　④太平洋　⑤太平洋ベルト

キリトリ

5 わたしたちのくらしと食料生産③

要点まるごとチェックカード 社会

●これからの食料生産

・交通の発達や（　①　）技術《ぎじゅつ》の進歩によって，食料の輸入《ゆにゅう》が増《ふ》えました。輸入される食料については，国産の食料と同じく（　②　）を確《たし》かめることが大切です。

・多くの食料を輸入にたよっているため，日本の（　③　）の低さを心配する声もあります。（　③　）をあげるために，農業を行う（　④　）をつくったり，地元でとれた食料を使う（　⑤　）の取り組みも見られます。

〈主な国のカロリーベースの食料自給率《じきゅうりつ》〉

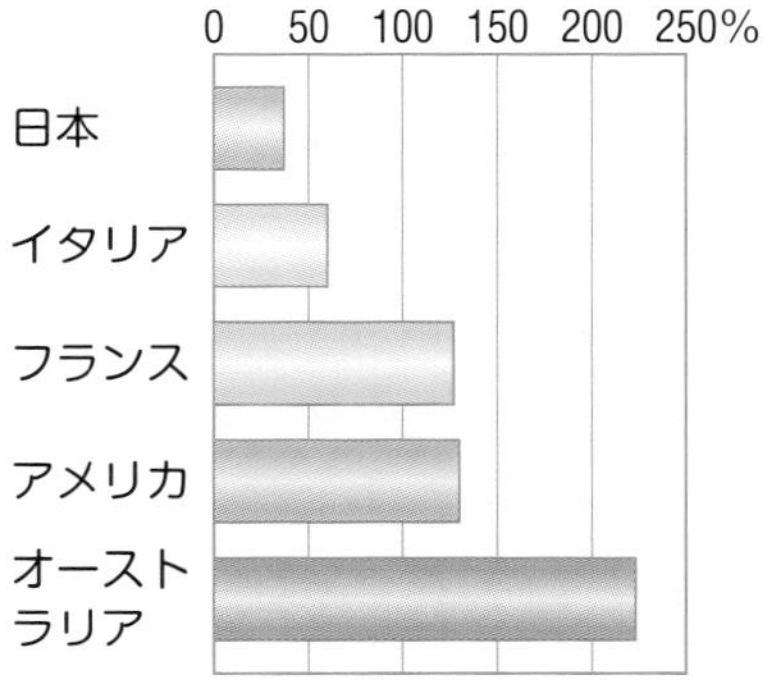

（2018年　農林水産省）

うら面の答え　**1** ①食料自給率　②日本　③輸入　④アメリカ　⑤オーストラリア

キリトリ

6 わたしたちのくらしと工業生産

要点まるごとチェックカード 社会

●工業生産と工業地域《ちいき》

・日本の工場数のほとんどを（　①　）工場がしめています。しかし，生産額《がく》の半分以上は（　②　）工場がしめています。

・多くの工場が集まっているところを工業地域または（　③　）とよびます。日本で工業のさかんなところの多くは（　④　）側の海ぞいにあり，（　⑤　）とよばれます。

〈工業のさかんな場所の例〉

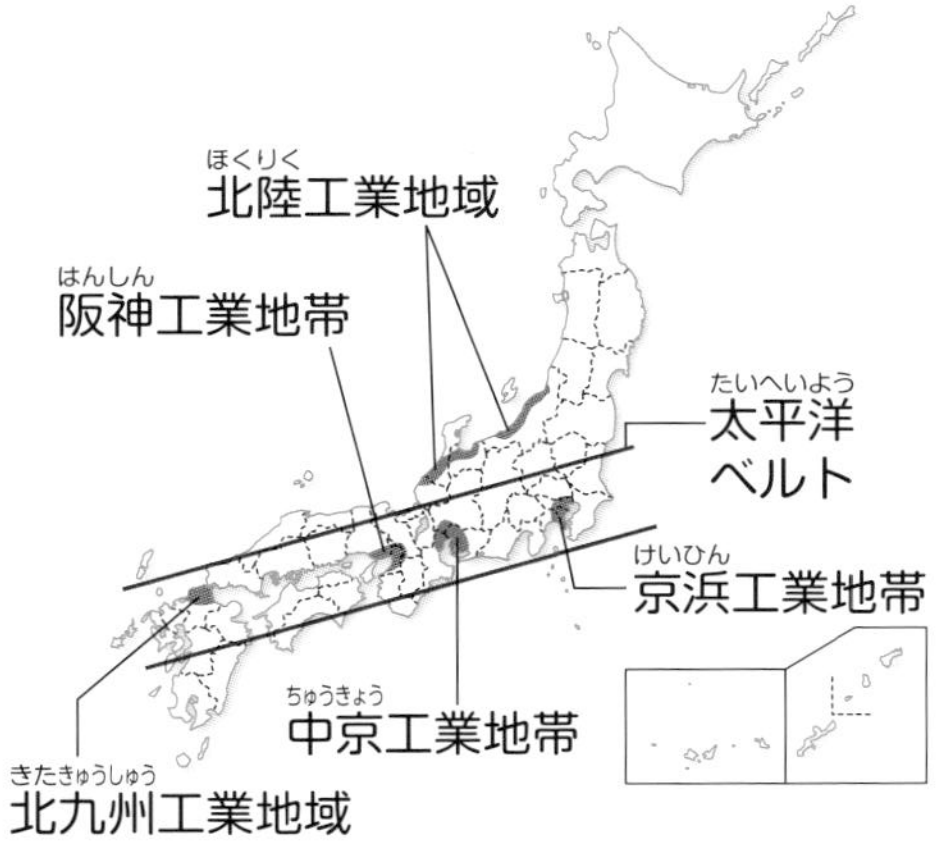

うら面の答え　**1** ①北陸　②京浜　③中京　④阪神　⑤北九州　⑥太平洋ベルト

キリトリ

7 情報《じょうほう》化《か》社会とわたしたちのくらし

要点まるごとチェックカード 社会

●情報産業とくらし

・わたしたちは，テレビや新聞などの（　①　）から多くの（　②　）を得《え》ることができます。

・コンピューターや（　③　）を使い，（　②　）をすばやく交かんしたり，管理できる技術《ぎじゅつ》を（　④　）技術といいます。

・（　③　）は，わたしたちが使う便利なものですが，これを使った事件《じけん》や犯罪《はんざい》が起きています。住所などの（　⑤　）や著作権《ちょさくけん》のあつかいには十分に注意しましょう。

〈インターネットの注意点の例〉

- 個人《こじん》情報をのせない。
- にせサイトに気をつける。
- ゲームに課金しすぎない。
- 悪口を書かない。
- 熱中しすぎない。

うら面の答え　**1** ①個人情報　②悪口　③いじめ　④にせサイト

キリトリ

8 わたしたちのくらしと環境《かんきょう》

要点まるごとチェックカード 社会

●自然環境

・日本の森林のおよそ4割《わり》が（　①　）です。（　②　）業で働く人が減り，手入れの行きとどかない森林が増《ふ》えています。

・日本は自然災害《さいがい》が多いので，（　③　）への意識《いしき》は日ごろからもっておかないといけません。国や都道府県，市町村の取り組み（公助《こうじょ》）のほか，自分の身を自分で守ること（自助《じじょ》），おたがいに助け合うこと（共助《きょうじょ》）も大切です。

●環境を守る

・人間による事業活動や生活が原因《げんいん》で起こる環境や健康へのひ害を，（　④　）とよびます。富山《とやま》県の（　⑤　）病などの4つの公害病を四大公害病とよんでいます。

うら面の答え　**1** ①水俣　②イタイイタイ　③四日市　④三重　⑤熊本

1 わたしたちのくらしと国土① チェックテスト①

1 ①～⑤の(　　)にあてはまる名前を答えましょう。

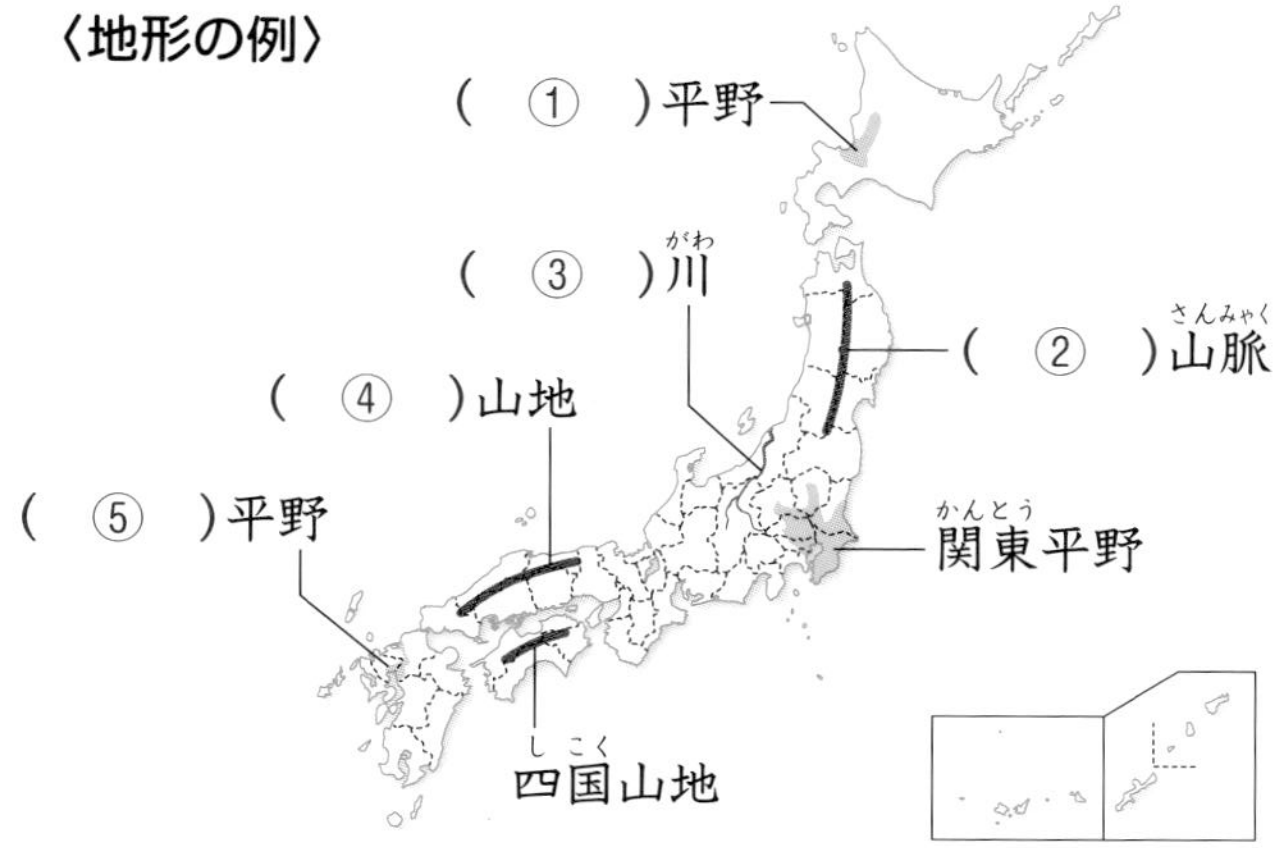

表面の答え　①南北　②山脈《さんみゃく》や山地　③平野《へいや》　④海岸　⑤島

2 わたしたちのくらしと国土② チェックテスト②

1 ①～⑤の(　　)にあてはまることばを答えましょう。

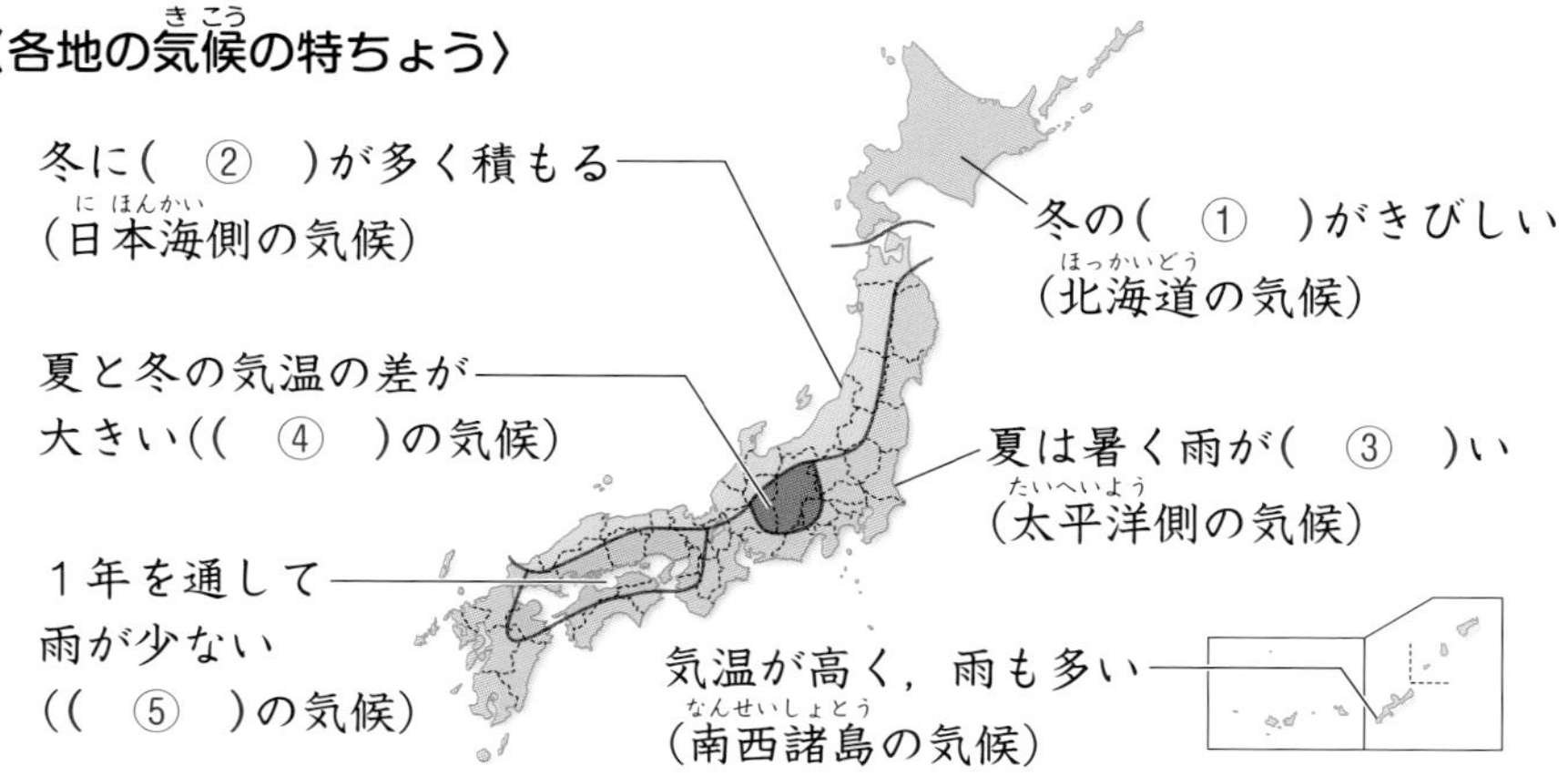

表面の答え　①梅雨《つゆ》　②台風　③季節風　④日本海　⑤太平洋

3 わたしたちのくらしと食料生産① チェックテスト③

1 ①～⑤の(　　)にあてはまることばを答えましょう。

〈農作業ごよみの例〉

3月	種もみを選ぶ
4月	(　①　)おこし　(　②　)かき
5月	(　①　)植え
6月	(　③　)の生長
7月	(　④　)をまく
8月	穂《ほ》が出る
9月	(　③　)かり　だっこく
10月	(　⑤　)づくり

表面の答え　①水　②品種改良《ひんしゅかいりょう》　③耕地整理《こうちせいり》　④(農業《のうぎょう》)機械《きかい》　⑤生産調整《せいさんちょうせい》

4 わたしたちのくらしと食料生産② チェックテスト④

1 ①～⑥の(　　)にあてはまる漁港名や海流名を答えましょう。

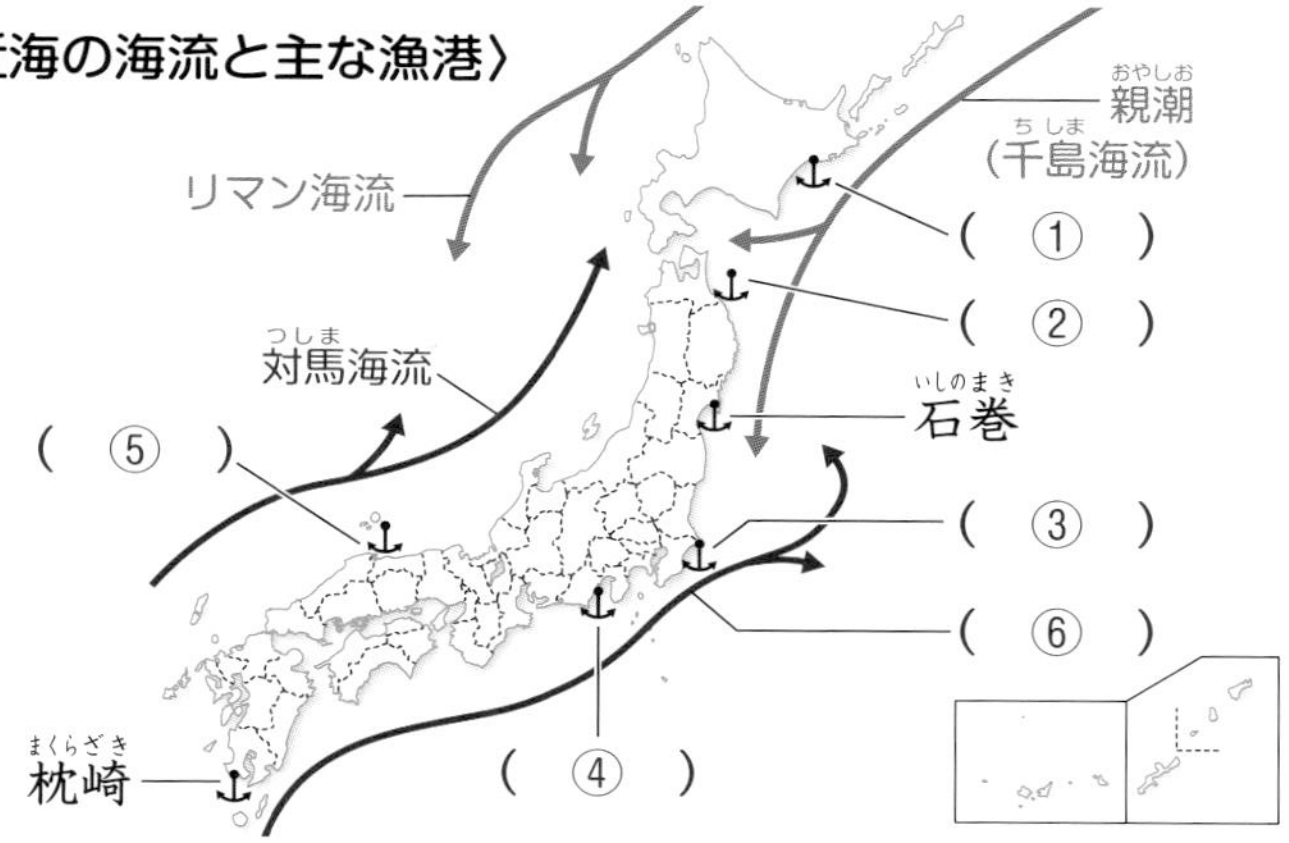

表面の答え　①大陸だな　②寒流　③200海里《かいり》　④水産(漁業)　⑤育てる

答えはそれぞれのカードのうらにあります。

キリトリ

1 わたしたちのくらしと国土①

要点まるごとチェックカード 社会

●日本の地形

・日本の国土は（　①　）に長く，中央には，険《けわ》しい（　②　）が連なっています。

・日本はまわりを日本海《にほんかい》や太《たい》平洋《へいよう》などの海に囲《かこ》まれ，海に面した広い（　③　）や入り組んだ（　④　）が見られます。さらには，多くの小さな（　⑤　）があります。

〈地形の例〉

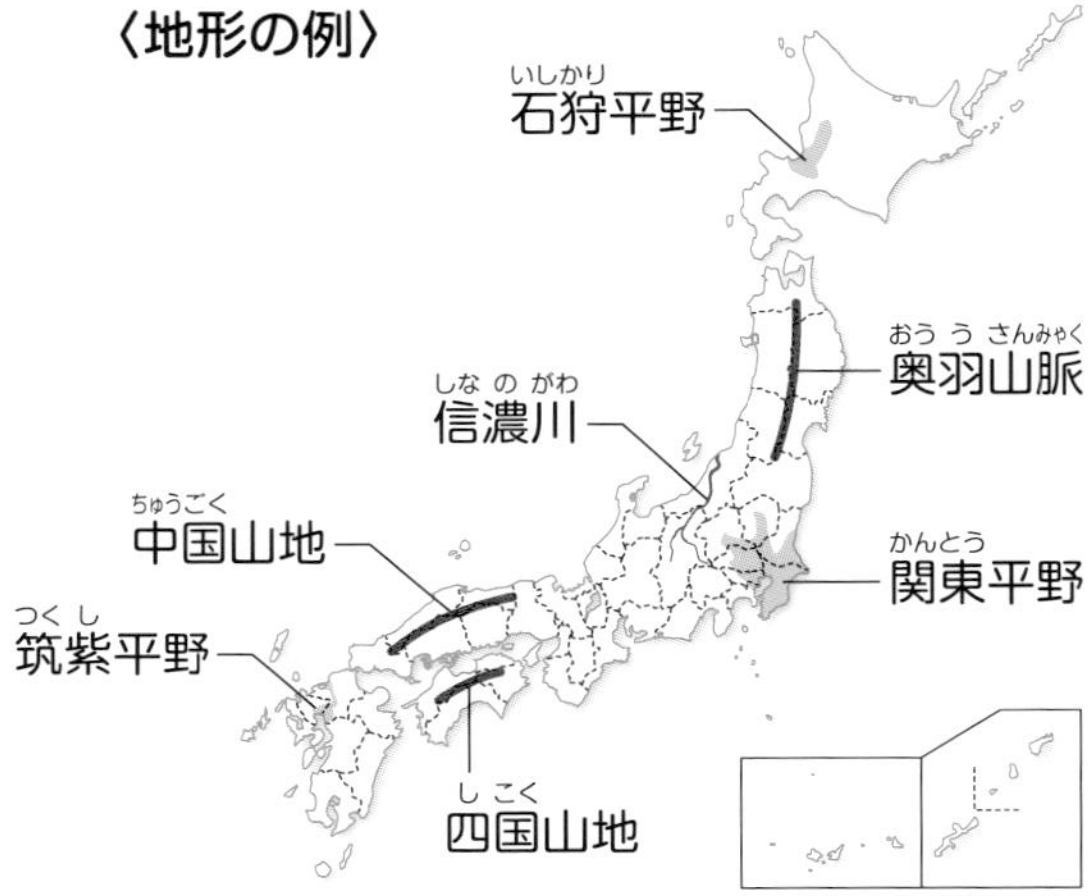

うら面の答え　**1**　①石狩　②奥羽　③信濃　④中国　⑤筑紫

キリトリ

2 わたしたちのくらしと国土②

要点まるごとチェックカード 社会

●日本の気候《きこう》

・日本では，6月から7月にかけて，北海道《ほっかいどう》以外で（　①　）があります。

・夏から秋にかけて，日本の南から（　②　）が来ます。冬は，北西の（　③　）のえいきょうで（　④　）側では雪が多くふり，（　⑤　）側では晴天が続きます。

〈各地の気候の特ちょう〉

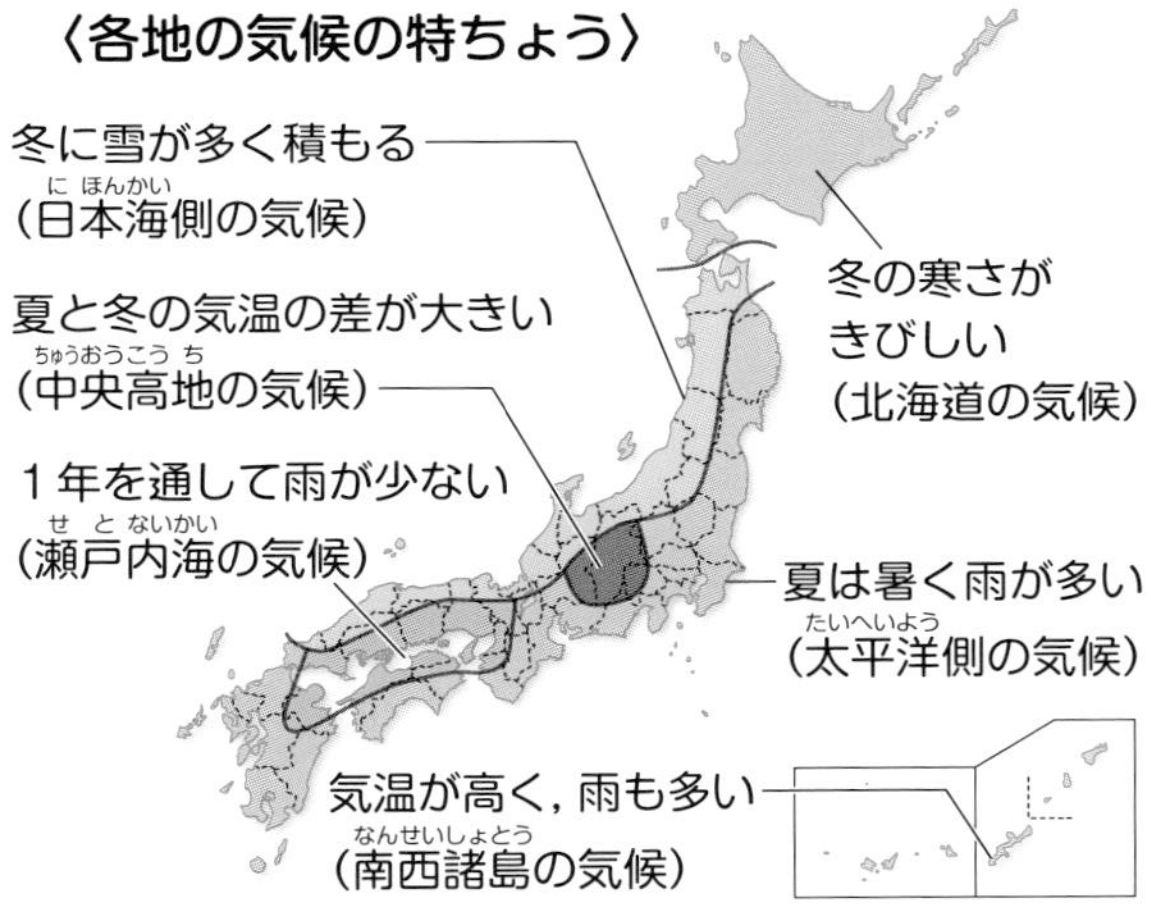

うら面の答え　**1**　①寒さ　②雪　③多　④中央高地　⑤瀬戸内海

キリトリ

3 わたしたちのくらしと食料生産①

要点まるごとチェックカード 社会

●米づくりのさかんな地域《ちいき》

・日本の米づくりでは，水田の（　①　）の管理，おいしい上に安全で育てやすい新しい米をつくる（　②　），水田の形を整える（　③　）が大切です。

・（　④　）を使用することで，農作業が楽になりました。

・55年ほど前から米の生産量が消費量《しょうひりょう》を上回ったために，（　⑤　）が行われるようになりました。

〈農作業ごよみの例〉

3月	種もみを選ぶ
4月	田おこし　代《しろ》かき
5月	田植え
6月	稲《いね》の生長
7月	農薬をまく
8月	穂《ほ》が出る
9月	稲《いね》かり　だっこく
10月	たい肥《ひ》づくり

うら面の答え　**1**　①田　②代　③稲　④農薬　⑤たい肥

キリトリ

4 わたしたちのくらしと食料生産②

要点まるごとチェックカード 社会

●水産業のさかんな地域《ちいき》

・日本の近海には，（　①　）とよばれる，ゆるやかなけいしゃのある海底が広がっています。また，暖流《だんりゅう》と（　②　）がぶつかるところ（潮目《しおめ》）も，よい漁場となっています。

・近年，（　③　）水域《すいいき》のえいきょうなどで水あげ量が減《へ》っており，（　④　）資源《しげん》を守るためにも，「（　⑤　）漁業」が進められています。

〈日本近海の海流と主な漁港〉

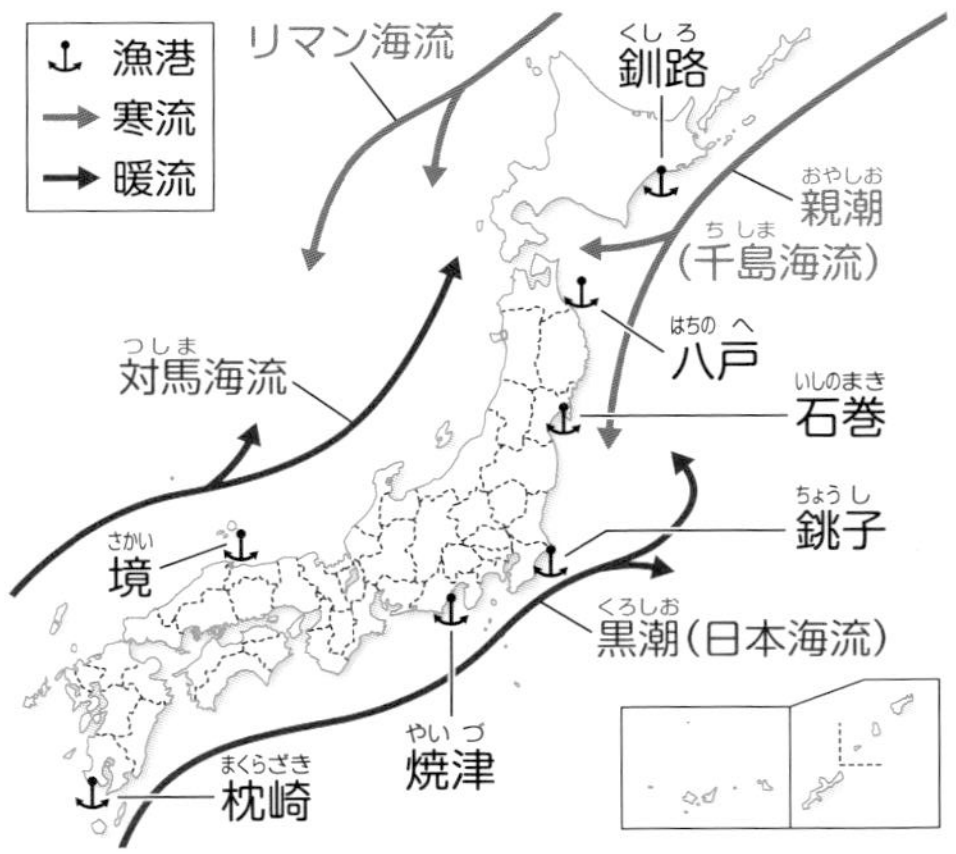

うら面の答え　**1**　①釧路　②八戸　③銚子　④焼津　⑤境　⑥黒潮（日本海流）

キリトリ

5 流れる水のはたらき　チェックテスト⑤　理科

1 流れる水のはたらきを調べました。次の問題に答えましょう。

・右の図のアの部分とイの部分を比《くら》べます。

① 流れの速さが速いのはどちらですか。

② 流れる水の積もらせるはたらきが大きいのはどちらですか。

・右の図のウの部分とエの部分を比べます。

③ 流れる水のけずるはたらきが大きいのはどちらですか。

④ 流れる水の積もらせるはたらきが大きいのはどちらですか。

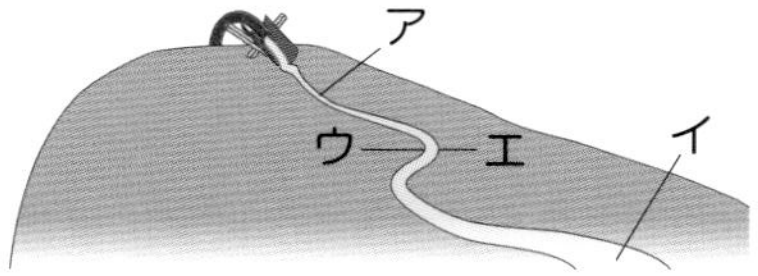

2 ダムは，大雨がふったときにどのようなはたらきをすることで，いちどに大量の水が下流へ流れることを防いでいますか。

表面の答え　①しん食《しょく》　②運《うん》ぱん　③たい積《せき》　④川原《かわら》　⑤けずられる　⑥ダム

キリトリ

6 もののとけ方　チェックテスト⑥　理科

1 右のグラフは，50mLの水にとかすことができる食塩とミョウバンの量と，水の温度との関係を表したものです。次の問題に答えましょう。

① 10℃の水50mLにとかしたとき，多くとかすことができるのは，食塩とミョウバンのどちらですか。

② 60℃の水50mLに，食塩をとけるだけとかした水《すい》よう液《えき》にとけている食塩をとり出すには，「じょう発させる方法」と「冷やす方法」のどちらが適《てき》していますか。

③ 60℃の水50mLに，ミョウバンをとけるだけとかした後，30℃まで冷やすと，固体が出ました。この固体をとり出す方法を答えましょう。

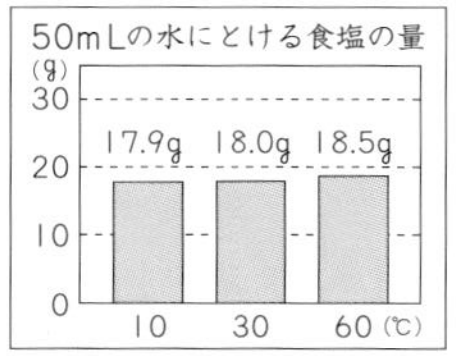

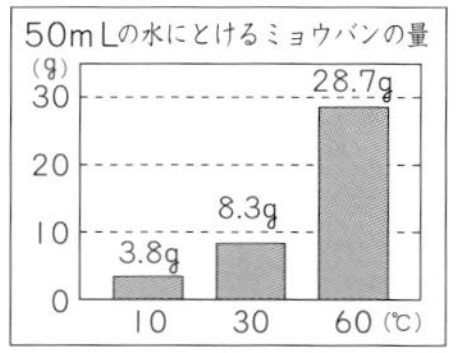

表面の答え　①水よう液　②和　③あります　④増えます　⑤じょう発　⑥冷やす

キリトリ

7 電磁石《でんじしゃく》の性質《せいしつ》　チェックテスト⑦　理科

1 次の（　　）にあてはまることばを，それぞれ答えましょう。

右の図のように，電磁石に電流を流すと，（ ① ）でできたクリップを引きつけました。もっと多くのクリップを引きつけるためには，コイルのまき数を（ ② ）したり，電流の大きさを（ ③ ）したりします。

また，右の図のように，この電磁石の近くに方位磁針《じしん》をおくと，方位磁針のN《エヌ》極が電磁石のほうにふれました。方位磁針のS《エス》極が電磁石のほうに向くようにするには，電流の（ ④ ）を変えます。

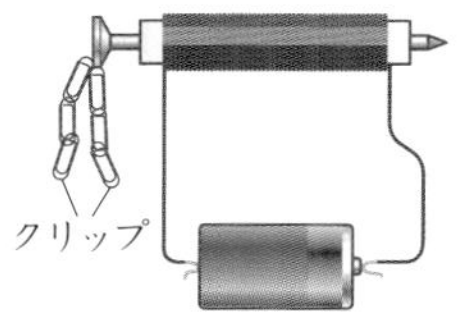

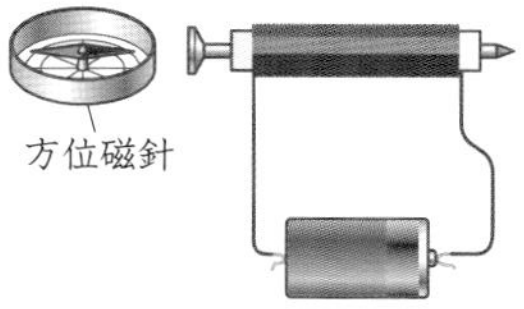

表面の答え　①コイル　②電磁石　③強く　④強く　⑤極

キリトリ

8 ふりこの動き　チェックテスト⑧　理科

1 右の図のようなふりこを使って，ふりこが１往復《おうふく》する時間を調べました。次の問題に答えましょう。

① ふりこが１往復する時間をもっとも正しくはかることができるものを，次のア〜ウから１つ選びましょう。

ア　ふりこを１往復だけさせて時間をはかる。

イ　ふりこを10回往復させて時間をはかり，その時間を10でわる。

ウ　ふりこを10回往復させて時間をはかり，その時間を10でわる。それを３回くり返し，平均《へいきん》を求める。

② ふりこが１往復する時間が変わるのは，ふりこの何を変えたときですか。

③ ふりこが１往復する時間を長くするには，②をどうすればよいですか。

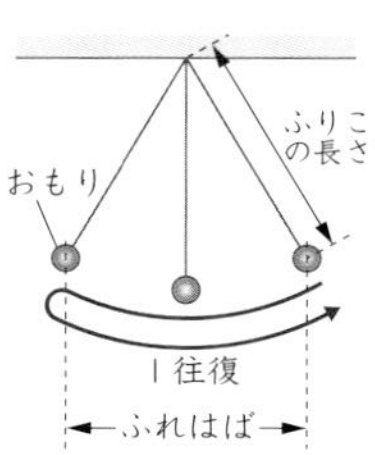

表面の答え　①ふりこ　②変わります　③変わりません　④変わりません

キリトリ

キリトリ

5 流れる水のはたらき

要点まるごとチェックカード　理科

●流れる水のはたらき

・流れる水には，３つのはたらきがあります。

▶（　①　）…川岸や川底をけずるはたらき

▶（　②　）…上流の土や石などを下流に運ぶはたらき

▶（　③　）…流されてきた土や石などを積もらせるはたらき

●川のようすと災害《さいがい》

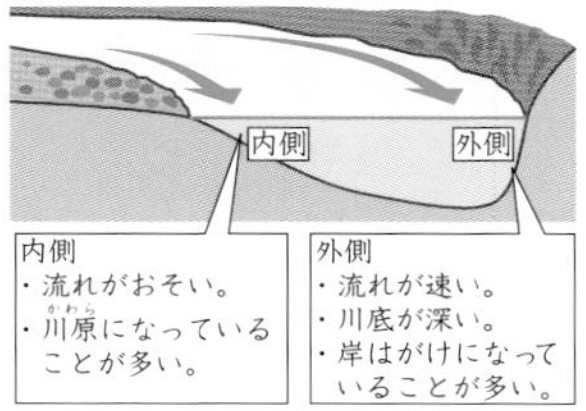
内側
外側
内側
・流れがおそい。
・川原《かわら》になっていることが多い。
外側
・流れが速い。
・川底が深い。
・岸はがけになっていることが多い。

・川の流れが曲がっているところの多くは，外側はけずられ，内側は（　④　）が広がっています。

・川の水による災害を防ぐために，川岸をコンクリートで固めて川岸が（　⑤　）ことを防いだり，雨水をたくわえる（　⑥　）をつくっています。

うら面の答え　**1** ①ア　②イ　③エ　④ウ　**2** 雨水をたくわえるはたらき

キリトリ

6 もののとけ方

要点まるごとチェックカード　理科

●水《すい》よう液《えき》

・ものが水にとけて全体に均一《きんいつ》に広がり，すき通った液《えき》を（　①　）といいます。

・（　①　）の重さは，水の重さと，とけているものの重さの（　②　）になります。

●水にとけるものの量

・水にとけるものの量には，限《かぎ》りが（　③　）。

・水の量を増《ふ》やすと，水にとけるものの量は（　④　）。また，水の温度を高くすると，水にとける量が増えるものがあります。増え方はものによりちがいます。

●水にとけているものの取り出しかた

・水よう液を熱して水を（　⑤　）させたり，水よう液を（　⑥　）ととけていたものを取り出すことができます。

うら面の答え　**1** ①食塩　②じょう発させる方法　③ろ過《か》

キリトリ

7 電磁石《でんじしゃく》の性質《せいしつ》

要点まるごとチェックカード　理科

●電磁石

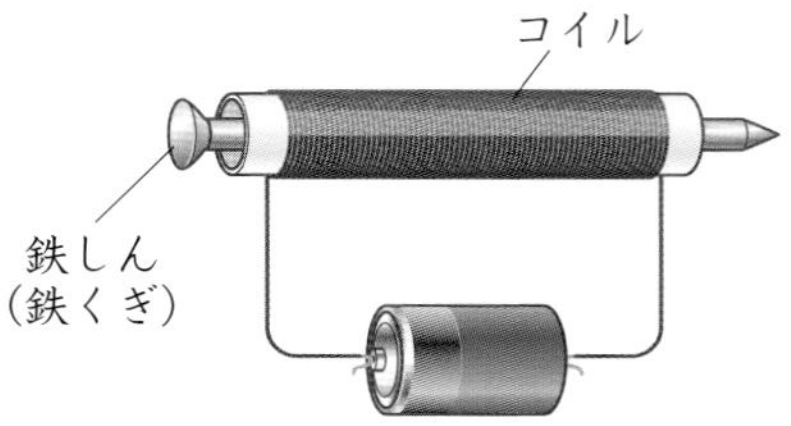
コイル
鉄しん
(鉄くぎ)

・導線《どうせん》を同じ向きに何回もまいたものを（　①　）といいます。

・鉄しんを入れたコイルに電流を流すと，鉄しんが磁石《じしゃく》になります。このようなしくみを（　②　）といいます。

●電磁石の性質

・コイルのまき数を多くすると，電磁石は（　③　）なります。

・コイルに流す電流の大きさを大きくすると，電磁石は（　④　）なります。

・コイルに流す電流の向きを変えると，電磁石の（　⑤　）が変わります。

うら面の答え　**1** ①鉄　②多く　③大きく　④向き

キリトリ

8 ふりこの動き

要点まるごとチェックカード　理科

●ふりこの動き

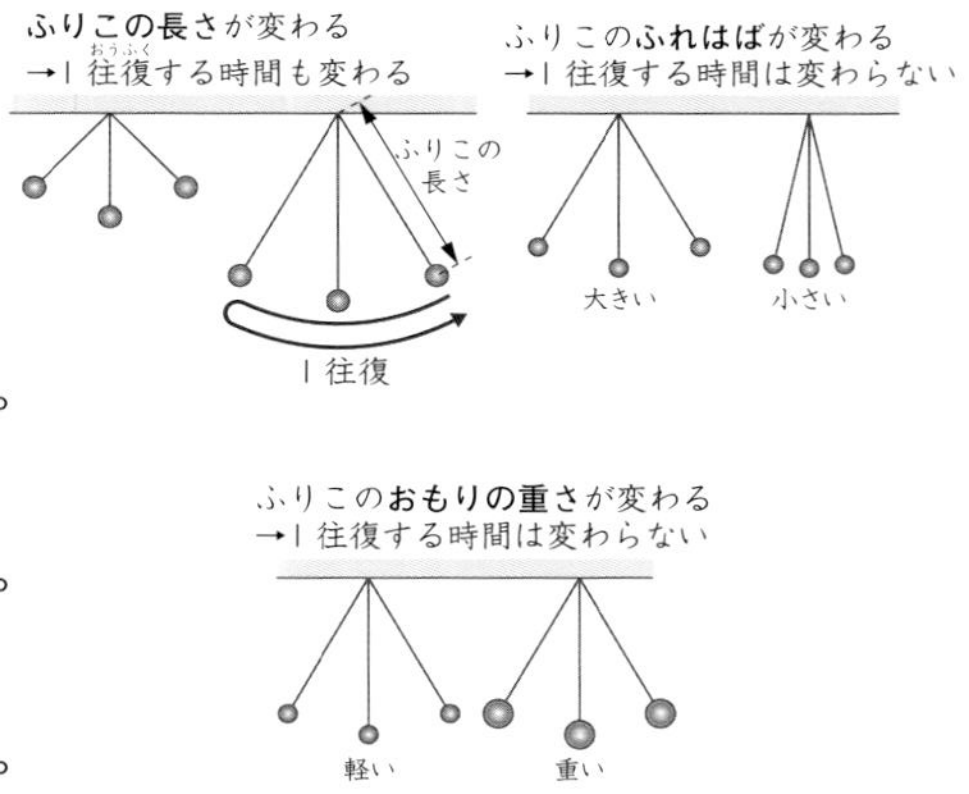
ふりこの長さが変わる
→１往復《おうふく》する時間も変わる
ふりこの長さ
１往復
ふりこのふれはばが変わる
→１往復する時間は変わらない
大きい
小さい
ふりこのおもりの重さが変わる
→１往復する時間は変わらない
軽い
重い

・糸などのはしにおもりをつけ，一方のはしを固定して，左右にふれるようにしたものを（　①　）といいます。

・ふりこの長さを変える。

→ふりこが１往復《おうふく》する時間は（　②　）。

・ふりこのふれはばを変える。

→ふりこが１往復する時間は（　③　）。

・ふりこのおもりの重さを変える。

→ふりこが１往復する時間は（　④　）。

うら面の答え　**1** ①ウ　②ふりこの長さ　③長くする

3回 漢字の書き(3)

学習日　月　日

合《ごう》格《かく》シール
全問正解《せいかい》にできたら合格《ごうかく》シールをはろう！

1 できたシール

〈点や画の書きわすれに注意して、正しく漢字が書ける〉

□に漢字を書きましょう。

(1) □《がん》科《か》でしん察を受ける。

(2) 正《せい》□《ぎ》感《かん》が強い人。

(3) 星に□《きょう》味《み》がある。

(4) 防《ぼう》□《さい》訓練《くんれん》を行う。

(5) 国《こく》□《さい》的《てき》に有名な選手。

(6) 炭《たん》□《さん》飲料《いんりょう》を飲む。

(7) お寺のお□《どう》をそうじする。

2 できたシール

〈送りがなに注意することばを、漢字と送りがなで正しく書ける〉

――のことばを、（　）に漢字と送りがなで書きましょう。

(1) 絵を見る目がこえる。（　　）

(2) ふたたび走り始める。（　　）

(3) うらの畑をたがやす。（　　）

(4) とつ然ねこがあらわれる。（　　）

(5) 弁護士《べんごし》をこころざす。（　　）

(6) 手の大きさをくらべる。（　　）

(7) 庭をさくでかこむ。（　　）

(8) ゆう勝をよろこぶ。（　　）

(9) 先生が生徒をみちびく。（　　）

(10) いきおいよく球を投げる。（　　）

(11) 大学で学問をおさめる。（　　）

(12) 計算の答えをたしかめる。（　　）

できなかったところは、もう一度やってみましょう。正しく直せたら**できたシール**をはりましょう。

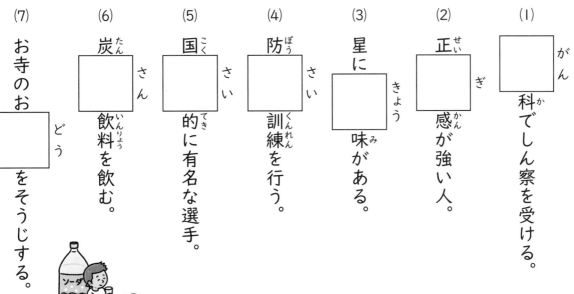

漢字の読み方(1)

学習日　月　日

合格《ごうかく》シール
全問正解《せいかい》にできたら合格《ごうかく》シールをはろう！

1　できたシール

〈漢字の二通りの読み方がわかる〉

——の漢字の読みがなを書きましょう。

(1) 大型車（　　）　典型（　　）

(2) 築く（　　）　建築（　　）

(3) 暴れる（　　）　暴風雨（　　）

(4) 夢を見る。（　　）　夢中（　　）

(5) 豊か（　　）　豊富（　　）

(6) 保つ（　　）　保険（　　）

(7) 久しい（　　）　永久（　　）

(8) 確かめる（　　）　確実（　　）

2　できたシール

〈文中で漢字の二通りの読み方がわかる〉

——の漢字の読みがなを書きましょう。

(1) 昼過（　　）ぎに静岡《しずおか》駅を通過（　　）する。

(2) てん示（　　）会場までの道のりを示（　　）す。

(3) この店は、雑《ざっ》しで大絶賛（　　）されてから客足が絶（　　）えない。

(4) 無断（　　）で用具を使用することを断（　　）る。

(5) 災害《さいがい》に備（　　）え、予備（　　）の水を買う。

(6) 味方が大勢（　　）いて勢（　　）いがある。

(7) きん張（　　）して、かたが張（　　）る。

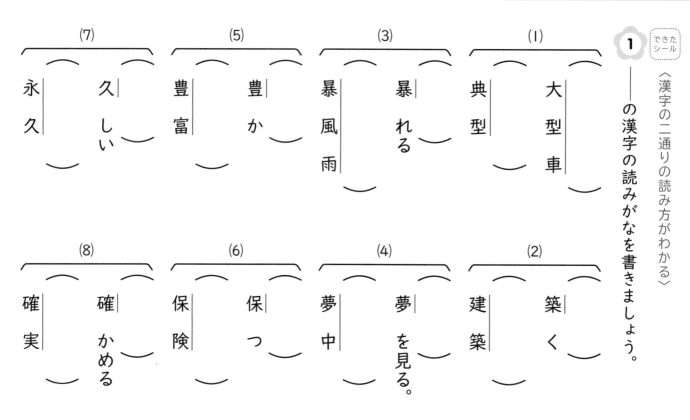

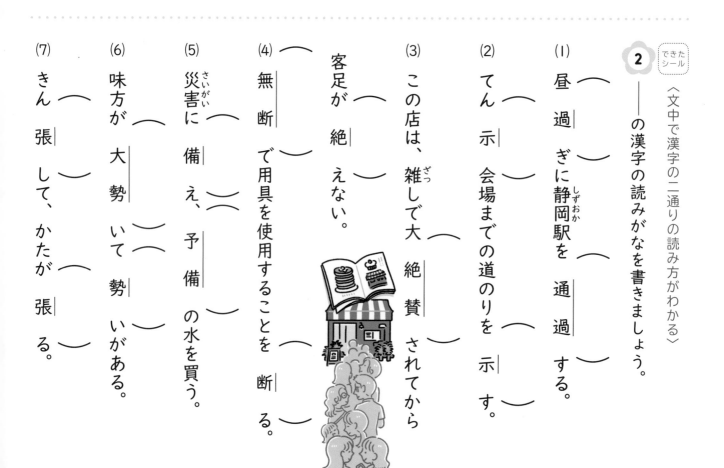

5回 漢字の読み方(2)

学習日　月　日

合格《ごうかく》シール
全問正解《せいかい》にできたら合格《ごうかく》シールをはろう！

1 できたシール

〈漢字の二通りの読み方がわかる〉

――の漢字の読みがなを書きましょう。

(1) 粉雪（　）　粉末（　）

(2) 夫と妻。（　）（　）　夫妻（　）

(3) 許す（　）　許可（　）

(4) 志す（　）　志望（　）

(5) 費やす（　）　費用（　）

(6) 容易（　）　交易（　）

(7) 混雑（　）　雑木林（　）

(8) 貯める（　）　貯金（　）

2 できたシール

〈文中で漢字の二通りの読み方がわかる〉

――の漢字の読みがなを書きましょう。

(1) 述（　）べられた意見を記述（　）する。

(2) たん任（　）の先生に、作業を任（　）される。

(3) 木を燃（　）やして、燃料（　）になる炭を作る。

(4) 新居（　）の居間（　）は広い。

(5) 会社の経営（　）を始めて、一年を経（　）た。

(6) 寄付（　）する品物を役所に持ち寄（　）る。

(7) 救急（　）隊員になって、人命を救（　）う。

できなかったところは、もう一度やってみましょう。正しく直せたら**できたシール**をはりましょう。

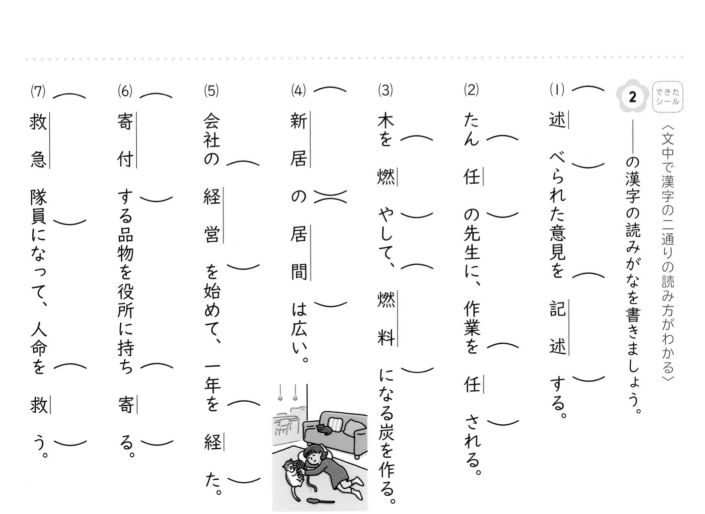

漢字の組み立て(1)

学習日　月　日

合格《ごうかく》シール
全問正解《せいかい》にできたら合格《ごうかく》シールをはろう！

〈同じ部分（部首）をもつ漢字が正しく書ける〉

1 できたシール

次の部首をもつ漢字を、□に書きましょう。

(1) 宀（うかんむり）…駅に□《よ》る。□《よう》器《き》・豊《ほう》□《ふ》

(2) 亻（にんべん）…□《こ》人的《じんてき》・□《ぶっ》教《きょう》・事《じ》□《けん》

(3) 氵（さんずい）…□《か》川《せん》・量が□《へ》る。□□《せいけつ》

(4) 糸（いとへん）…□《そう》合成《ごうせい》□《せき》・□《とう》一《いっ》・世《せい》□《き》

(5) 犭（けものへん）…□《はん》人《にん》・□《ひと》り言《ごと》

(6) 言（ごんべん）…□《ひょう》価《か》・感《かん》□《しゃ》・□《こう》堂《どう》

〈同じ部分（部首）をもつ漢字が正しく書ける〉

2 できたシール

□に漢字を書きましょう。

(1) □《さくら》の□《えだ》。□《ざい》料《りょう》を切る。

(2) □《ぎゃく》の□《とお》りから来て□《まよ》う。

(3) □《めん》のシャツに手《て》□《あ》みのセーター。

〈部首の意味や働きがわかる〉

3 できたシール

上の部首をもつ漢字は、どんな事がらと関係がありますか。□に合う漢字一字のことばを書きましょう。

(1) ⺮（節・筆・笛）…□に関係がある。

(2) 氵（港・浅・液）…□に関係がある。

(3) 扌（技・持・接）…□に関係がある。

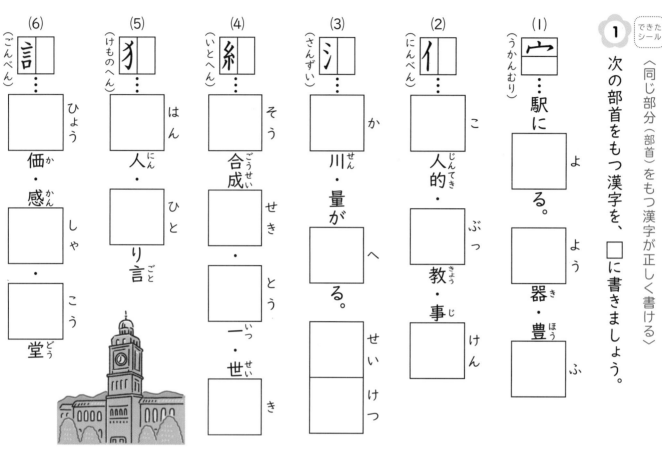

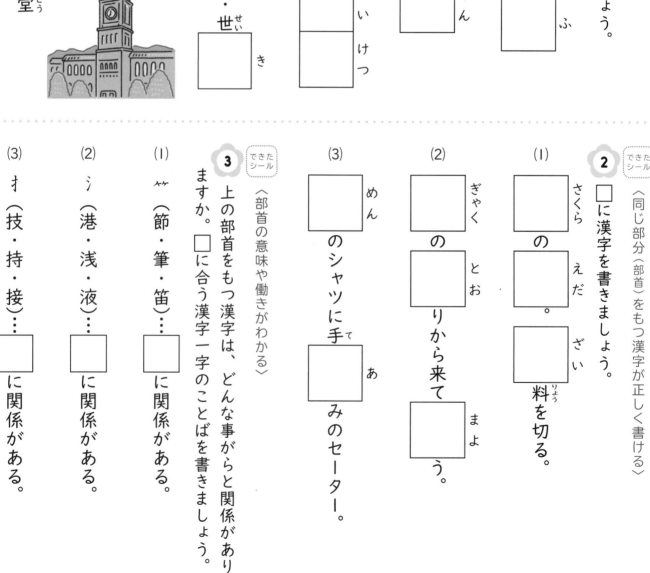

7回 漢字の組み立て⑵

学習日 月 日

合格《ごうかく》シール
全問正解《せいかい》にできたら合格《ごうかく》シールをはろう！

〈同じ部分（部首）をもつ漢字が正しく書ける〉

1 できたシール

次の部首をもつ漢字を、□に書きましょう。

⑴ 金（かねへん）…□《どう》メダル・手《て》□《かがみ》・鉄《てつ》□《こう》石《せき》

⑵ 土（つちへん）…国《こっ》□《きょう》・平《へい》□《きん》・□《ふ》える

⑶ 忄（りっしんべん）…□《かい》感《かん》・□《な》れる・□《なさ》け

⑷ 頁（おおがい）…金《きん》□《がく》・□《りょう》土《ど》・□《じゅん》番《ばん》

⑸ 行（ゆきがまえ）…商店《しょうてん》□《がい》・人工《じんこう》□《えい》星《せい》・芸《げい》□《じゅつ》

⑹ 貝（かい）…□《さん》成《せい》・□《まず》しい・□《ぼう》易《えき》

〈同じ部分（部首）をもつ漢字が正しく書ける〉

2 できたシール

□に漢字を書きましょう。

⑴ 有名人を□《じゅ》業《ぎょう》に□《まね》く。□《そん》得《とく》

⑵ □《し》金《きん》について□《しつ》問《もん》する。

⑶ 建《けん》□《せつ》・無実の□《しょう》明《めい》。野鳥保《ほ》□《ご》

〈部首の意味や働きがわかる〉

3 できたシール

上の部首をもつ漢字は、どんな事がらと関係がありますか。□に合う漢字一字のことばを書きましょう。

⑴ 礻（祝・祖・福）…□や祭りに関係がある。

⑵ 木（柱・松・梅）…□に関係がある。

⑶ 火（燃・焼・灯）…□に関係がある。

できなかったところは、もう一度やってみましょう。正しく直せたら**できたシール**をはりましょう。

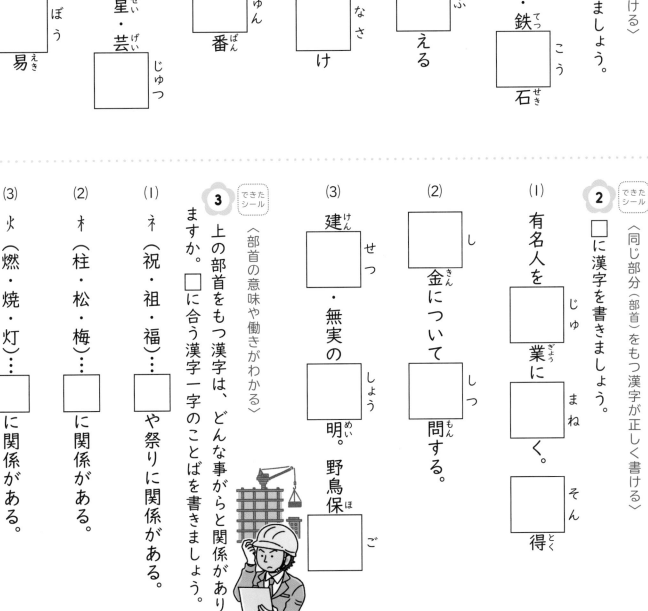

漢字の使い方(1)

学習日　月　日

合格《ごうかく》シール
全問正解《せいかい》にできたら合格《ごうかく》シールをはろう！

1

できたシール

〈形のにた漢字が正しく書ける〉

□に漢字を書きましょう。

(1) □《ぎ》術《じゅつ》　□《えだ》葉《は》

(2) □《こう》習《しゅう》　□《こう》造《ぞう》

(3) □《ぜい》金《きん》　□《せつ》明《めい》

(4) □《そつ》業《ぎょう》　倍《ばい》□《りつ》

(5) □《たい》度《ど》　□《のう》力《りょく》

(6) □《ど》曜《よう》日《び》　運《うん》転《てん》□《し》

(7) □《しょく》員《いん》　知《ち》□《しき》　毛《け》□《おり》物《もの》

(8) 法《ほう》□《そく》　□《そく》量《りょう》　□《そく》面《めん》

2

できたシール

〈形のにた漢字を正しく書き直すことができる〉

——の漢字は、まちがって使われています。□に正しい漢字を書きましょう。

(1) 店は、通《つう》堂どおり営業《えいぎょう》する。　□《じょう》

(2) 母と顔が以ている。　□《に》

(3) 地図に鏡界線《かいせん》を引く。　□《きょう》

(4) 算数の複習《しゅう》をする。　□《ふく》

(5) 住路《ろ》は船を使う。　□《おう》

(6) 毎のあるキノコ　□《どく》

(7) 広《こう》古を見かける。　□《こく》

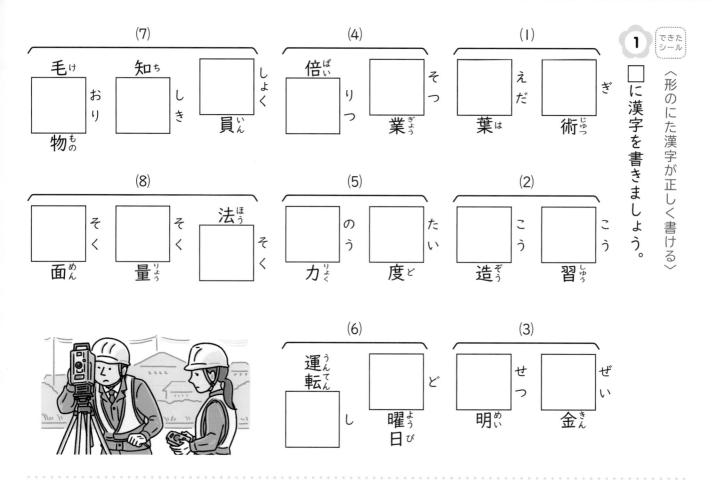

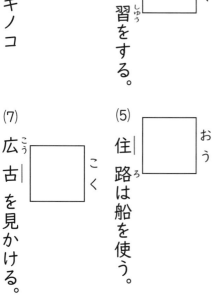

9回 漢字の使い方(2)

学習日　月　日

合格《ごうかく》シール
全問正解《せいかい》にできたら合格《ごうかく》シールをはろう！

1 できたシール

〈同じ音読みの漢字が正しく書ける〉

□と読む漢字を、□に書きましょう。

(1) ハン
□定《てい》
□罪《ざい》

(2) キ
不《ふ》□そく
□本《ほん》

(3) キュウ
永《えい》□
□式《しき》

(4) ケン
□査《さ》
□悪《あく》

(5) ゲン
□定《てい》
□少《しょう》

(6) テキ
□切《せつ》
目《もく》□

(7) セキ
成《せい》□
□任《にん》

(8) トク
お□用《よう》
損《そん》□

2 できたシール

〈文中で同じ音読みの漢字が正しく書ける〉

□に漢字を書きましょう。

(1) 手《て》□《じゅん》よく□《じゅん》備《び》する。

(2) 本体に□《せつ》備《び》を□《せつ》続《ぞく》する。

(3) 印《いん》□《しょう》的《てき》な作品を大《たい》□《しょう》に選ぶ。

(4) 旅行の日《にっ》□《てい》表《ひょう》を□《てい》出《しゅつ》する。

(5) 国王の病《びょう》□《じょう》に関する□《じょう》報《ほう》を集める。

(6) □《よ》備《び》知《ち》しきをノートの□《よ》白《はく》に書く。

(7) 仏《ぶつ》□《ぞう》を安置した木《もく》□《ぞう》の建物。

できなかったところは、もう一度やってみましょう。正しく直せたら**できたシール**をはりましょう。

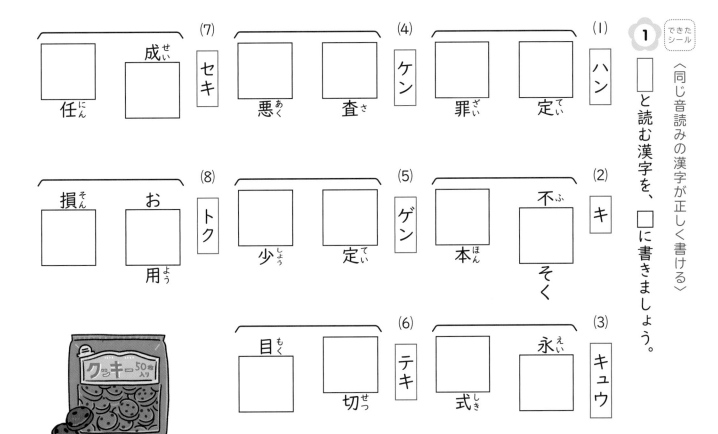

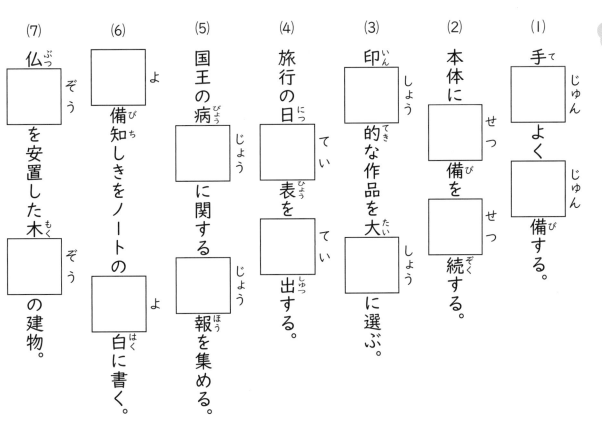

10回 漢字の使い方(3)

学習日　月　日

合かくシール
全問正かいにできたら合かくシールをはろう！

1 できたシール

〈同じ訓読みの漢字が正しく書ける〉

□と読む漢字を、□に書きましょう。

(1) うつ(す)
- 場所を□す。
- 手本を書き□す。

(2) か(う)
- 本屋で本を□う。
- 家で犬を□う。

(3) あつ(い)
- □いお茶。
- ぶ□い本。

(4) ま(じる)
- 大人《おとな》が□じる。
- 雑音《ざつおん》が□じる。

(5) やぶ(れる)
- かさが□れる。
- 試合に□れる。

(6) はか(る)
- 荷物の重さを□る。
- プールの深さを□る。

2 できたシール

〈同じ訓読みの漢字を正しく書き直すことができる〉

——の漢字は、まちがって使われています。□に正しい漢字を書きましょう。

(1) 薬が聞いて、少しよくなる。　□《き》

(2) 電話番号をメモに書き止める。　□《と》

(3) 役者がぶ台にすがたを表す。　□《あらわ》

(4) 学級会の議長を努める。　□《つと》

(5) 社員を二人取る。　□《と》

11回　漢字の使い方(4)

学習日　月　日

合かくシール　全問正かいにできたら合かくシールをはろう！

1　できたシール

〈同じ読み方をすることばを漢字で正しく書ける〉

□と読む漢字を、□に書きましょう。

(1) カテイ
悪天候を□□する。進化の□□。

(2) シジ
提《てい》案《あん》を□□する。□□にしたがう。

(3) セイサン
会《かい》費《ひ》を□□する。車を□□する。

(4) コウカイ
えい画を□□する。船で□□する。

(5) ヨウリョウ
□□が悪い。びんの□□。

(6) セイカク
□□なパス。やさしい□□。

2　できたシール

〈まちがっている漢字を正しく書き直すことができる〉

次の文には、まちがって使われている漢字が二つずつあります。漢字の横に――を引いて、右側に正しい漢字を書きましょう。

〈例〉　新《しん》切《せつ》な人《ひと》に合《あ》う。（親　会）

(1) 順《じゅん》備《び》不《ぶ》足《そく》が失《しっ》敗《ぱい》の原《げん》員《いん》だ。

(2) 熱《あつ》手《で》の暴《ぼう》寒《かん》服《ふく》を着《き》こむ。

(3) 不《ふ》公《こう》平《へい》な状《じょう》件《けん》を快《かい》消《しょう》する。

(4) 豊《ほう》富《ふ》な知《ち》織《しき》を有《ゆう》易《えき》に使《つか》う。

(5) 往《おう》複《ふく》の交《こう》通《つう》費《ひ》を借《か》す。

(6) 役《さっ》風《ぷう》景《けい》な景《け》色《しき》が広《ひろ》がる山《さん》肥《みゃく》。

12回 漢字の成り立ち

学習日　月　日

合格《ごうかく》シール
全問正解《せいかい》にできたら合格《ごうかく》シールをはろう！

〈漢字の成り立ちの種類がわかる〉

1 できたシール

次の成り立ちに合う漢字を、□から選んで書きましょう。

(1) 物の形や様子をえがいた絵文字からできた。（象形《しょうけい》文字《もじ》）……□・□

(2) 絵にしにくい事がらを、印などで表した。（指事《しじ》文字《もじ》）……□・□

(3) 漢字の意味を組み合わせてできた。（会意《かいい》文字《もじ》）……□・□

(4) 音を表す部分と意味を表す部分とを合わせてできた。（形声《けいせい》文字《もじ》）……□・□

男・時・本・山・案・門・岩・下

〈象形《しょうけい》文字《もじ》の成り立ちがわかる〉

2 できたシール

次のようにしてできた漢字を書きましょう。

(1) 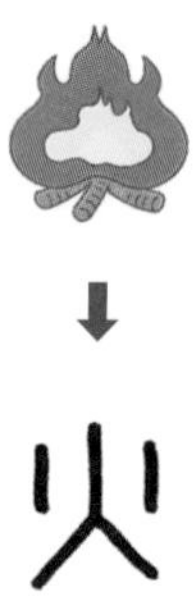 →（　　）

(2)  →（　　）

(3)  →（　　）

〈形声《けいせい》文字《もじ》の組み立て方がわかる〉

3 できたシール

次の漢字の意味を表す部分を□に、漢字の音を表す部分を（　）に書きましょう。

〈例〉紙　糸（意味の部分）・（氏）（音の部分）

(1) 帳　□・（　）

(2) 銅　□・（　）

(3) 持　□・（　）

(4) 照　□・（　）

(5) 健　□・（　）

(6) 泳　□・（　）

(7) 悲　□・（　）

〈会意《かいい》文字《もじ》の組み立て方がわかる〉

4 できたシール

次の漢字が組み合わさってできた漢字を、□に書きましょう。

(1) 口＋鳥 → □

(2) 人＋立 → □

(3) 日＋月 → □

(4) 力＋口 → □

(5) 人＋木 → □

(6) 火＋田 → □

13回 熟語《じゅくご》の組み立て

学習日　月　日

合格《ごうかく》シール
全問正解《せいかい》にできたら合格《ごうかく》シールをはろう！

1 できたシール　〈二字熟語《じゅくご》の組み立てがわかる〉

次の組み立てに合う熟語《じゅくご》を、［　］から選んで書きましょう。

(1) 反対（対《つい》）の意味の漢字の組み合わせ。〈例〉高低 …（　　）

(2) 似《に》た意味の漢字の組み合わせ。〈例〉岩石 …（　　）

(3) 上の漢字が下の漢字を修飾《しゅうしょく》する組み合わせ。〈例〉新米 …（　　）

(4) 「〜を」「〜に」にあたる漢字が下にくる組み合わせ。〈例〉乗馬 …（　　）

(5) 打ち消す意味の漢字が上にくる組み合わせ。〈例〉無料 …（　　）

［黒板・強弱・読書・回転・不足］

2 できたシール　〈組み立てに合う二字熟語《じゅくご》を作ることができる〉

□に漢字を書いて、反対（対《つい》）の意味の漢字の組み合わせになる二字熟語《じゅくご》を作りましょう。

(1) 売□

(2) 明□

3 できたシール　〈組み立てから二字熟語《じゅくご》の意味がわかる〉

次の熟語《じゅくご》の意味を、〈例〉のように書きましょう。

〈例〉白線→（白い線。）　作文→（文を作る。）

(1) 深海→（　　）

(2) 鉄橋→（　　）

(3) 消火→（　　）

4 できたシール　〈三字熟語《じゅくご》の組み立てがわかる〉

次の組み立てに合う熟語《じゅくご》を、［　］から選んで書きましょう。

(1) 一字ずつの語の集まり。〈例〉上中下（　　）

(2) 一字＋二字の組み合わせ。〈例〉新記録（　　）

(3) 二字＋一字の組み合わせ。〈例〉音楽会（　　）

［関係者・衣食住・大成功］

14回 和語・漢語・外来語

学習日　　月　　日

合格《ごうかく》シール
全問正解《せいかい》に　できたら　合格《ごうかく》シール　をはろう！

1 できたシール
〈和語・漢語・外来語とは何かがわかる〉
次の説明に合うものを□から選んで書きましょう。

(1) 主に、西洋の国々から入ってきたことば。（　　　）
(2) もともと日本にあったことばで、訓読みをすることば。（　　　）
(3) 昔、中国から入ってきたことばで、音読みをすることば。（　　　）

和語・漢語・外来語

2 できたシール
〈和語・漢語・外来語の書きかえができる〉
次の□に合うことばを書いて、表を完成させましょう。

和語	漢語	外来語
	合唱	(1)
(2)	規《き》則《そく》	ルール
	学級	(3)
速さ	(4)	スピード

3 できたシール
〈和語・漢語・外来語を使ったことばの組み立てがわかる〉
次の組み立てに合うことばを□から選んで、記号を書きましょう。

(1) 「和語」と「和語」（　　）・（　　）
(2) 「和語」と「漢語」（　　）・（　　）
(3) 「漢語」と「漢語」（　　）・（　　）
(4) 「和語」と「外来語」（　　）・（　　）
(5) 「漢語」と「外来語」（　　）・（　　）

㋐場所　㋑生き物　㋒青空　㋓輪ゴム　㋔赤ペン
㋕実験　㋖軽トラック　㋗野菜　㋘円グラフ　㋙係員

4 できたシール
〈文中での和語・漢語・外来語の書きかえができる〉
□のことばを、〈　〉のことばに書きかえましょう。

(1) 家族で山登りをする。〈漢語〉（　　　）
(2) くつのサイズを測《はか》る。〈和語〉（　　　）

15回 ことばの組み立て（複合語《ふくごうご》）

学習日　月　日

合格《ごうかく》シール
全問正解《せいかい》にできたら合格《ごうかく》シールをはろう！

1

できたシール

〈二つのことばを組み合わせることができる〉

次のことばを組み合わせて、一つのことばを作りましょう。

(1) 虫 ＋ かご ↓ （　　　）
(2) 紙 ＋ しばい ↓ （　　　）
(3) テレビ ＋ ゲーム ↓ （　　　）
(4) 運動 ＋ 会 ↓ （　　　）
(5) 海外 ＋ 旅行 ↓ （　　　）

2

できたシール

〈組み合わさるとき、音《おん》がにごることばがわかる〉

次のことばを組み合わせて、一つのことばを作り、ひらがなで書きましょう。

〈例〉 はな ＋ はたけ ↓ （はなばたけ）

(1) ほん ＋ はこ ↓ （　　　）
(2) こめ ＋ たわら ↓ （　　　）
(3) むかし ＋ はなし ↓ （　　　）
(4) め ＋ くすり ↓ （　　　）
(5) うで ＋ とけい ↓ （　　　）

3

できたシール

〈組み合わさるとき、音《おん》が変わったり、省かれたりすることばがわかる〉

次のことばを組み合わせて、一つのことばを作り、ひらがなで書きましょう。

〈例〉 かね ＋ ぐ ↓ （かなぐ）

(1) かね ＋ あみ ↓ （　　　）
(2) しろ ＋ なみ ↓ （　　　）
(3) やすむ ＋ じかん ↓ （　　　）
(4) たつ ＋ とまる ↓ （　　　）
(5) ほそい ＋ ながい ↓ （　　　）

4

できたシール

〈音《おん》の変化に注意して、二つのことばを組み合わせることができる〉

次のことばを組み合わせて、一つのことばを作り、ひらがなで書きましょう。

(1) 麦 ＋ 畑 ↓ □□□□□
(2) 話す ＋ 合う ↓ □□□□□
(3) 雨 ＋ 雲 ↓ □□□□
(4) 力 ＋ 強い ↓ □□□□□□
(5) 下る ＋ 坂 ↓ □□□□□

できなかったところは、もう一度やってみましょう。正しく直せたら**できたシール**をはりましょう。

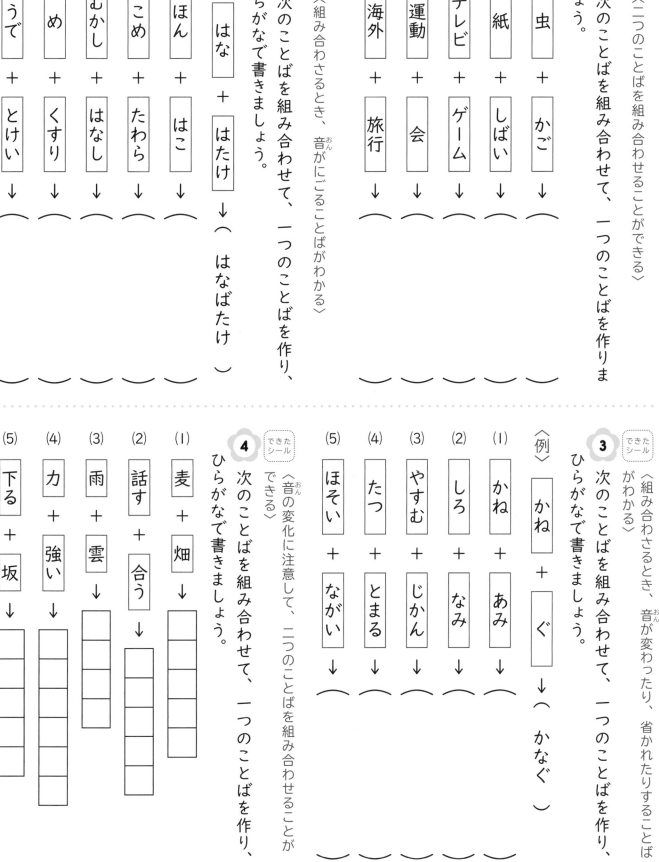

16回 慣用句《かんようく》・ことわざ

学習日　月　日

合格《ごうかく》シール
全問正解《せいかい》にできたら合格《ごうかく》シールをはろう！

1 できたシール

〈慣用句《かんようく》の使い方がわかる〉

（　）に合うことばを、［　］から選んで書きましょう。

(1) 妹は（　）が軽いので、だまっておこう。

(2) （　）をくいしばって、最後までがんばる。

(3) 母にほめられて、弟は（　）に乗った。

(4) いそがしいので、（　）を貸《か》してほしい。

(5) （　）を長くして、母の帰りを待つ。

(6) あの人のがんばりには、（　）が下がる。

［首・歯・手
頭・図・口］

2 できたシール

〈いろいろなことわざの意味がわかる〉

次のことわざの意味に合うものを［　］から選んで、記号を書きましょう。

(1) 石橋をたたいてわたる……（　）

(2) つめに火をともす……（　）

［㋐ とてもけちなことのたとえ。
㋑ 明るくふるまうことのたとえ。
㋒ とても用心深いことのたとえ。］

3 できたシール

〈ことわざの意味と表現《ひょうげん》がわかる〉

下の意味に合うように、（　）に合うことばを［　］から選んで書きましょう。

(1) （　）に金《かな》ぼう……強いものが、さらに強さをますこと。

(2) （　）の上にも三年……しんぼうしてやりぬけば、いつか成功すること。

［犬・石・木・おに］

17回 文をつなぐことば

学習日　　月　　日

合格《ごうかく》シール
全問正解《せいかい》にできたら合格《ごうかく》シールをはろう！

1 できたシール

〈文をつなぐことばの働きがわかる〉

次の□のことばと同じ働きをすることばを、〔　〕から選んで、（　）で囲《かこ》みましょう。

(1) 暗くなってきた[ので]、急いで家に帰った。
〔だから・しかし・すると〕

(2) 力いっぱい走った[が]、一位になれなかった。
〔または・だから・けれども〕

(3) 絵を見ることも好きだ[し]、かくことも好きだ。
〔ところが・さらに・つまり〕

2 できたシール

〈文をつなぐことばの使い方がわかる〉

（　）に最も合うことばを、□から選んで書きましょう。

(1) コーヒーにしますか。（　　　　）、こう茶にしますか。

だから・それとも・すると

(2) 雨がふり出した。（　　　　）、風もふき出した。

それとも・または・そのうえ

3 できたシール

〈文をつなぐことばを使い分けることができる〉

①・②の気持ちを表すには、□に「しかし」「それで」のどちらを入れるとよいですか。（　）に書きましょう。

(1) 合唱の練習をした。□、三位になった。

① うれしさ……（　　　　）

② くやしさ……（　　　　）

(2) 毎日、水やりをした。□、白い花がさいた。

① 満足な気持ち……（　　　　）

② 不満な気持ち……（　　　　）

4 できたシール

〈文をつなぐことばを正しく使うことができる〉

「だから」「けれども」のうち、合うほうのことばを使って、二つの文をつなぎましょう。

(1) 時計《とけい》が止まった。時間がわからなかった。

〔　　　　　　　　　　〕

(2) 望遠鏡で空を見た。星は見えなかった。

〔　　　　　　　　　　〕

できなかったところは、もう一度やってみましょう。正しく直せたら**できたシール**をはりましょう。

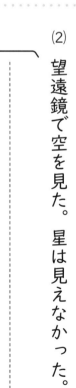

18回 敬語《けいご》

学習日　月　日

合格《ごうかく》シール
全問正解《せいかい》に
できたら
合格《ごうかく》シール
をはろう！

〈敬語《けいご》の使い方がわかる〉

1 できたシール
次のうちから、敬語《けいご》を正しく使った言い方の文を三つ選んで、○をつけましょう。

ア（　）友達《ともだち》が家に遊びに来られる。
イ（　）わたしが、食事を作ってくださる。
ウ（　）遠くから、お客様がいらっしゃる。
エ（　）わたしは、毎日ピアノの練習をします。
オ（　）わたしが、その荷物をお持ちになる。
カ（　）先生の家で、夕食をいただく。

〈ていねいな言い方ができる〉

2 できたシール
——の部分を、「です」「ます」などを使ってていねいな言い方に書きかえましょう。

(1) 赤い屋根の建物が、わたしの家だ。
（　　　　）

(2) みんなで公園で遊ぼう。
（　　　　）

(3) 図書館で本を借りる。
（　　　　）

(4) テーブルの上を、きれいにふいた。
（　　　　）

〈相手をうやまう言い方ができる〉

3 できたシール
文に合うことばを選んで、○で囲《かこ》みましょう。

(1) 先生から本を（もらった。／いただいた。）

(2) 弟が、サッカーの試合に（行った。／行かれた。）

(3) 先生が、問題の解《と》き方を（教えてくれた。／教えてくださった。）

(4) お客様にケーキを（出す。／お出しする。）

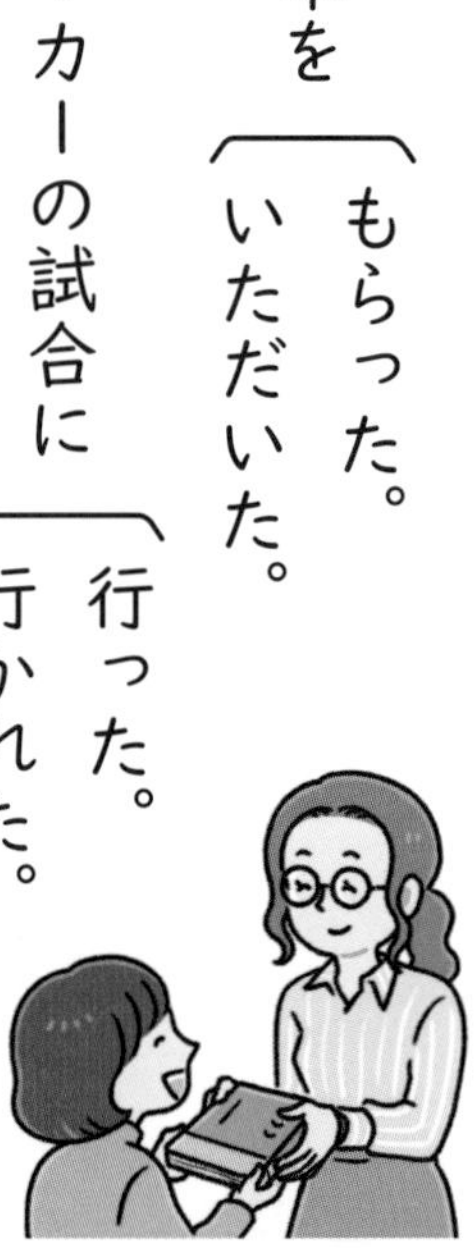

〈敬語《けいご》を正しく使うことができる〉

4 できたシール
文に合うように、——のことばを敬語《けいご》を使って書き直しましょう。

(1) 先生が、わたしに本を貸《か》してくれた。
（　　　　）

(2) 三時に、先生がわたしの家に来る。
（　　　　）

(3) 先生が、みんなにプリントを配った。
（　　　　）

物語の読みとり(1)

学習日　　月　　日

合格《ごうかく》シール
全問正解《せいかい》に
できたら
合格《ごうかく》シール
をはろう！

次の文章を読んで、問題に答えましょう。


　二人のわかいしんしが、すっかりイギリスの兵隊のかたちをして、ぴかぴかする鉄ぽうをかついで、白くまのような犬を二ひき連れて、だいぶ山おくの、木の葉のかさかさしたとこを、こんなことを言いながら、歩いておりました。

「ぜんたい、ここらの山はけしからんね。鳥もけものも一ぴきもいやがらん。なんでも構《かま》わないから、早くタンタアーンと、やってみたいもんだなあ。」


（『宮沢賢治絵童話集③』「注文の多い料理店」〈くもん出版〉より）

1 できたシール
〈「どこ」を読みとることができる〉

二人のしんしが歩いていたのは、どこですか。

2 できたシール
〈登場人物が言ったことの理由を読みとることができる〉

しんしが「けしからん」と言ったのは、どうしてですか。


次の文章を読んで、問題に答えましょう。


　由美《ゆみ》の一日は、毎朝、げた箱で花蓮《かれん》ちゃんに声をかけるところから始まる。

「あっ、かわいいブラウス。青い花がらがさわやかで、長そでなのにすずしそう。」

　二人は、五年生になって初めて同じクラスになったのだけど、由美《ゆみ》のほうは、花蓮《かれん》ちゃんのことをずいぶん前から知っていた。

　学校のろう下で、校庭で、しょうこう口で、見かけるたびに、かわいい子だなぁと思っていた。この学校で一番かわいい！　とひそかにあこがれていた。

　だから、同じクラスになったときはすごくうれしかったし、友だちになってもらいたくて、由美《ゆみ》は積極的に花蓮《かれん》ちゃんに話しかけた。


（『ハーブガーデン』草野たき〈岩崎書店〉より）

3 できたシール
〈登場人物の行動を読みとることができる〉

由美《ゆみ》の一日は、毎朝、何をするところから始まるのですか。

4 できたシール
〈登場人物の関係を読みとることができる〉

由美《ゆみ》が、花蓮《かれん》ちゃんと「同じクラスになったときはすごくうれしかった」のは、どうしてですか。

物語の読みとり(2)

学習日　　月　　日

合格《ごうかく》シール
全問正解《せいかい》にできたら合格《ごうかく》シールをはろう！

次の文章を読んで、問題に答えましょう。

花蓮《かれん》ちゃんのおたん生日会の日。プレゼントなしのはずなのに、由美《ゆみ》のほかによばれた二人は、プレゼントを持ってきていた。

花蓮《かれん》ちゃんは、うれしそうというより、あきれた様子で二人を見た。そして、小さく頭を下げて「ありがとね、すごくうれしいよ。」と付け加えた。そんな花蓮《かれん》ちゃんに、二人がそろってピースサインを返している。

由美《ゆみ》はその様子をずっと、笑顔《えがお》でながめていた。にこにこしてないと、泣いてしまいそうだった。それはおしゃれをしてこなかったとか、プレゼントを持ってきていないからじゃなかった。

わたしなんて、いらないじゃんって思ったから。

このパーティーに、わたしはいらない。

（『ハーブガーデン』草野たき〈岩崎書店〉より）

1　できたシール

〈登場人物の様子を読みとることができる〉

二人が、花蓮《かれん》ちゃんにプレゼントをあげたときの様子を、由美《ゆみ》はどのようにながめていましたか。

（　　　　）ながめていた。

2　できたシール

〈登場人物の気持ちを読みとることができる〉

由美《ゆみ》が「泣いてしまいそうだった」のは、なぜですか。

（このパーティーに、（　　　　）と思ったから。）

次の文章を読んで、問題に答えましょう。

雨の日の帰り道、ぼくは近所のさやかさんに会いました。さやかさんは、うでにかかえている子犬をぼくにわたしました。

「この子犬、ひろったんだけど、うちで飼《か》うのはだめだって——」

ぼくは、だまったまま、話の続きを聞いていました。

「わたる君のおうちで飼《か》ってくれない？　わたし、毎日、お散歩したり、お世話したりする。うちでは飼《か》えないけど、できる限《かぎ》りのことをしてあげたいの。」

ぼくは、犬が好きじゃないなんて言ったら、ばちがあたる気がしました。

3　できたシール

〈登場人物の言ったことを読みとることができる〉

さやかさんは、何をしたいと考えていますか。

（　　　　）

4　できたシール

〈登場人物の気持ちを読みとることができる〉

ぼくは、さやかさんの話を聞いて、どう感じましたか。

（　　　　）

21回 説明文の読みとり(1)

学習日　月　日

合格《ごうかく》シール
全問正解《せいかい》にできたら合格《ごうかく》シールをはろう！

次の文章を読んで、問題に答えましょう。

心臓《しんぞう》が動くことを、「脈《みゃく》を打つ」といいます。小学生では、だいたい一分間に八十〜九十回、脈《みゃく》を打ちます。大人になると、六十〜七十回になります。大人の心臓《しんぞう》は、一日二十四時間で、およそ十万回も脈《みゃく》を打っていることになります。

ところで、心臓《しんぞう》はぜんぜん休まないで動き続けて、つかれないのでしょうか？　心臓《しんぞう》がつかれて、「ちょっと休もう」なんてなったら、一大事です。ですから心臓《しんぞう》は、つかれにくい筋肉《きんにく》でできています。からだのほかの部分の筋肉《きんにく》とちがう、特別に丈夫《じょうぶ》な筋肉《きんにく》なのです。

（『10分で読めるわくわく科学　小学5・6年』監修／荒俣宏〈成美堂出版〉より）

できたシール
1 〈情報《じょうほう》を正しく読みとることができる〉
大人は、一分間で何回くらい脈《みゃく》を打ちますか。

（　　　　回くらい）

できたシール
2 〈文章の内容《ないよう》を正しく読みとることができる〉
心臓《しんぞう》が動き続けてもつかれないのは、どうしてですか。

（　　　　）

次の文章を読んで、問題に答えましょう。

江戸《えど》時代には、なま物はいたみやすいので、買いおきできませんでした。貝や魚、とうふなどは毎日売りにくる行商人から、その日に必要なぶんだけ買いました。

□、漁師《りょうし》や農民は、魚や野菜がたくさんとれたときは、どうしていたのでしょう。魚も野菜も太陽や風にあてて干《ほ》すと長持ちします。魚の干物《ひもの》や、干《ほ》ししいたけ、切り干《ぼ》し大根などは今でも食べていますね。つくだ煮《に》や塩漬《しおづ》けにして保存《ほぞん》することもあります。たくあんは大根を干《ほ》して、塩漬《しおづ》けにした物なので、長く保存《ほぞん》ができます。

（『エコでござる—江戸に学ぶ　一の巻　江戸のびっくり省エネ生活』監修／石川英輔〈鈴木出版〉より）

できたシール
3 〈文をつなぐことばの使い方がわかる〉
□に合うことばを選んで、○で囲《かこ》みましょう。

（だから・では・つまり）

できたシール
4 〈文章の内容《ないよう》を正しく読みとることができる〉
漁師《りょうし》や農民は魚や野菜を長持ちさせるために、どんなことをしていましたか。二つ書きましょう。

（　　　　）（　　　　）

できなかったところは、もう一度やってみましょう。正しく直せたら**できたシール**をはりましょう。

22回 説明文の読みとり⑵

学習日　　月　　日

合格《ごうかく》シール
全問正解《せいかい》にできたら合格《ごうかく》シールをはろう！

次の文章を読んで、問題に答えましょう。

[1] 米の種類は、大きく分けると、ジャポニカ種（短《たん》粒種《りゅうしゅ》）とインディカ種（長粒種《ちょうりゅうしゅ》）の二種類があります。

[2] ジャポニカ種は、つぶの形が短くてねばりけがあり、日本や中国で多く作っています。わたしたちがいつも食べている米は、この種類です。インディカ種は、つぶの形が長く、ねばりけが少ないのが特ちょうで、インド、東南アジア、西アジア、ヨーロッパなどで作っています。

[3] 日本では、米をたくとき、水を加えて水けがなくなるまで、そのまま火にかけます。でも、インディカ種を食べている地いきでは、米に水を加えて火にかけたら、とちゅうでゆでじるをすててしまいます。これは、米のねばりの成分をとるためです。そのあと、ふたをしてむらすと、たきあがりです。東南アジアから西の国では、日本とちがって、ねばりの少ないごはんのほうが、好まれているのです。

（『国際理解に役立つ　世界の衣食住　I　東アジアの食べもの』監修／江上佳奈美〈小峰書店〉より）

1 できたシール
〈だん落の要点を読みとることができる〉

⑴ [2]のだん落では、――《せん》の二つの米に、それぞれどんな特ちょうがあると説明していますか。

ジャポニカ種…（つぶの形が①（　　　）て　ねばりけが②（　　　）。）

インディカ種…（つぶの形が③（　　　）て　ねばりけが④（　　　）。）

⑵ 日本では、どのようにして米をたきますか。[3]のだん落の中からさがして書きましょう。

（　　　　　　　　　　）

2 できたシール
〈くわしい内容《ないよう》を読みとることができる〉

米をたくとき、東南アジアから西の国では、日本とちがったたき方をするのは、なぜですか。

（東南アジアから西の国では、日本とちがって、（　　　　　）のほうが、好まれているから。）

23回 作文(1)

1 できたシール

〈「いつ」「どこで」「だれは」「どうした」の文章が書ける〉

絵を見て、□に合うことばを書きましょう。

(1) 今年の［　　］（◀いつ）に、ぼくは、祖母《そぼ》からお年玉をもらった。母は、［　　］（◀どこで）でおぞうにを作っていた。祖父《そふ》は、いすにすわって、年賀状《ねんがじょう》を［　　］（◀どうした）。

(2) 日曜日に雪がふったので、［　　］（◀だれは）は、雪だるまを作った。ともみは、雪のたまを作って［　　］（◀どうした）。こうじは、雪のたまが当たらないように走って［　　］（◀どうした）。

2 できたシール

〈「何が」「どんな」「何を」「どのように」「どうした」の文章が書ける〉

次の□に合うことばを、［　］から選んで書きましょう。

この間、［　　］（◀何が）があった。その日は、とても［　　］（◀どんな）日だったので、みんな白い［　　］（◀何を）をはいて走った。全員がゴールしたあと、とん汁《じる》を［　　］（◀どうした）。体が［　　］（◀どのように）して、あたたかくなった。校長先生が、「全員が完走できて、すばらしい。」と［　　］（◀どうした）。

水泳大会・マラソン大会
寒い・暑い・ふらふら
息・ぽかぽか
食べた・おっしゃった

できなかったところは、もう一度やってみましょう。正しく直せたら**できたシール**をはりましょう。

作文(2)

学習日　月　日

合格《ごうかく》シール
全問正解《せいかい》にできたら合格《ごうかく》シールをはろう！

1 できたシール 〈くわしい様子の文が書ける〉

絵を見て、〈　〉のことばを使って、文を作りましょう。

(1) 〈とび箱・はく手〉

(2) 〈車・おもちゃ〉

(3) 〈買い物・くつ〉

(1) ぼくは、

(2) 弟は、

(3)

2 できたシール 〈くわしい様子を文章で書ける〉

絵を見て、〈　〉のことばを使って、作文を書きましょう。

〈卒業式・花〉

〈卒業生・卒業証書《しょうしょ》〉

国語 しあげテスト

学習日　月　日
得《とく》点　点

合格《ごうかく》シール
全問正解《せいかい》に
できたら
合格《ごうかく》シール
をはろう！

次の文章を読んで、問題に答えましょう。

[1] ①げんざい、みなさんの家で使われている食器のほとんどは磁器《じき》でしょう。ごはん茶わん、皿、紅茶《こうちゃ》わんなど、かたくてうす手で、白く、つやつやし、青や赤のこまかな絵がかかれているのが磁器《じき》です。磁器《じき》は、はしなどでかるくたたくと、チーンと高くてすんだ音がします。この音でもわかるように、磁《じ》器《き》はガラスに近いかたさをもっています。このように、かたくてうす手なので軽く、白くてつやつやかなのでせいけつなところが、とくに食器としてすぐれているのです。

[2] 磁器《じき》は、土器や陶器《とうき》がねんどを原料にするのに対し、石（陶石《とうせき》）を原料にします。ですから、陶器《とうき》のことを土物、磁器《じき》のことを石物ということがあります。陶石《とうせき》は、すこしつやのある白い石で、これを臼《うす》などでついてこまかい②こなにし、水でねり合わせてねんどのようなねばりけのある材料にして、かたちづくります。

[3] 磁器《じき》は、石のこなを原料にしているわけですから、高い温度（1300～1400℃）で焼きしめると、その製品《せいひん》は、もとの石に近づいたものになります。□、陶石《とうせき》のこなは、ねんどのつぶよりも、もっと小さくなりますから、きめのこまかい、うす手のうつわをつくることができます。つまり、磁器《じき》は、陶《とう》器《き》にくらべてかたく、うす手のものをつくることができるという特長があるのです。

（『やきもののはなし』神崎宣武〈さ・え・ら書房〉より）

1 ——①・②を漢字で書きましょう。（一つ10点）

①（　　　）　②（　　　）

2 磁器《じき》が食器としてすぐれている点を、[1]のだん落からさがして二つ書きましょう。（一つ10点）

（　　　）
（　　　）

3 磁器《じき》の原料である陶石《とうせき》は、どんな石ですか。（10点）

（　　　）

4 □に合うことばを、下の□から選んで書きましょう。（10点）

（　　　）

ところが　また　すると

5 磁器《じき》が、陶器《とうき》よりもかたく、うす手のうつわになるのはなぜですか。（20点）

（　　　）

6 この文章は三つのだん落で構成《こうせい》されています。それぞれのだん落の内容《ないよう》をあとの□から選び、記号で答えましょう。（全部できて20点）

[1]のだん落（　　　）
[2]のだん落（　　　）
[3]のだん落（　　　）

㋐ 磁器《じき》の原料
㋑ 食器としての磁器《じき》
㋒ 磁器《じき》の特長

社会 しあげテスト 2

学習日

月　日

得点《とく》

点

合格《ごうかく》シール

全問正解《せいかい》に
できたら
合格《ごうかく》シール
をはろう！

1 右の地図が示《しめ》す日本の工業地帯・地域《ちいき》について，次の問題に答えなさい。　（１つ８点）

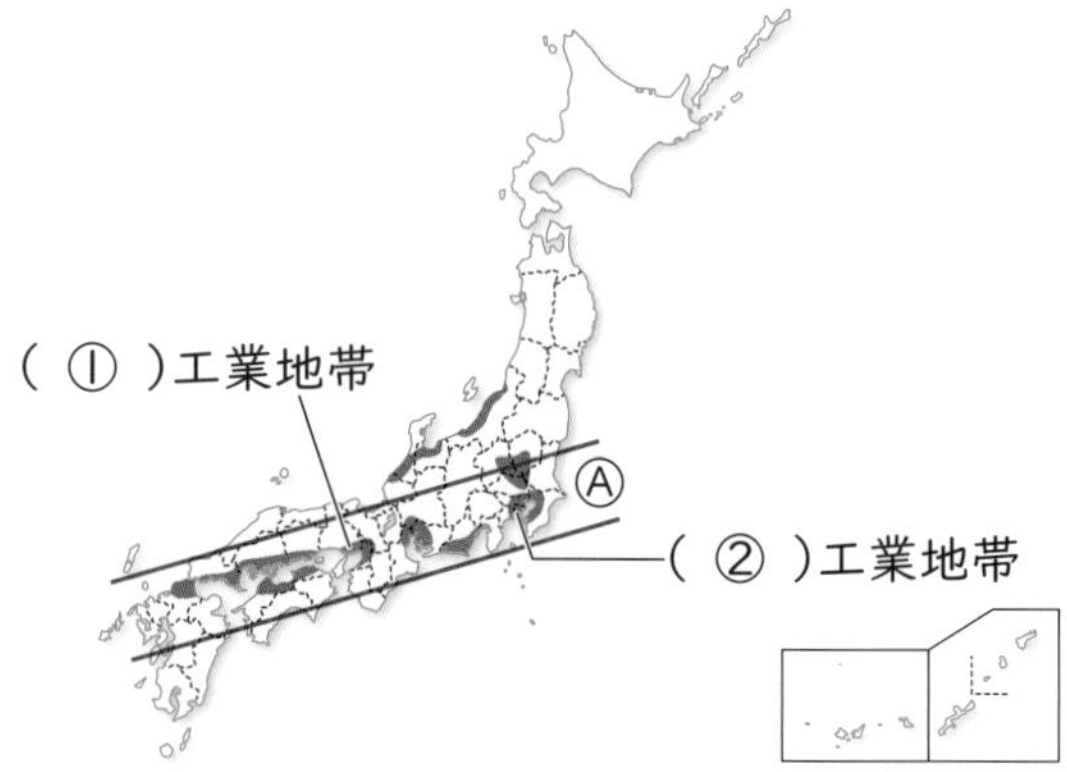

(1)　①，②の工業地帯名を書きなさい。

①（　　　　　　）工業地帯

②（　　　　　　）工業地帯

(2)　Ⓐの工業地帯・地域が多く集まるところを何とよびますか。　（　　　　　　）

(3)　日本の工業地帯・地域の特ちょうとして正しいものには○，まちがっているものには×を書きなさい。

①（　　　）工業地帯・地域の多くは日本海側に集まっている。

②（　　　）Ⓐの工業地帯・地域では，おもに軽工業がさかんである。

2 情報《じょうほう》の伝達手だんについて，次の問題に答えなさい。　（１つ８点）

(1)　一度に大多数の人に，情報を伝えることができる伝達手だんを何というか，カタカナ６文字で答えなさい。

（　　　　　　）

(2)　次の①～③のような特ちょうを持つ，伝達手だんを右のア～エから選び，記号で答えなさい。

①　子どもやお年寄《よ》りにも手軽に使え，音声と映像《えいぞう》で伝える。　（　　）

②　映像・文字・音声を使っている。世界中で見ることができる。　（　　）

③　持ち運びしやすく，写真や文字で情報を伝える。（　　）

3 次の公害が起こった地域を地図中のⒶ～Ⓓから，その原因《げんいん》をア～ウからそれぞれ１つずつ選び，記号で答えなさい。

（１つ７点）

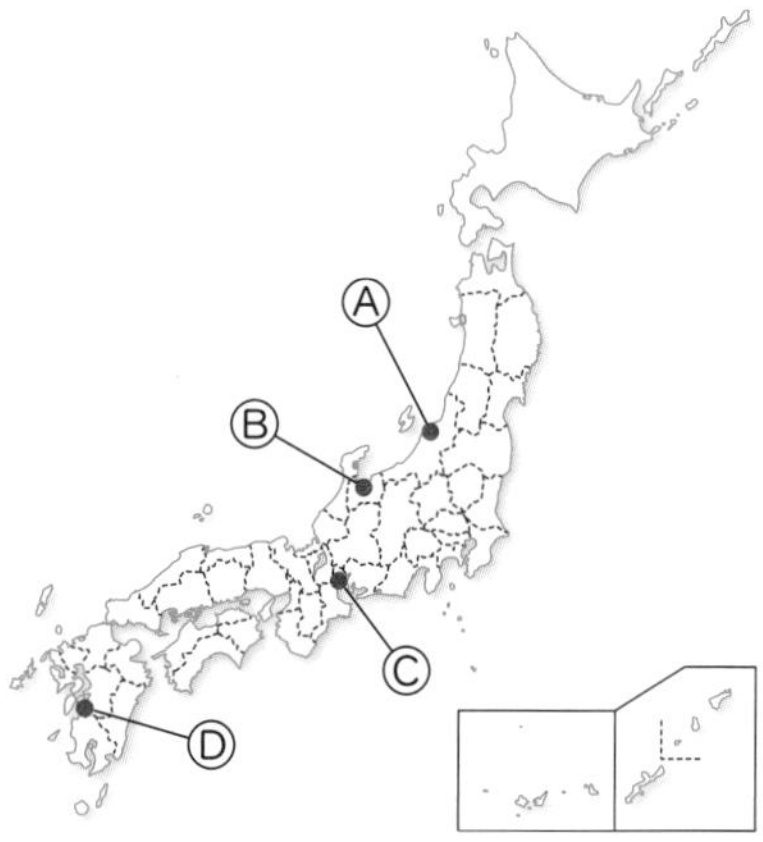

①　イタイイタイ病…地域（　　　）　原因（　　　）

②　四日市ぜんそく…地域（　　　）　原因（　　　）

ア　鉱山《こうざん》から流されたカドミウム。

イ　石油化学工場のえんとつから出るけむり。

ウ　化学工場が流した有機水銀。

社会 しあげテスト 1

学習日　　月　　日

得《とく》点　　点

合格《ごうかく》シール
全問正解《せいかい》に
できたら
合格《ごうかく》シール
をはろう！

1 日本の国土について，次の問題に答えなさい。　（１つ５点）

(1) （　　）にあてはまることばを書きなさい。

日本は，①（　　　　　　），②（　　　　　　），オホーツク海，東シナ海といった海に囲《かこ》まれている。

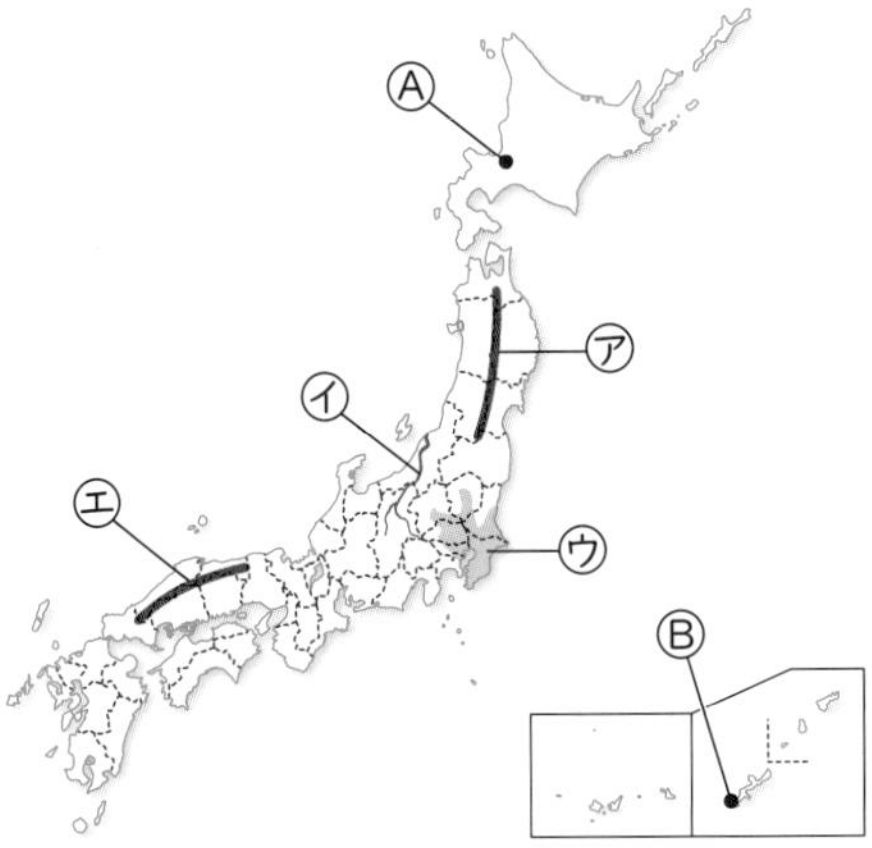

(2) 右の地図の㋐～㋓の山脈《さんみゃく》・山地・川・平野の名前を書きなさい。

㋐（　　　　　　）　㋑（　　　　　　）

㋒（　　　　　　）　㋓（　　　　　　）

(3) 地図中のⒶ・Ⓑの地いきの気候について，あてはまるものをア～エからそれぞれ１つ選び，記号で書きなさい。

Ⓐ（　　　　　　）　Ⓑ（　　　　　　）

ア　気温が高く，雨が多い。　　イ　１年を通して雨が少ない。
ウ　夏と冬の気温差がはげしい。　エ　冬の寒さがきびしい。

2 右の地図について，次の問題に答えなさい。（１つ10点）

(1) 太平洋側を流れる寒流と暖流《だんりゅう》の名前を書きなさい。

寒流（　　　　　　）　暖流（　　　　　　）

(2) おもな漁港のうち，中国地方にある港はどこか，右の地図から選んで漁港名を答えなさい。

（　　　　　　）

(3) 暖流と寒流がぶつかり，多くの種類の魚が集まる場所のことを何というか，答えなさい。

（　　　　　　）

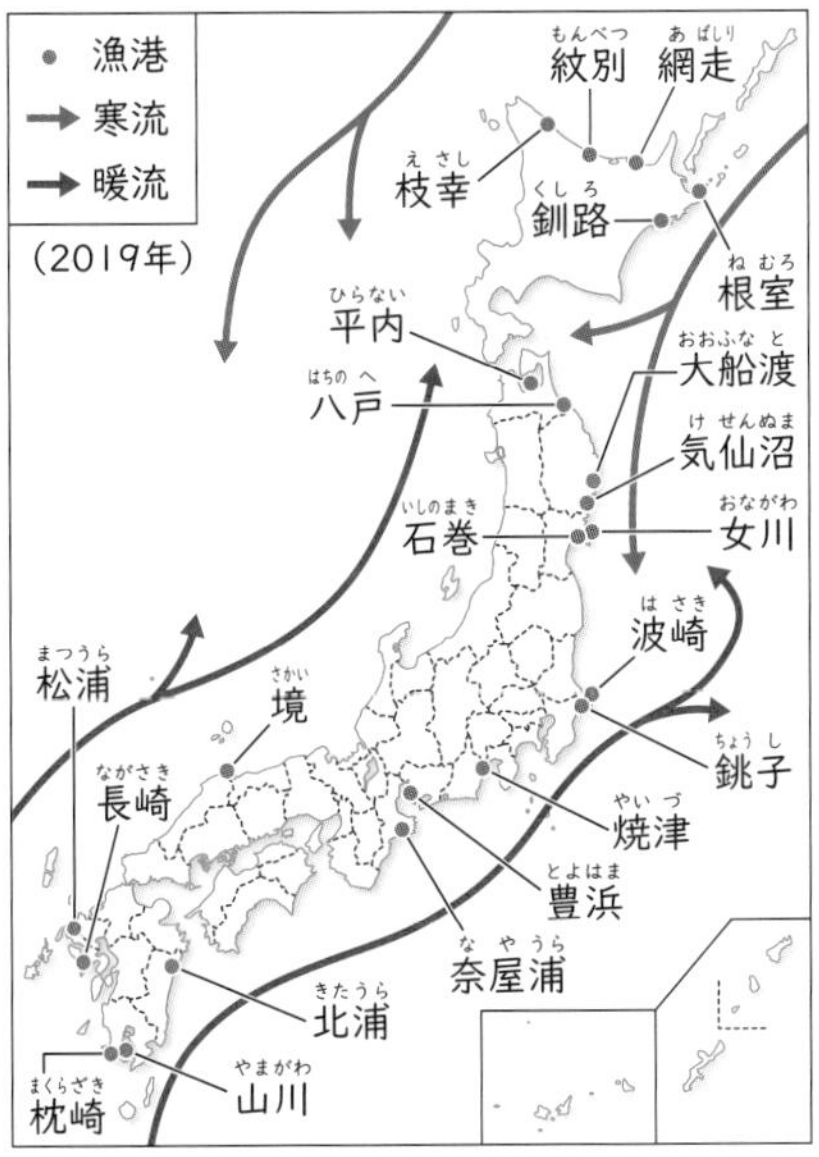

3 右のグラフを見て，次の問題に答えなさい。

(1) アメリカと日本を示《しめ》すグラフを，ア～ウからそれぞれ１つ選び，記号で書きなさい。　（１つ５点）

アメリカ（　　　　）　日本（　　　　）

(2) 食料自給率が低いと食料の輸入《ゆにゅう》量は，どうなるか書きなさい。（10点）

（　　　　　　　　　　　　　　　　）

〈主な国のカロリーベースの食料自給率《じきゅうりつ》〉

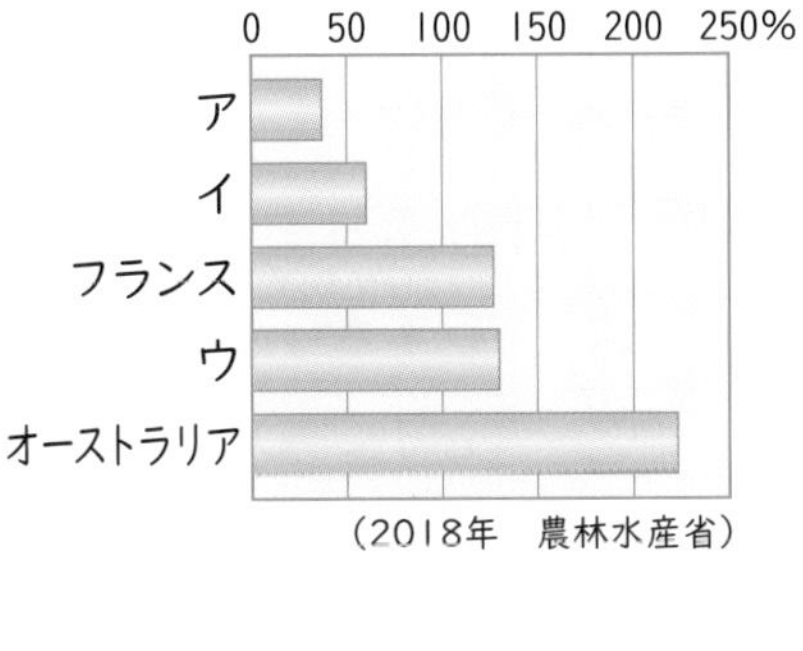

（2018年　農林水産省）

理科 しあげテスト 2

学習日　　月　　日

得《とく》点　　点

合格《ごうかく》シール
全問正解《せいかい》にできたら合格《ごうかく》シールをはろう！

1 実験で，60℃の水 50mL にミョウバン 20g を加えてよくかき混《ま》ぜると，すべてとけました。次の問題に答えなさい。ただし，右の図は，10℃，30℃，60℃の水 50mL にとけるミョウバンの量を表したグラフで，水 1mL の重さを 1g とします。（1つ10点）

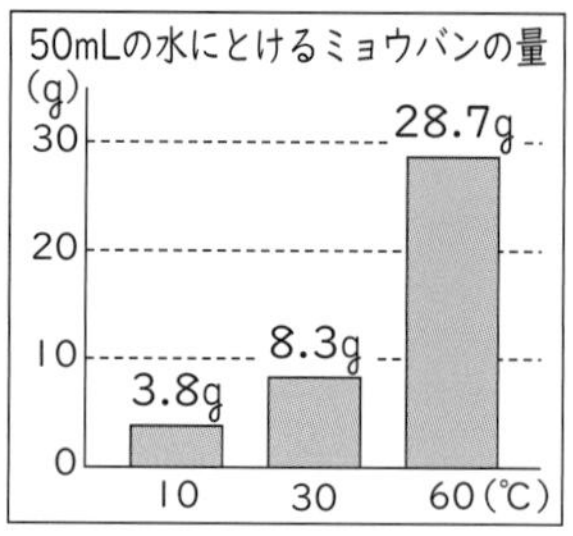

① 実験ではミョウバンの水《すい》よう液《えき》ができました。これについて説明した次の文の（　）にあてはまることばを，それぞれ下の［　］から選びなさい。（2つできて10点）

実験でできた水よう液は，ミョウバンが水にとけて（　　　　）均一《きんいつ》に広がり，（　　　　）。

下のほうに　　全体に　　すき通っている　　にごっている

② 実験でできた水よう液の重さは何 g か答えなさい。（　　　g）

③ 実験でできた水よう液を 10℃まで冷やすと，固体が出てきました。固体と液体を分けて，固体をとり出す方法を何というか答えなさい。（　　　　）

2 右の図のようなそう置をつくり，電磁石《でんじしゃく》に電流を流すと，方位磁針《じしん》のはりが図のようにふれました。次の問題に答えなさい。（1つ20点）

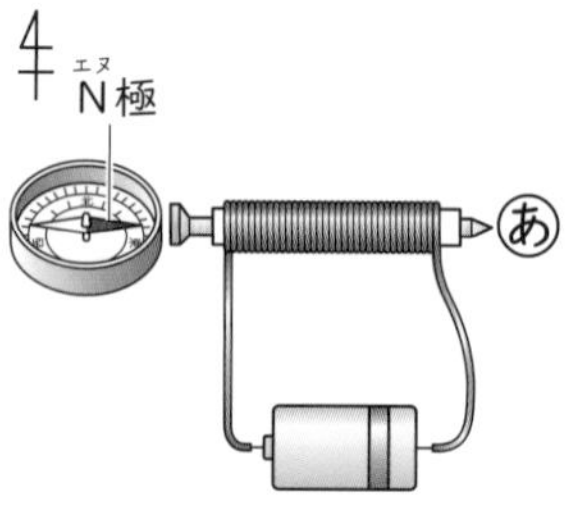

① 電流が流れているとき，あは何極になっているか答えなさい。（　　　極）

② 方位磁針のはりが図とは反対向きにふれるようにするには，図のそう置をどのように変えればよいですか。1つ答えなさい。
（　　　　　　　　　　　　）

3 右の図のようなふりこが 10 往復《おうふく》する時間を 3 回はかり，結果を表にまとめました。次の問題に答えなさい。（1つ10点）

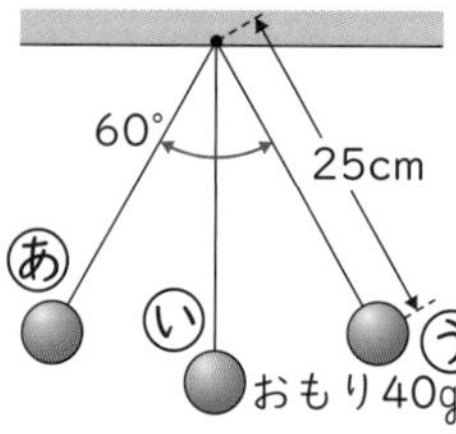

① ふりこが 1 往復する動きを，次のア～エから選びなさい。（　　）

ア あ→い　　イ あ→い→う
ウ あ→い→う→い　　エ あ→い→う→い→あ

② 図のふりこが 1 往復する時間は何秒ですか。平《へい》均《きん》を求める方法で小数第 1 位まで求めなさい。（　　　秒）

回　数	1 回目	2 回目	3 回目
10 往復する時間	10.4 秒	9.7 秒	9.9 秒

③ 図のふりこが 1 往復する時間を長くするには，図のふりこをどのように変えればよいですか。次のア～ウから選びなさい。（　　）

ア ふりこの長さを 50cm にする。　　イ おもりの重さを 80g にする。
ウ 青い矢印が示す角度を 60° から 80° にする。

理科 しあげテスト 1

学習日　月　日

得《とく》点　点

合格《ごうかく》シール
全問正解《せいかい》に
できたら
合格《ごうかく》シール
をはろう！

1 右の図のあ～えのように，条件《じょうけん》を変えてインゲンマメの種子《しゅし》をまき，あ～うの容器《ようき》を明るい場所に置きました。次の問題に答えなさい。　（１つ10点）

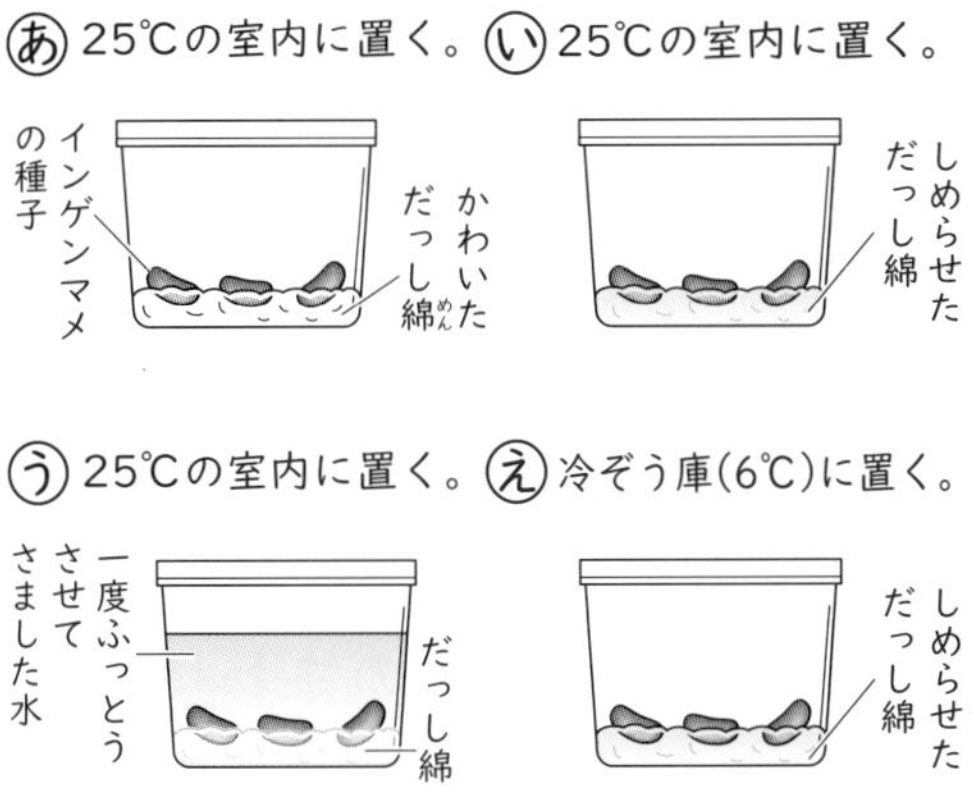

① 種子が発芽したものをあ～えから１つ選び，記号で答えなさい。　（　　）

② 種子の発芽には，空気が必要かどうかを調べるには，あ～えのどれとどれの結果を比《くら》べればよいか書きなさい。　（　　と　　）

③ 種子が発芽したあと，インゲンマメがじょうぶに育つためにはどのようにすればよいですか。次のア～エからすべて選び，記号で答えなさい。　（　　）

ア 肥料《ひりょう》を入れた水をあたえる。　イ 肥料を入れない水をあたえる。

ウ 日光を当てないようにする。　エ 日光をよく当てるようにする。

2 右の図のあ，いは，メダカのめすとおすのいずれかを表しています。次の問題に答えなさい。　（１つ10点）

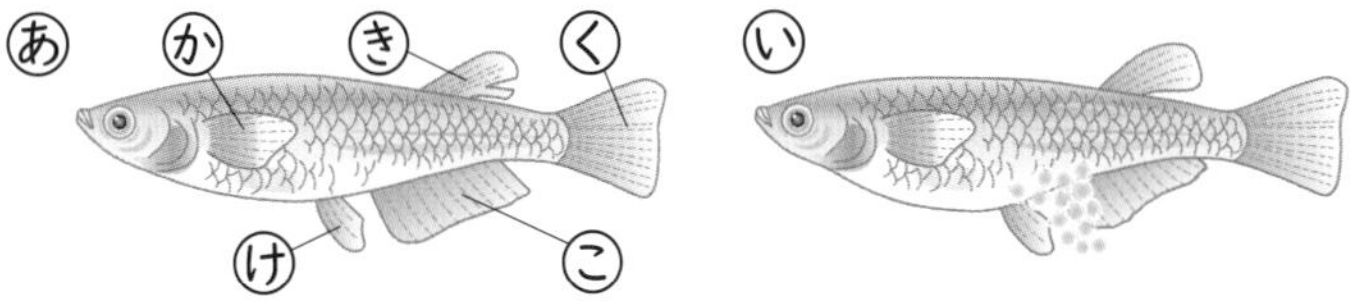

① あ，いのうち，めすのメダカはどちらか書きなさい。　（　　）

② か～このうち，めすとおすで形がちがうひれはどれですか。すべて選び，記号で答えなさい。　（　　）

③ めすのうんだたまごが，おすの出す精子《せいし》と結びつくことを何というか答えなさい。　（　　）

④ メダカはたまごをうみますが，人は子どもをうみます。母親の体内の中にある子どもが育つ場所を何というか答えなさい。　（　　）

3 右の図のあ～うは，川の上流，中流，下流のいずれかを表しています。次の問題に答えなさい。　（１つ10点）

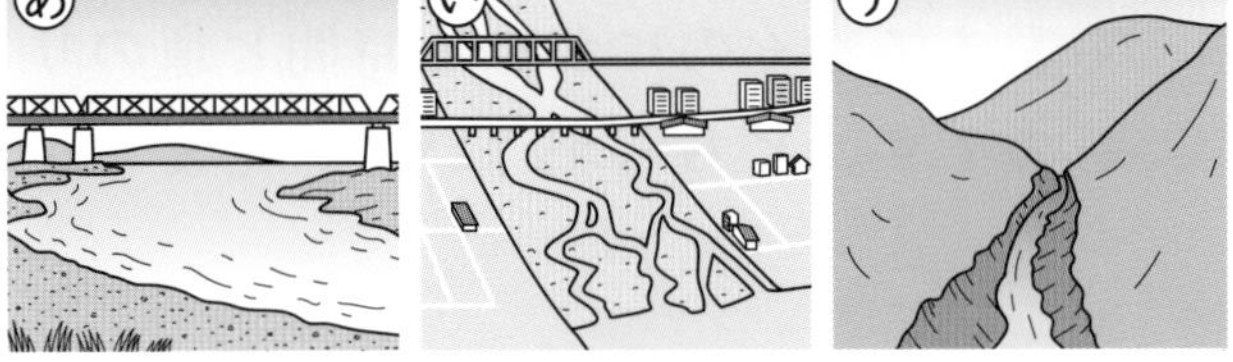

① あ～うを，上流，中流，下流の順にならびかえなさい。　（　　→　　→　　）

② 流れる水が土や石を積もらせるはたらきを何というか答えなさい。　（　　）

③ うの場所につくられることが多い，雨水をためるし設《せつ》を何というか答えなさい。　（　　）

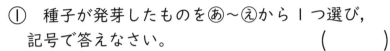

算数 しあげテスト

学習日　月　日

得《とく》点　点

合格《ごうかく》シール

全問正解《せいかい》にできたら合格《ごうかく》シールをはろう！

1 次の計算をしましょう。 （1つ6点）

① $0.7\times0.6=$

② $9.18\div0.34=$

③ $1\frac{5}{6}+\frac{3}{4}=$

④ $2\frac{3}{10}-1\frac{2}{5}=$

2 次のような図のまわりの長さは何cmですか。 （1つ12点）

①

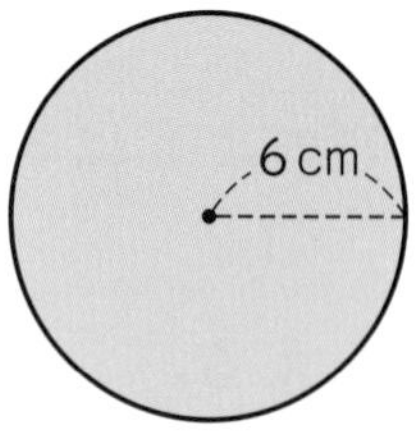

式

答え（　　　）

②

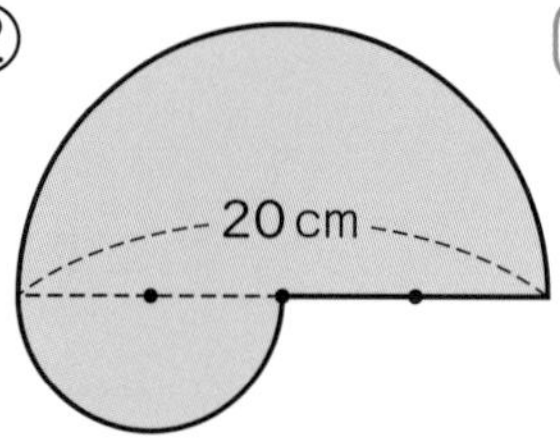

式

答え（　　　）

3 次の図のような形の体積を求めましょう。 （1つ12点）

①

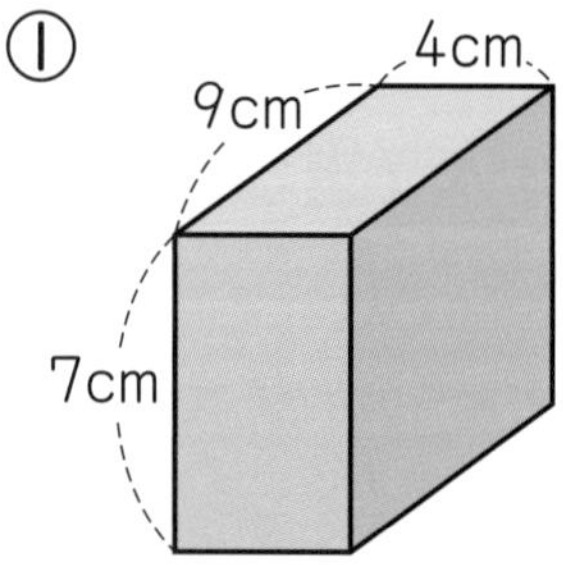

式

答え（　　　）

②

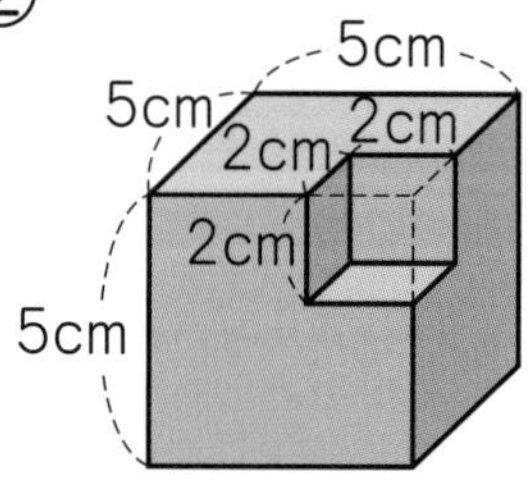

式

答え（　　　）

4 右の表は，まいかさんとあさひさんが学校から家まで歩くのにかかる時間と道のりを表したものです。どちらが速いといえますか。 （14点）

〈歩くのにかかる時間と道のり〉

	時間（分）	道のり（m）
まいかさん	20	1500
あさひさん	15	1200

式

答え（　　　）

5 定価1800円のTシャツが20％引きで売られていました。いくらになりますか。 （14点）

式

答え（　　　）

算数

文章題

24回 いろいろな問題

学習日　　月　　日

合格《ごうかく》シール
全問正解《せいかい》に
できたら
合格《ごうかく》シール
をはろう！

できたシール　〈同じものをひいて解《と》く〉

1　りんご８個《こ》をかごにつめてもらったら，かご代とあわせて 1040 円でした。同じかごにりんごを６個《こ》つめると，800 円になるそうです。りんご１個《こ》のねだんとかごのねだんは，それぞれ何円ですか。

式

答え（りんご　　　，かご　　　）

できたシール　〈鉄橋をわたる時間を求める〉

2　長さ 90m の電車が，秒速 25m で 110m の鉄橋をわたり始めから，すっかりわたり終わるまでに，何秒かかりますか。

式

答え（　　　）

できたシール　〈割合《わりあい》の割合《わりあい》を考えて解《と》く〉

3　かいとさんの学級の人数は 30 人です。そのうち，虫歯にかかった人は 60％います。虫歯にかかった人の 50％の人は，治りょうが終わっています。治りょうが終わった人は何人ですか。

式

答え（　　　）

できたシール　〈きまりを見つけて式をつくる〉

4　長さの等しいぼうを使って，下の図のように正三角形を横にならべていきます。

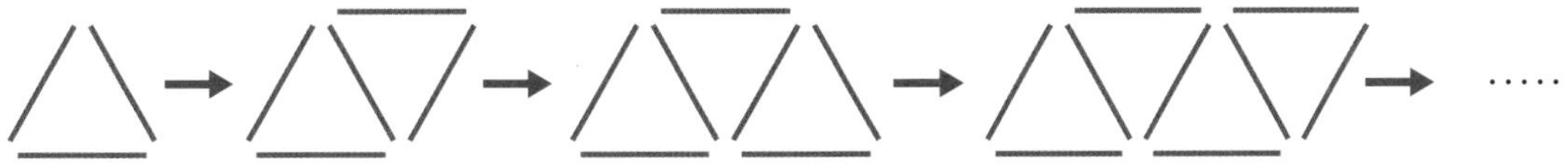

①　下の表のあいているところにあてはまる，ぼうの数を書きましょう。

正三角形の数□（個《こ》）	1	2	3	4	5
ぼうの数○（本）	3	5			

②　正三角形の数を□個《こ》，ぼうの数を○本として，□と○の関係を式に表しましょう。

（　　　）

③　正三角形の数が８個《こ》のとき，ぼうの数は何本ですか。

（　　　）

できなかったところは、もう一度やってみましょう。正しく直せたら**できたシール**をはりましょう。

23回 平均《へいきん》の問題

学習日　月　日

合格《ごうかく》シール
全問正解《せいかい》にできたら合格《ごうかく》シールをはろう！

できたシール 〈平均《へいきん》を求める〉

1 はるきさんのグループ5人の身長は次のようになっています。このグループの身長の平均《へいきん》は何 cm ですか。

〔135cm　138cm　137cm　134cm　140cm〕

式

答え（　　　）

できたシール 〈資料《しりょう》の数に 0 が入る平均《へいきん》〉

2 右の表は，5年1組の先週の欠席者数を表したものです。先週は1日平均《へいきん》何人が欠席したことになりますか。

先週の欠席者数(5年1組)

月	火	水	木	金
3人	2人	0人	1人	2人

式

答え（　　　）

できたシール 〈平均《へいきん》から合計を求める〉

3 さくらさんは，物語の本を1日平均《へいきん》24ページ読み，6日間で読み終わりました。この物語の本は全部で何ページありましたか。

式

答え（　　　）

できたシール 〈2つの平均《へいきん》から全体の平均《へいきん》を求める〉

4 いつきさんの学年の1組と2組の人数と算数のテストの平均《へいきん》点は，右の表のようでした。いつきさんの学年全体の算数のテストの平均《へいきん》点は約何点ですか。答えは四捨五入《ししゃごにゅう》して整数で求めましょう。

	人数	平均《へいきん》点
1組	14人	72点
2組	16人	74点

式

答え（　　　）

できたシール 〈合計を求めてから1つを求める〉

5 先週の月曜日から金曜日までに，5年1組では，1日平均《へいきん》6.4人が図書室を利用したそうです。水曜日に図書室を利用した人は何人ですか。

先週の図書室の利用者（5年1組）

曜日	月	火	水	木	金
人数	4	6	?	8	9

式

答え（　　　）

22回 割合《わりあい》の問題(2)

学習日 月 日

合格《ごうかく》シール
全問正解《せいかい》にできたら合格《ごうかく》シールをはろう！

できたシール 〈もとにする量を考えて割合《わりあい》を求める式をつくる〉

1 ひまわりの種をまいたら，芽が出た種が 40 つぶで，芽が出なかった種が 10 つぶでした。芽が出た種が，まいた種全体のどれだけの割合《わりあい》にあたるかを求める，次の式の□にあてはまる数を書きましょう。

□ ÷ (□ ＋ □)

できたシール 〈割合《わりあい》を考えて比《くら》べる量を求める式をつくる〉

2 1 個《こ》 200 円で仕入れたかんづめに，仕入れたねだんの 10%のもうけがあるように定《てい》価《か》をつけます。定価《ていか》を求める，次の式の□にあてはまる数を書きましょう。

□ ×(1＋ □)

できたシール 〈もとにする量を考えて割合《わりあい》を求める〉

3 あるプラモデルのねだんは，今年は 520 円で，これは去年より 20 円高いそうです。ね上がりした分は，去年のねだんのどれだけの割合《わりあい》にあたりますか。

式

答え (　　　　)

できたシール 〈比《くら》べる量を考えて割合《わりあい》を求める〉

4 定価《ていか》 400 円の筆箱を 340 円で売りました。安くした分は，定価《ていか》の何%ですか。

式

答え (　　　　)

できたシール 〈増《ふ》えた割合《わりあい》を考えて比《くら》べる量を求める〉

5 600 円で仕入れたくつ下に，仕入れたねだんの 20%のもうけをつけて定価《ていか》をつけました。このくつ下の定価《ていか》は何円ですか。

式

答え (　　　　)

できたシール 〈減《へ》った割合《わりあい》を考えて比《くら》べる量を求める〉

6 まみさんの学校の去年の児童数は 450 人でした。今年の児童数は，去年の児童数より 10%減《へ》ったそうです。今年の児童数は何人ですか。

式

答え (　　　　)

割合《わりあい》の問題(1)

学習日　　月　　日

合格《ごうかく》シール
全問正解《せいかい》に
できたら
合格《ごうかく》シール
をはろう！

できたシール　〈割合《わりあい》を求める式をつくる〉

1 公園に 10 人います。そのうち子どもは 4 人です。子どもの人数は，公園全体の人数のどれだけの割合《わりあい》かを求める，次の式の□にあてはまる数を書きましょう。

□ ÷ □

できたシール　〈比《くら》べる量を求める式をつくる〉

2 そうたさんの組の人数は 30 人です。そのうち算数が好きな人の人数は，組の人数の 0.6 の割合《わりあい》にあたります。そうたさんの組の算数が好きな人の人数を求める，次の式の□にあてはまる数を書きましょう。

□ × □

できたシール　〈割合《わりあい》を求める〉

3 サッカークラブの定員は 30 人です。入部の希望者が 27 人いました。サッカークラブの入部希望者の数は，定員のどれだけの割合《わりあい》ですか。

式

答え（　　　　）

できたシール　〈比《くら》べる量を求める〉

4 こうきさんの体重は 35kg です。お兄さんの体重は，こうきさんの体重の 1.4 倍にあたるそうです。お兄さんの体重は何 kg ですか。

式

答え（　　　　）

できたシール　〈百分率《ひゃくぶんりつ》から比《くら》べる量を求める〉

5 定価《ていか》が 650 円のハンカチがあります。そのうちの 20%がもうけだそうです。このハンカチのもうけは何円ですか。

式

答え（　　　　）

できたシール　〈もとにする量を求める〉

6 バスにお客さんが 42 人乗っています。これは，定員の 70%だそうです。このバスの定員は何人ですか。

式

答え（　　　　）

文章題

20回 分数の問題

学習日　　月　　日

合格《ごうかく》シール

全問正解《せいかい》に
できたら
合格《ごうかく》シール
をはろう！

できたシール　〈わり算と分数〉

1　4L のジュースを 9 人で等分すると，1 人分は何 L ですか。分数で答えましょう。

式

答え（　　　　）

できたシール　〈わり算と分数〉

2　たてが 7m，横が 6m の長方形の形をした花だんがあります。たての長さは，横の長さの何倍ですか。分数で答えましょう。

式

答え（　　　　）

できたシール　〈分数のたし算〉

3　油が 1 つのびんに $\frac{5}{12}$L，もう 1 つのびんに $\frac{1}{4}$L 入っています。油は全部で何 L ありますか。

式

答え（　　　　）

できたシール　〈分数のひき算〉

4　テープが $\frac{4}{5}$m あります。$\frac{2}{3}$m 使うと，残りは何 m になりますか。

式

答え（　　　　）

できたシール　〈分数のたし算〉

5　$\frac{1}{4}$kg の箱に，$1\frac{4}{5}$kg の本を入れました。全部で何 kg ですか。

式

答え（　　　　）

できたシール　〈分数のひき算〉

6　りんごジュースが $2\frac{3}{4}$L，オレンジジュースが $1\frac{7}{8}$L あります。どちらがどれだけ多いですか。

式

答え（　　　　　　　　）

できなかったところは、もう一度やってみましょう。正しく直せたら**できたシール**をはりましょう。

小数のかけ算とわり算

学習日　月　日

合格《ごうかく》シール
全問正解《せいかい》にできたら合格《ごうかく》シールをはろう！

できたシール〈小数のかけ算〉

1 1mが45円のリボンがあります。このリボン1.6mの代金は何円ですか。

式

答え（　　　　）

できたシール〈何倍をかける小数のかけ算〉

2 ジュースが1.4Lあります。牛にゅうの量は，ジュースの量の0.8倍あります。牛にゅうは何Lありますか。

式

答え（　　　　）

できたシール〈小数のわり算〉

3 さとうが12.8kgあります。これを1.6kgずつふくろに分けて入れます。ふくろはいくつできますか。

式

答え（　　　　）

できたシール〈あまりの出る小数のわり算〉

4 しょう油が7.5Lあります。これを0.6Lずつびんに入れます。0.6L入りのびんは何本できて，何Lあまりますか。

式

答え（　　　　）

できたシール〈何倍かを求める小数のわり算〉

5 赤いテープが6m，青いテープが2.5mあります。赤いテープの長さは，青いテープの長さの何倍ですか。

式

答え（　　　　）

できたシール〈何倍でわる小数のわり算〉

6 お父さんの体重は56.7kgです。これは，ゆうとさんの体重の1.35倍だそうです。ゆうとさんの体重は何kgですか。

式

答え（　　　　）

18回 比例《ひれい》

学習日　月　日

合格《ごうかく》シール
全問正解《せいかい》にできたら合格《ごうかく》シールをはろう！

できたシール〈比例《ひれい》の意味〉

1 下の表で，2つの量が比例《ひれい》しているものに○を書きましょう。

㋐ 1mのねだんが90円のリボンを買うときの，リボンの長さと代金

リボンの長さ(m)	1	2	3	4	5
代金(円)	90	180	270	360	450

（　　）

㋑ まわりの長さが20cmの長方形の，たての長さと横の長さ

たての長さ(cm)	1	2	3	4	5
横の長さ(cm)	9	8	7	6	5

（　　）

㋒ 底面積が $10cm^2$ の直方体の，高さと体積

高さ(cm)	1	2	3	4	5
体積(cm^3)	10	20	30	40	50

（　　）

できたシール〈比例《ひれい》の関係を表や式に表す〉

2 たての長さが3cm，横の長さが1cmの長方形を，下のようにならべていきます。次の問題に答えましょう。

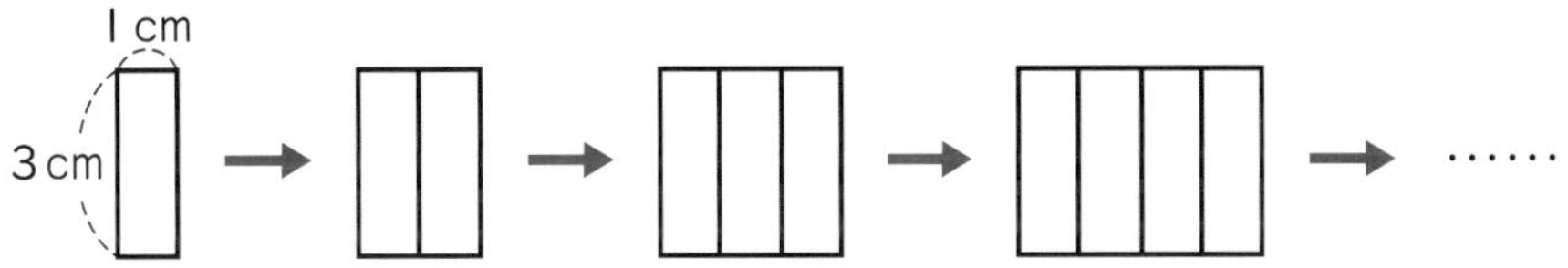

① 表のあいているところに，あてはまる数を書きましょう。

横の長さ□(cm)	1	2	3	4	5
面積○(cm^2)	3				

② 横の長さを□cm，面積を○ cm^2 として，□と○の関係を式に表しましょう。（　　）

③ 長方形の面積は，横の長さに比例《ひれい》しますか，比例《ひれい》しませんか。（　　）

できたシール〈比例《ひれい》の関係を式に表す〉

3 下の表は，円の直径と円周の長さの関係を調べたものです。次の問題に答えましょう。

直径の長さ□(cm)	1	2	3	4	5
円周の長さ○(cm)	3.14	6.28	9.42	12.56	15.7

① 直径の長さを□cm，円周の長さを○cmとして，□と○の関係を式に表しましょう。（　　）

② 直径が15cmのとき，円周の長さは何cmですか。

式

答え（　　）

割合《わりあい》とグラフ

学習日
月　日

合格《ごうかく》シール
全問正解《せいかい》にできたら合格《ごうかく》シールをはろう！

できたシール〈全体に対する割合《わりあい》を百分率《ひゃくぶんりつ》で表す〉

1 右の表は，５年生の好きな本の種類とその割合《わりあい》を表したものです。次の問題に答えましょう。

① 童話の百分率《ひゃくぶんりつ》を求めます。下の□にあてはまる数を書きましょう。また，童話の百分率《ひゃくぶんりつ》をあに書きましょう。

32÷□×100＝□(％)

② 文学の百分率《ひゃくぶんりつ》を求めて，いに書きましょう。

式

③ 種類別の百分率《ひゃくぶんりつ》の合計をうに書きましょう。

好きな本の種類の割合《わりあい》

種類	人数(人)	百分率《ひゃくぶんりつ》(％)
童話	32	あ(　　)
文学	24	い(　　)
科学	12	15
社会	8	10
その他	4	5
合計	80	う(　　)

できたシール〈帯グラフの見方〉

2 下の帯グラフは，A《エー》市の土地利用の割合《わりあい》を表したものです。次の問題に答えましょう。

土地利用の割合《わりあい》

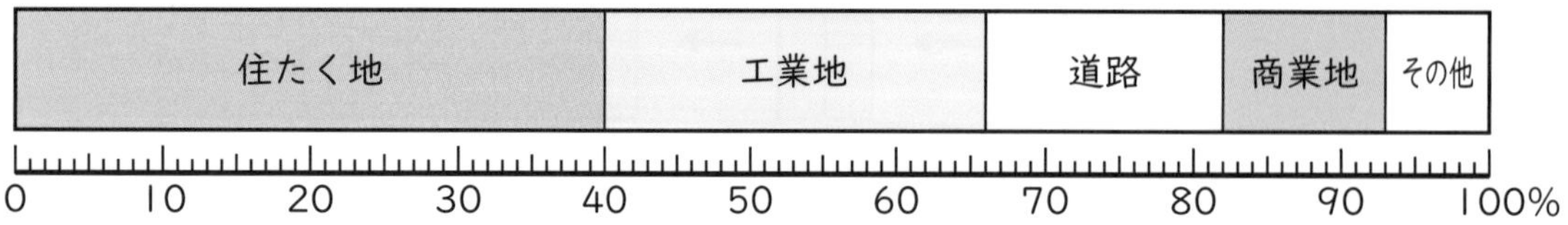

① グラフの１目もりは，何％を表していますか。　(　　)

② 住たく地は全体の何％ですか。　(　　)

③ 工業地は全体の約何分の一ですか。　(　　)

できたシール〈円グラフに表す〉

3 次の表を円グラフに表しましょう。

職業《しょくぎょう》別人口の割合《わりあい》

工業	商業	農業	その他
36％	30％	25％	9％

職業《しょくぎょう》別人口の割合《わりあい》

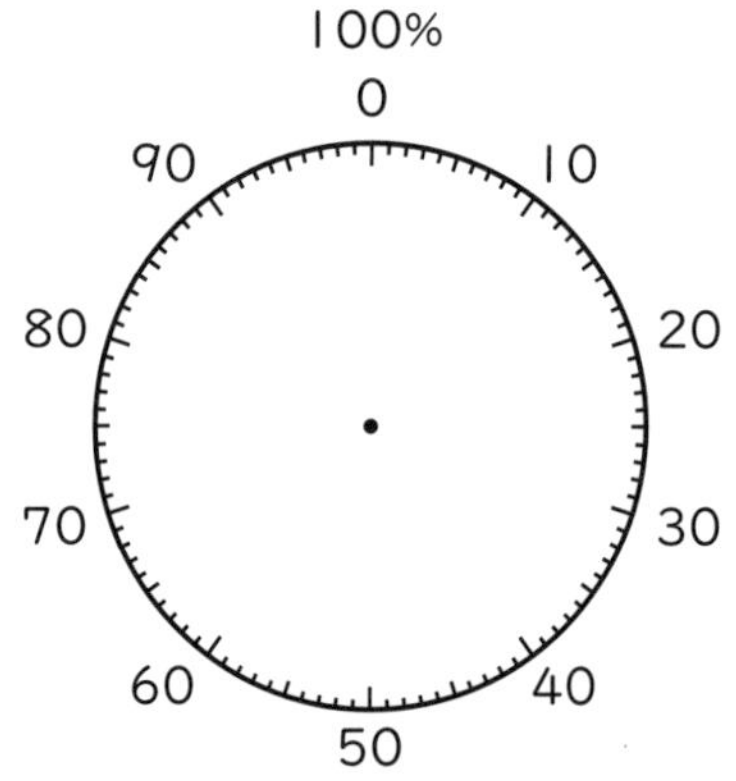

16回 割合《わりあい》

学習日　月　日

合格《ごうかく》シール
全問正解《せいかい》にできたら合格《ごうかく》シールをはろう！

できたシール　〈割合《わりあい》〉

1 大人と子どもをあわせると 10 人います。そのうち，大人は 6 人です。

① 大人 6 人の割合《わりあい》は，全体のどれだけになりますか。

式

答え（　　　）

② 30％のように，％(パーセント)で表した割合《わりあい》のことを何といいますか。

（　　　）

③ 大人 6 人の割合《わりあい》は，全体の何％ですか。（　　　）

できたシール　〈割合《わりあい》を求める〉

2 次の割合《わりあい》を求めましょう。

① 50 人をもとにしたときの 10 人の割合《わりあい》

式

答え（　　　）

② 4m をもとにしたときの 6m の割合《わりあい》

式

答え（　　　）

できたシール　〈小数で表した割合《わりあい》を百分率《ひゃくぶんりつ》で表す〉

3 次の小数で表した割合《わりあい》を百分率《ひゃくぶんりつ》で表しましょう。

① 0.05（　　　）　② 0.24（　　　）　③ 1.2（　　　）

できたシール　〈百分率《ひゃくぶんりつ》で表した割合《わりあい》を小数で表す〉

4 次の百分率《ひゃくぶんりつ》で表した割合《わりあい》を小数で表しましょう。

① 4％（　　　）　② 15％（　　　）　③ 70％（　　　）

できたシール　〈歩合《ぶあい》〉

5 次の問題に答えましょう。

① 0.1 を 1 割《わり》，0.01 を 1 分《ぶ》，0.001 を 1 厘《りん》とした割合《わりあい》の表し方を何といいますか。

（　　　）

② 0.345 の割合《わりあい》を歩合《ぶあい》で表しましょう。（　　　）

③ 2 割《わり》7 分《ぶ》6 厘《りん》を小数で表しましょう。（　　　）

できなかったところは、もう一度やってみましょう。正しく直せたら**できたシール**をはりましょう。

15回 速さ

学習日　月　日

合格《ごうかく》シール

全問正解《せいかい》にできたら合格《ごうかく》シールをはろう！

できたシール　〈速さ〉

1 次の速さを求めましょう。

① 130km を 2 時間で走った自動車の時速

式　　答え（　　）

② 800m を 5 分で走った自転車の分速

式　　答え（　　）

③ 144m を 9 秒で走った馬の秒速

式　　答え（　　）

できたシール　〈時速・分速・秒速の関係〉

2 次の問題に答えましょう。

① 時速 30km は分速何 m ですか。

式　　答え（　　）

② 時速 72km は秒速何 m ですか。

式　　答え（　　）

できたシール　〈道のり〉

3 次の道のりを求めましょう。

① 時速 80km の電車が 3 時間に走る道のり

式　　答え（　　）

② 分速 240m の自転車が 5 分間に走る道のり

式　　答え（　　）

できたシール　〈時間〉

4 次の時間を求めましょう。

① 時速 45km の自動車が 135km 走るのにかかる時間

式　　答え（　　）

② 秒速 32m のチーターが 256m 走るのにかかる時間

式　　答え（　　）

14回 単位量あたりの大きさ

学習日　月　日

合格《ごうかく》シール
全問正解《せいかい》にできたら合格《ごうかく》シールをはろう！

できたシール 〈1 m^2 あたりの量を求める〉

1 右の表は，はるとさんとひまりさんの家の畑の面積とその畑からとれたじゃがいもの量を表したものです。

畑の面積とじゃがいもの量

	面積(m^2)	じゃがいもの量(kg)
はるとさんの家	50	120
ひまりさんの家	60	150

① はるとさんの家の畑とひまりさんの家の畑では，1 m^2 あたりそれぞれ何 kg のじゃがいもがとれましたか。

（はるとさんの家）

式

答え（　　　）

（ひまりさんの家）

式

答え（　　　）

② どちらの家の畑のほうが，1 m^2 あたり多くとれたといえますか。

（　　　）

できたシール 〈1 kg あたりの広さを求める〉

2 1 の表で，はるとさんの家の畑とひまりさんの家の畑では，とれたじゃがいも 1 kg あたりの畑の面積はそれぞれ何 m^2 ですか。わり切れないときは，答えを四捨五入《ししゃごにゅう》して，$\frac{1}{100}$ の位まで求めましょう。

（はるとさんの家）

式

答え（　　　）

（ひまりさんの家）

式

答え（　　　）

できたシール 〈人口密度《みつど》〉

3 右の表は，A《エー》市とB《ビー》市の人口と面積を表したものです。それぞれの市の人口密度《みつど》（1 km^2 あたりの人口）を，四捨五入《ししゃごにゅう》して上から 2 けたのがい数で求めましょう。

人口と面積

	人口（万人）	面積(km^2)
A《エー》市	15	410
B《ビー》市	22	580

（A《エー》市） 式

答え（　　　）

（B《ビー》市） 式

答え（　　　）

できなかったところは、もう一度やってみましょう。正しく直せたら**できたシール**をはりましょう。

13回　体積

学習日　　月　　日

合格《ごうかく》シール
全問正解《せいかい》にできたら合格《ごうかく》シールをはろう！

できたシール　〈体積〉

1 1辺が1cmの立方体の積み木を使って，いろいろな形をつくりました。それぞれの形の体積は何 cm^3 ですか。

①
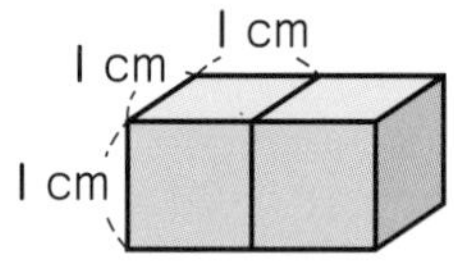

②
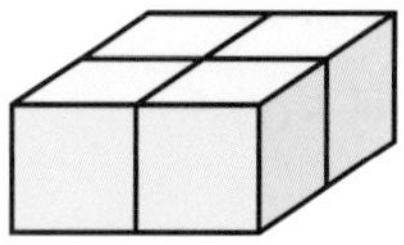

③
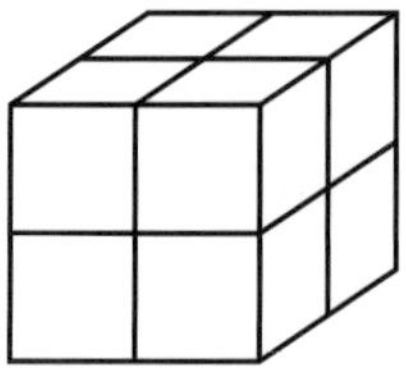

（　　　）　（　　　）　（　　　）

できたシール　〈直方体と立方体の体積〉

2 次の直方体や立方体の体積を求めましょう。

① 式
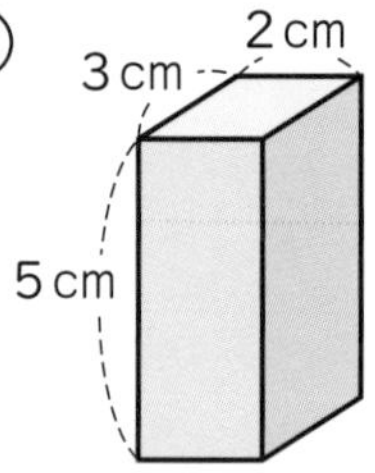

答え（　　　）

② 式
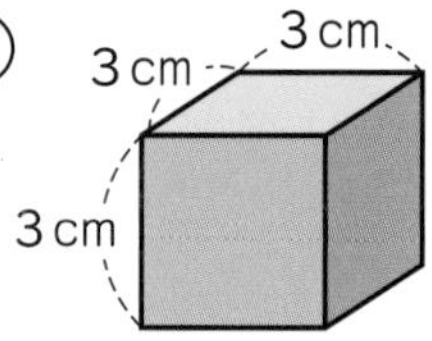

答え（　　　）

③ 式
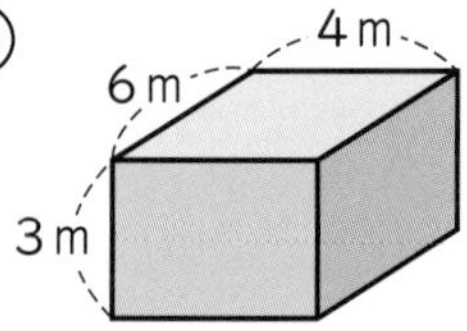

答え（　　　）

できたシール　〈m^3 と cm^3，L と cm^3〉

3 次の□にあてはまる数を書きましょう。

① $1m^3$ = □ cm^3　　② 1L = □ cm^3

③ 立方体の1辺の長さを10倍すると，体積は□倍になります。

できたシール　〈いろいろな形の体積〉

4 次の図のような形の体積を求めましょう。

① 式
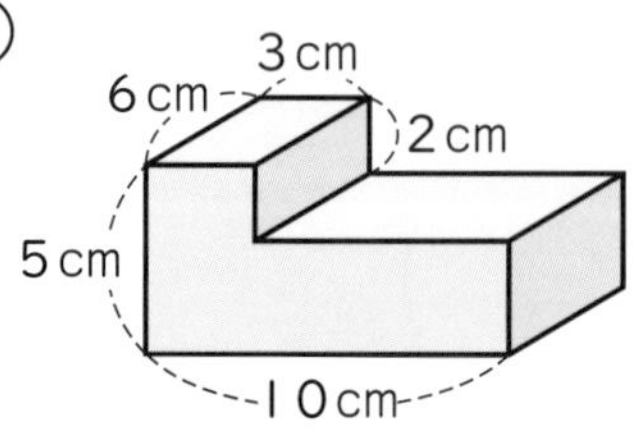

答え（　　　）

② 式
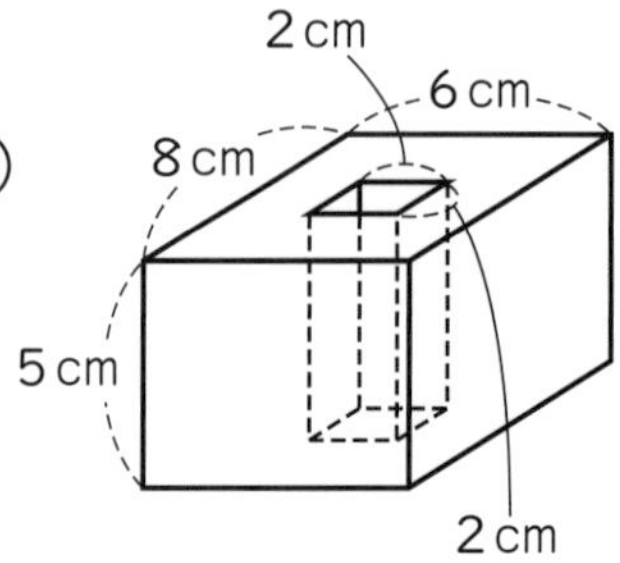

答え（　　　）

面積

学習日　月　日

合格《ごうかく》シール
全問正解《せいかい》に
できたら
合格《ごうかく》シール
をはろう！

できたシール 〈平行四辺形の底辺と高さ〉

1 右の図の平行四辺形で，次の辺を底辺としたときの高さは何 cm ですか。

① 辺イウを底辺としたとき（　　　）

② 辺アイを底辺としたとき（　　　）

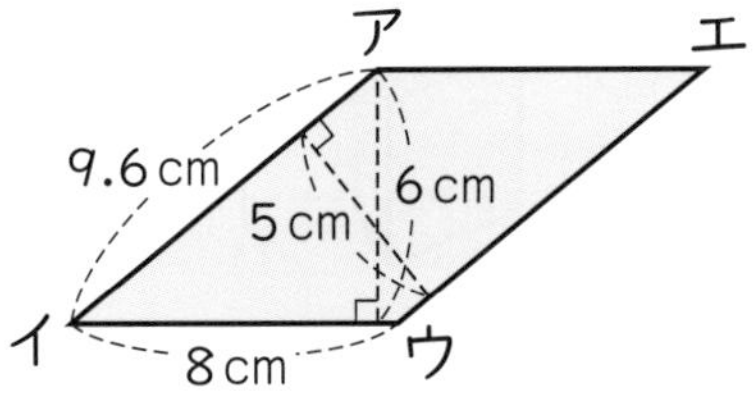

できたシール 〈三角形の底辺と高さ〉

2 右の図の三角形で，次の辺を底辺としたときの高さは何 cm ですか。

① 辺イウを底辺としたとき（　　　）

② 辺アウを底辺としたとき（　　　）

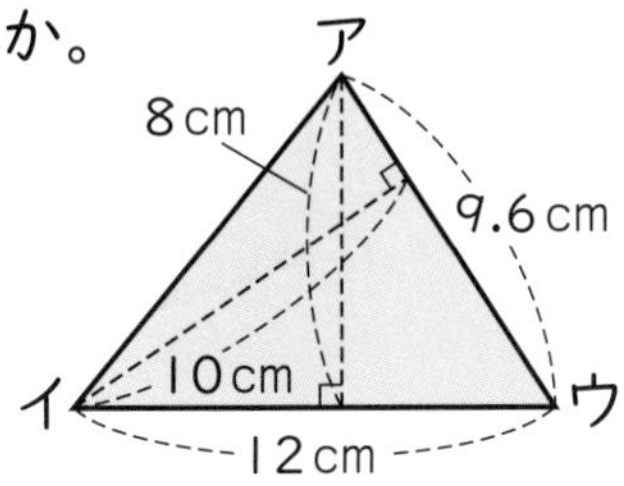

できたシール 〈平行四辺形，三角形，ひし形，台形の面積〉

3 次の図形の面積を求めましょう。

①

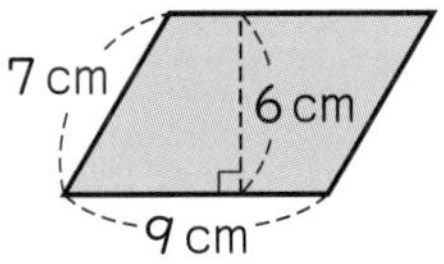

（平行四辺形）

式

答え（　　　）

②

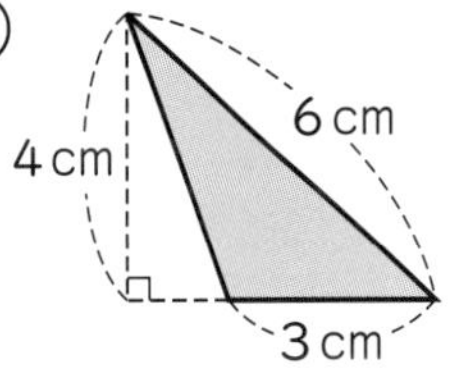

（三角形）

式

答え（　　　）

③

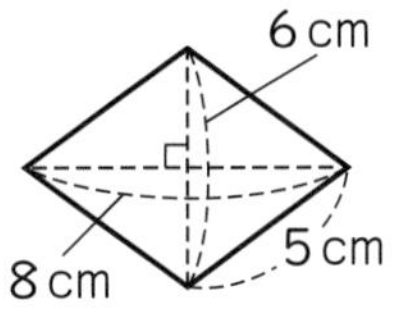

（ひし形）

式

答え（　　　）

④

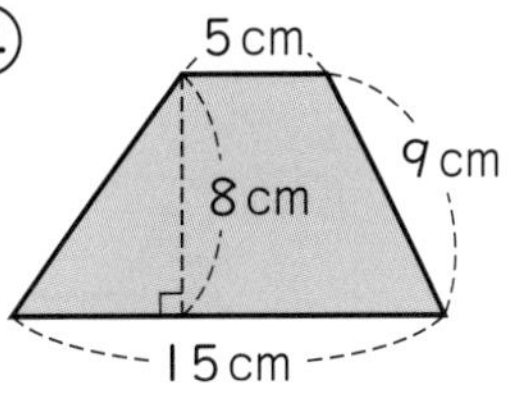

（台形）

式

答え（　　　）

できたシール 〈四角形の面積〉

4 右の四角形の面積を求めましょう。

式

答え（　　　）

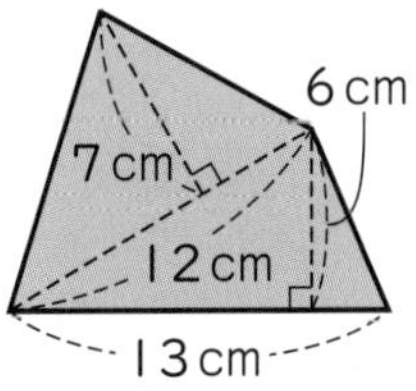

できなかったところは、もう一度やってみましょう。正しく直せたら**できたシール**をはりましょう。

角柱と円柱

学習日　　月　　日

合《ごう》格《かく》シール　全問正解《せいかい》にできたら合格《ごうかく》シールをはろう！

できたシール〈立体の名前〉

1 次の立体の名前を書きましょう。

① 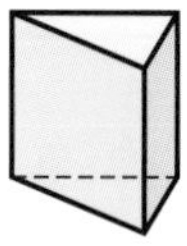 （　　　　　）　② 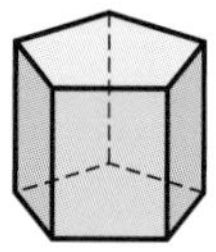 （　　　　　）　③ 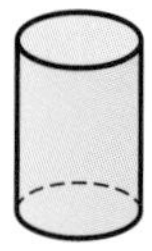 （　　　　　）

できたシール〈角柱の底面，側面，高さ〉

2 下の角柱の㋐の面と㋑の面，㋒をそれぞれ何といいますか。

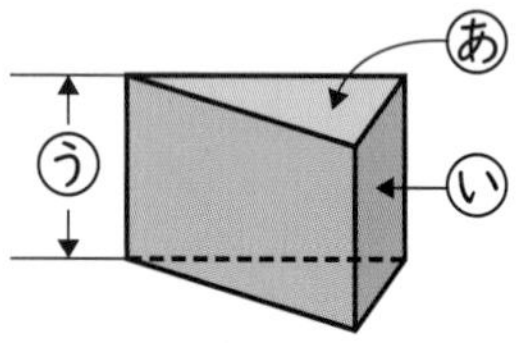

㋐（　　　　　）　㋑（　　　　　）

㋒（　　　　　）

できたシール〈角柱と円柱の性質《せいしつ》〉

3 角柱と円柱について，次の問題に答えましょう。

① 底面はそれぞれいくつありますか。　角柱（　　　　　），円柱（　　　　　）

② 底面は合同ですか，合同ではありませんか。

角柱（　　　　　），円柱（　　　　　）

③ 側面は平面ですか，曲面ですか。　角柱（　　　　　），円柱（　　　　　）

できたシール〈角柱のてん開図〉

4 次のてん開図を組み立てたとき，三角柱ができるのはどれですか。全部選んで，記号で答えましょう。

㋐ 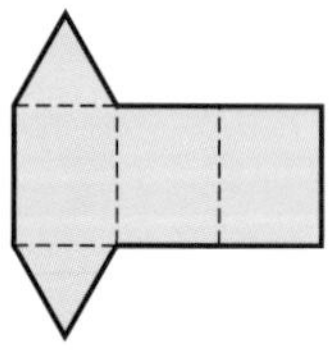　㋑ 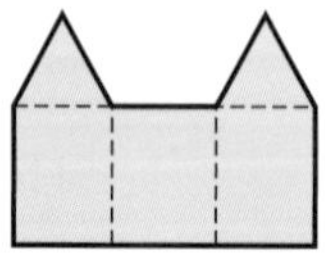　㋒ 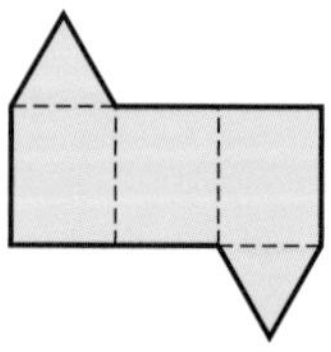

（　　　　　）

できたシール〈円柱の見取図，てん開図〉

5 右の図は，円柱の見取図とそのてん開図です。

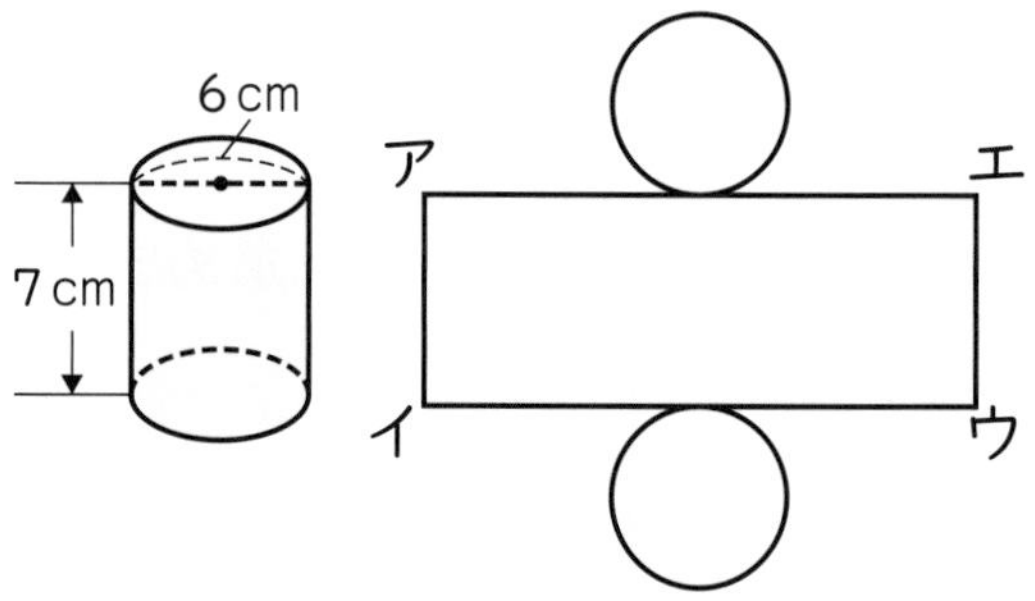

① てん開図の長方形アイウエは，底面ですか，側面ですか。（　　　　　）

② 辺アイの長さは何 cm ですか。（　　　　　）

10回 合同な図形

学習日
月　　日

合格《ごうかく》シール
全問正解《せいかい》にできたら合格《ごうかく》シールをはろう！

できたシール 〈合同な図形〉

1 次の㋐～㋘の中から，合同な図形を２組選んで答えましょう。

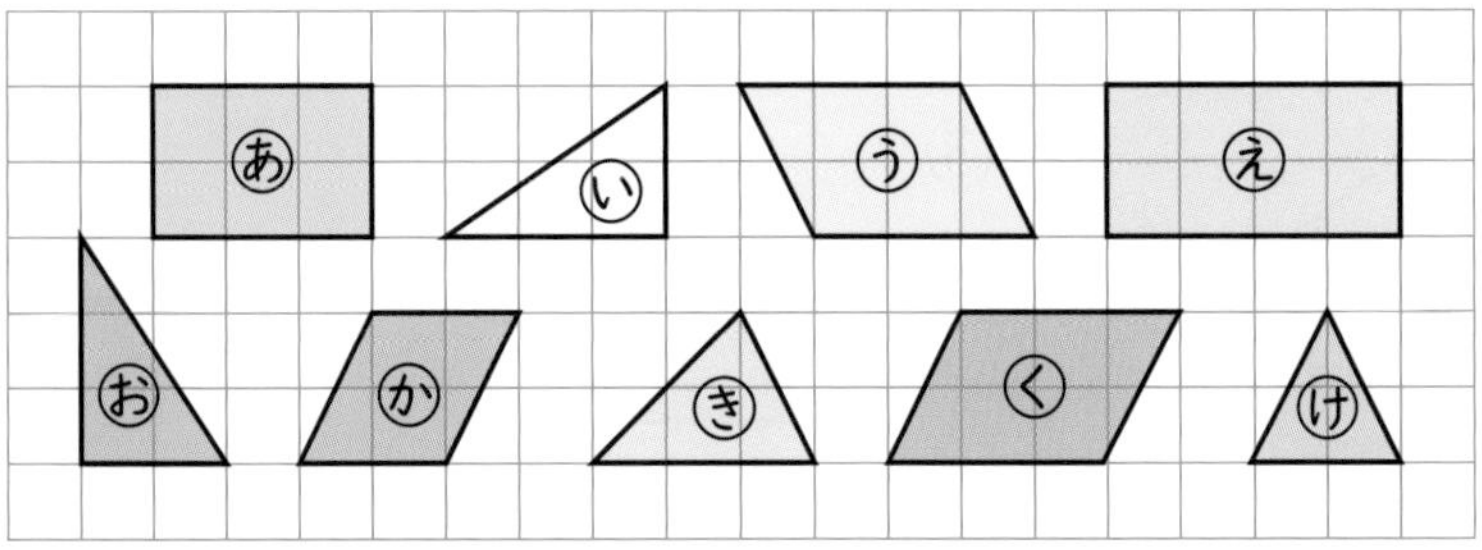

（　　と　　），
（　　と　　）

できたシール 〈対応《たいおう》する頂点《ちょうてん》，角，辺〉

2 下の２つの四角形は合同です。次の問題に答えましょう。

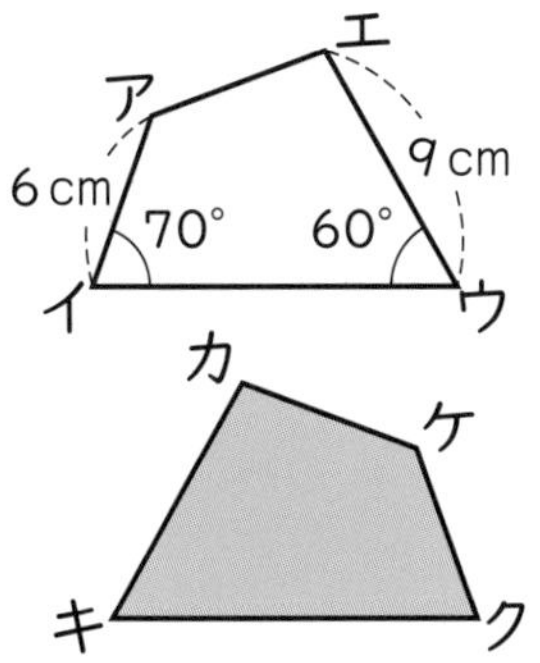

① 頂点《ちょうてん》アに対応《たいおう》する頂点《ちょうてん》はどれですか。　（　　）

② 角イに対応《たいおう》する角はどれですか。　（　　）

③ 辺ケクの長さは何 cm ですか。　（　　）

④ 角キの大きさは何度ですか。　（　　）

できたシール 〈対角線で分けた形〉

3 次の図は，平行四辺形アイウエに２本の対角線をひいたものです。

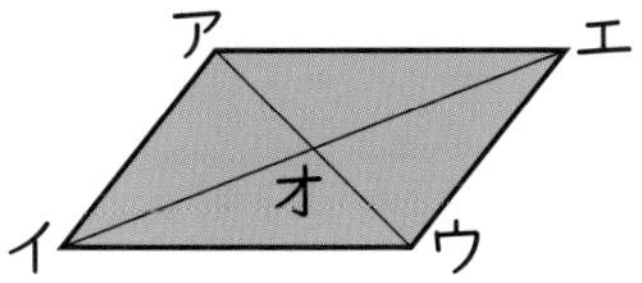

① 三角形アイウと合同な三角形はどれですか。
（　　）

② 三角形アイオと合同な三角形はどれですか。
（　　）

できたシール 〈合同な三角形をかく〉

4 次の三角形アイウと合同な三角形をかきましょう。

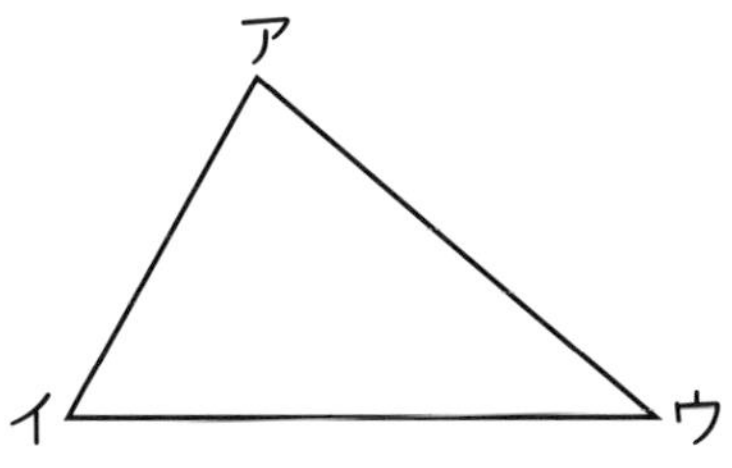

できなかったところは、もう一度やってみましょう。正しく直せたら**できたシール**をはりましょう。

9回 正多角形と円

学習日 月 日

合格《ごうかく》シール

全問正解《せいかい》に
できたら
合格《ごうかく》シール
をはろう！

できたシール 〈正多角形の名前〉

1 下の図は，どの辺の長さも，どの角の大きさも等しくなっています。それぞれの名前を書きましょう。

① 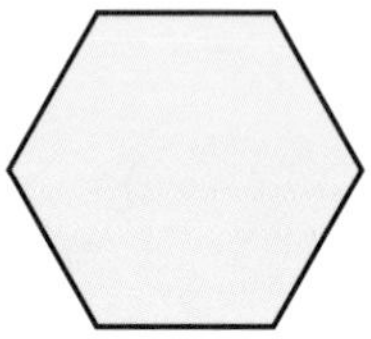

（　　　　）

② 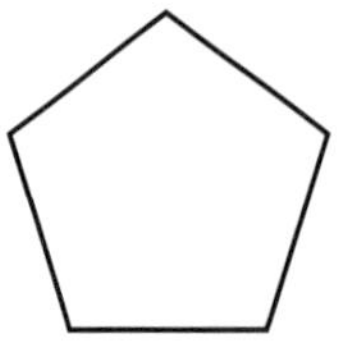

（　　　　）

③ 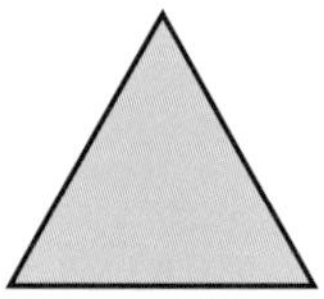

（　　　　）

④ 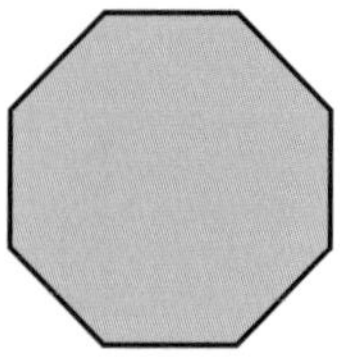

（　　　　）

できたシール 〈正多角形と円〉

2 右の図は，正五角形です。

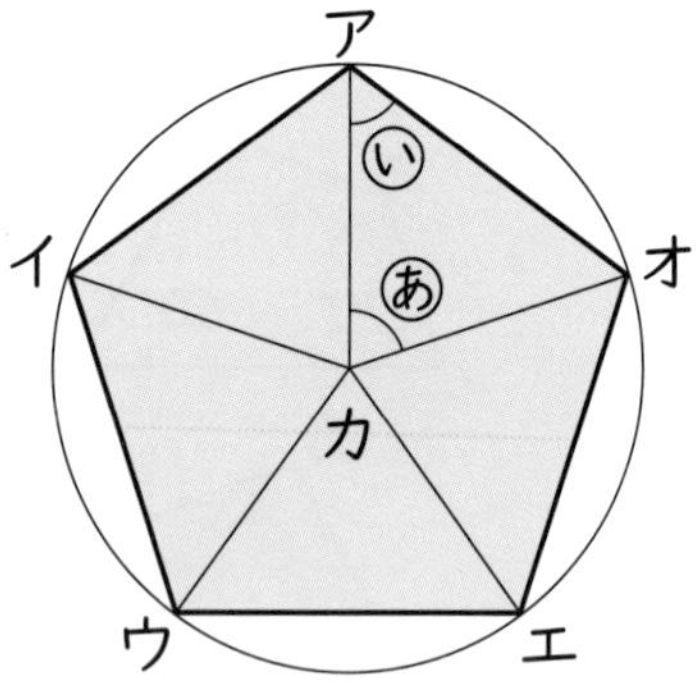

① 角㋐の大きさは何度ですか。

式

答え（　　　　）

② 角㋑の大きさは何度ですか。

式

答え（　　　　）

できたシール 〈円周と円周率《りつ》〉

3 次の□にあてはまることばを書きましょう。

① 円のまわりを□といいます。　② 円周＝直径×□

できたシール 〈円周の長さ〉

4 次のような円の円周の長さは何 cm ですか。

① 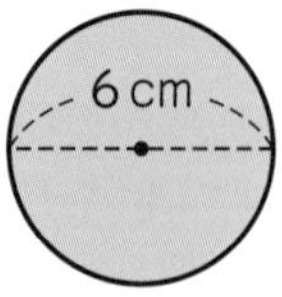

式

答え（　　　　）

② 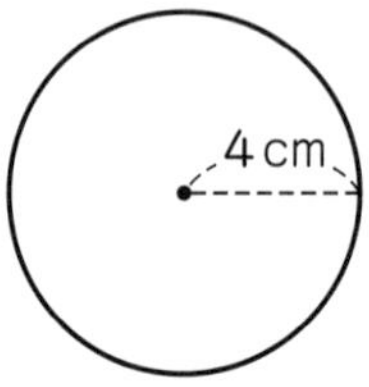

式

答え（　　　　）

できたシール 〈いろいろな形のまわりの長さ〉

5 次のような図のまわりの長さは何 cm ですか。

① 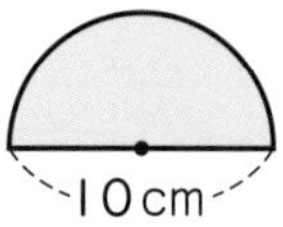

式

答え（　　　　）

② 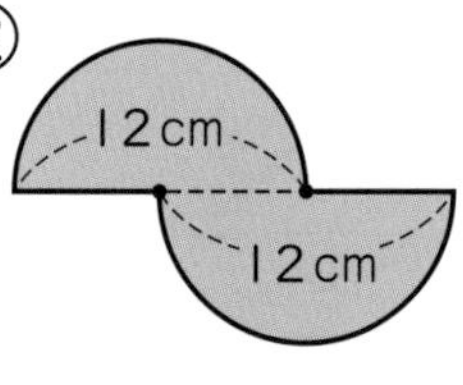

式

答え（　　　　）

角の大きさ

学習日　　月　　日

合格《ごうかく》シール
全問正解《せいかい》にできたら合格《ごうかく》シールをはろう！

できたシール 〈三角形や四角形の角の大きさの和〉

1 次の問題に答えましょう。

① 三角形の 3 つの角の大きさの和は何度ですか。

(　　　　)

② 四角形の 4 つの角の大きさの和は何度ですか。

(　　　　)

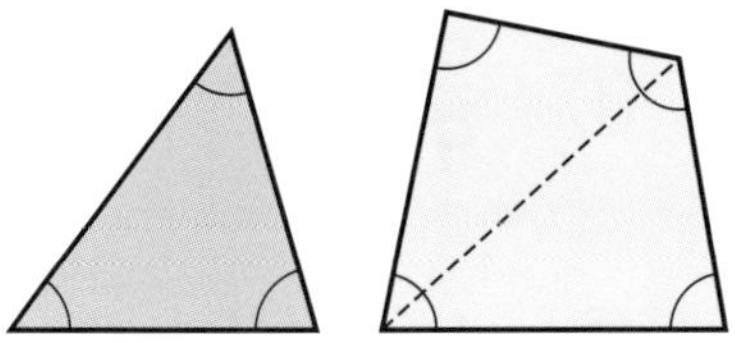

できたシール 〈三角形の角〉

2 次の三角形のあの角度を計算で求めましょう。

①

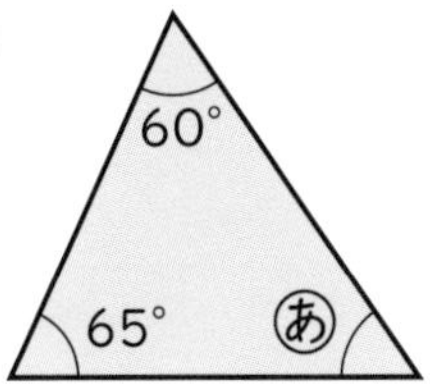

式

答え (　　　　)

②

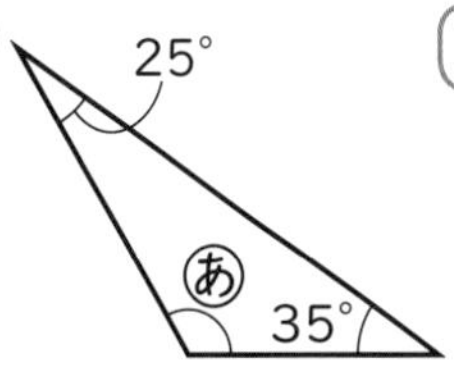

式

答え (　　　　)

できたシール 〈二等辺三角形の角〉

3 次の二等辺三角形のあの角度を計算で求めましょう。

①

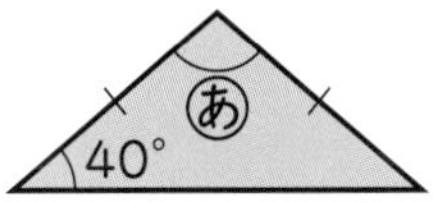

式

答え (　　　　)

②

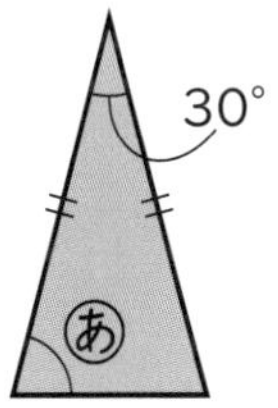

式

答え (　　　　)

できたシール 〈三角形の内側の角と外側の角〉

4 次の図のあの角度を計算で求めましょう。

①

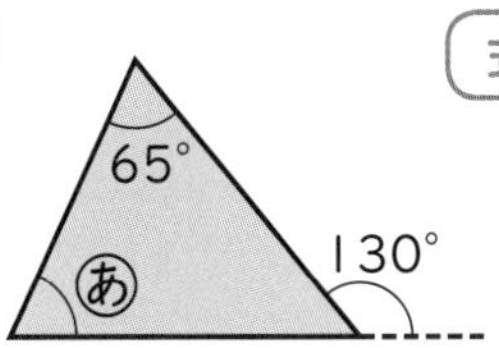

式

答え (　　　　)

②

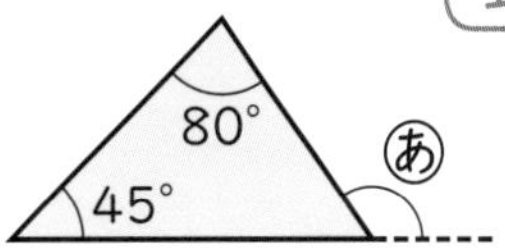

式

答え (　　　　)

できたシール 〈四角形の角〉

5 次の四角形のあの角度を計算で求めましょう。

①

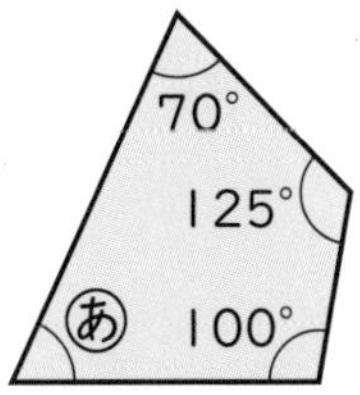

式

答え (　　　　)

②

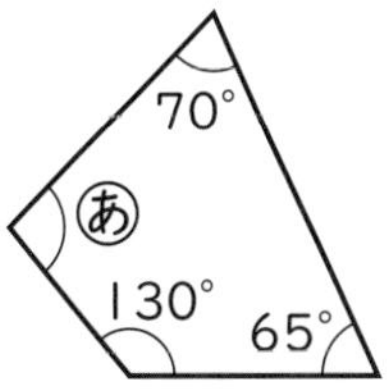

式

答え (　　　　)

できなかったところは、もう一度やってみましょう。正しく直せたら**できたシール**をはりましょう。

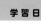

7回 分数のたし算とひき算

学習日 月 日

合格《ごうかく》シール
全問正解《せいかい》にできたら合格《ごうかく》シールをはろう！

できたシール 〈分母のちがう分数のたし算〉

1 次の計算をしましょう。

① $\frac{2}{9}+\frac{1}{3}=$

② $1\frac{2}{3}+\frac{1}{4}=$

③ $1\frac{3}{4}+1\frac{5}{6}=$

できたシール 〈答えが約分できる分数のたし算〉

2 次の計算をしましょう。

① $\frac{1}{18}+\frac{1}{6}=$

② $1\frac{7}{10}+\frac{7}{15}=$

③ $2\frac{3}{4}+3\frac{5}{12}=$

できたシール 〈３つの分数のたし算〉

3 次の計算をしましょう。

① $\frac{1}{3}+\frac{1}{4}+\frac{1}{8}=$

② $\frac{1}{6}+\frac{2}{5}+\frac{3}{10}=$

できたシール 〈分数と小数のたし算〉

4 次の計算をしましょう。

① $\frac{1}{5}+0.3=$

② $0.75+\frac{1}{4}=$

できたシール 〈分母のちがう分数のひき算〉

5 次の計算をしましょう。

① $\frac{1}{4}-\frac{1}{8}=$

② $2\frac{4}{5}-\frac{1}{2}=$

③ $2\frac{1}{4}-1\frac{2}{3}=$

できたシール 〈答えが約分できる分数のひき算〉

6 次の計算をしましょう。

① $\frac{2}{3}-\frac{1}{6}=$

② $1\frac{9}{10}-\frac{5}{6}=$

③ $1\frac{2}{9}-\frac{7}{18}=$

できたシール 〈３つの分数のたし算とひき算〉

7 次の計算をしましょう。

① $\frac{5}{6}+\frac{1}{3}-\frac{3}{4}=$

② $\frac{8}{9}-\frac{1}{3}-\frac{1}{18}=$

できたシール 〈分数と小数のひき算〉

8 次の計算をしましょう。

① $\frac{1}{2}-0.1=$

② $0.25-\frac{1}{8}=$

6回 小数のわり算

学習日　月　日

合格《ごうかく》シール
全問正解《せいかい》にできたら合格《ごうかく》シールをはろう！

できたシール〈整数÷小数の計算〉

1 次の計算をしましょう。

① 4÷0.5＝

② 18÷0.3＝

できたシール〈小数÷小数〉

2 次の計算をしましょう。

① 1.4)9.8　　② 0.26)7.54

できたシール〈整数÷小数，わり進む〉

3 次の計算をわり切れるまでしましょう。

① 2.4)6　　② 3.75)9

できたシール〈小数÷小数，わり進む〉

4 次の計算をわり切れるまでしましょう。

① 3.5)8.4　　② 0.6)4.5

③ 1.26)5.67　　④ 4.5)7.02

できたシール〈小数÷小数，わり進む，商の一の位が 0〉

5 次の計算をわり切れるまでしましょう。

① 1.6)0.4　　② 7.5)4.65

できたシール〈あまりを出すわり算〉

6 次の商を一の位まで求め，あまりも出しましょう。次に，答えのたしかめをしましょう。

① 12.3÷5.8＝□ あまり □

② （答えのたしかめ）

5.8×□＋□＝12.3

できたシール〈商をがい数で求める〉

7 次の商を四捨五入《ししゃごにゅう》して $\frac{1}{10}$ の位までのがい数で求め，答えを書きましょう。

① 2.7)14　　② 3.8)1.65

（　　）　（　　）

できたシール〈商とわられる数の大小〉

8 商が 9 より大きくなるものを選び，記号で答えましょう。

㋐ 9÷1.03　　㋑ 9÷0.8

（　　）

できなかったところは、もう一度やってみましょう。正しく直せたら**できたシール**をはりましょう。

5回 小数のかけ算

学習日 月 日

合格《ごうかく》シール

全問正解《せいかい》に できたら 合格《ごうかく》シール をはろう！

できた シール 〈暗算でする整数×小数の計算〉

1 次の計算をしましょう。

① $2\times0.4=$

② $60\times0.3=$

③ $5\times0.07=$

④ $40\times0.06=$

できた シール 〈整数×小数〉

2 次の計算をしましょう。

① 18×1.4　　② 262×2.7

③ 25×1.63　　④ 196×0.21

できた シール 〈小数×小数〉

3 次の計算をしましょう。

① 2.4×0.6　　② 5.7×3.8

③ 24.7×1.25　　④ 9.6×0.37

できた シール 〈小数×小数，積の最後が 0 になる〉

4 次の計算をしましょう。

① 0.5×9.8　　② 7.6×4.5

③ 3.05×1.2　　④ 0.75×2.4

できた シール 〈小数×小数，積に 0 をつけたす〉

5 次の計算をしましょう。

① 0.8×0.9　　② 1.6×0.6

③ 1.23×0.4　　④ 0.92×0.28

できた シール 〈積とかけられる数の大小〉

6 積が 7 より小さくなるものを選び，記号で答えましょう。

㋐ 7×1.2　　㋑ 7×0.91

（　　）

できなかったところは、もう一度やってみましょう。正しく直せたら**できたシール**をはりましょう。

4回　分数

学習日　　月　　日

合格《ごうかく》シール
全問正解《せいかい》に できたら 合格《ごうかく》シールをはろう！

できたシール　〈大きさの等しい分数〉

1 次の分数と同じ大きさの分数になるように，□にあてはまる数を書きましょう。

① $\frac{1}{4}=\frac{\square}{8}$　② $\frac{2}{3}=\frac{\square}{9}$　③ $\frac{8}{12}=\frac{\square}{3}$

できたシール　〈約分〉

2 次の分数を約分しましょう。

① $\frac{2}{6}=$　② $1\frac{9}{15}=$　③ $\frac{18}{45}=$

できたシール　〈通分〉

3 次の（　）の中の分数を通分しましょう。（共通の分母は，2 つの分母の最小公倍数にしましょう。）

① $\left(\frac{1}{2},\ \frac{1}{3}\right)$　（　　，　　）　② $\left(\frac{2}{3},\ \frac{7}{9}\right)$　（　　，　　）

③ $\left(1\frac{1}{6},\ 1\frac{2}{9}\right)$　（　　，　　）　④ $\left(\frac{5}{8},\ \frac{7}{12}\right)$　（　　，　　）

できたシール　〈分数の大小〉

4 次の□にあてはまる不等号を書きましょう。

① $\frac{3}{4}\ \square\ \frac{3}{5}$　② $\frac{5}{6}\ \square\ \frac{8}{9}$　③ $2\frac{13}{15}\ \square\ 2\frac{5}{6}$

できたシール　〈時間の単位をかえて分数で表す〉

5 次の□にあてはまる分数を書きましょう。（分数は約分して答えましょう。）

① 15 分＝□時間　② 40 分＝□時間

③ 90 分＝□時間　④ 45 秒＝□分

できなかったところは、もう一度やってみましょう。正しく直せたら**できたシール**をはりましょう。

3回 倍数と約数

学習日　　月　　日

合格《ごうかく》シール

全問正解《せいかい》にできたら合格《ごうかく》シールをはろう！

できたシール 〈偶数《ぐうすう》と奇数《きすう》〉

1 次の数で偶数《ぐうすう》には○，奇数《きすう》には×を書きましょう。

① 19　（　　）　② 42　（　　）　③ 0　（　　）

できたシール 〈倍数〉

2 次の数の倍数を小さいほうから順に３つ書きましょう。

① ３の倍数　（　　　　）

② 11から20までの整数のうち，４の倍数　（　　　　）

できたシール 〈公倍数〉

3 次の２つの数の公倍数を，小さいほうから順に３つ書きましょう。

① ２と３　（　　　　）　② ６と８　（　　　　）

できたシール 〈最小公倍数〉

4 次の各組の数の最小公倍数を求めましょう。

① （3，7）　（　　）　② （5，15）　（　　）　③ （4，6）　（　　）

できたシール 〈約数〉

5 次の数の約数を，小さいほうから順に全部書きましょう。

① 5　（　　　　）　② 16　（　　　　）

できたシール 〈公約数〉

6 次の２つの数の公約数を全部書きましょう。

① 8と12　（　　　　）　② 9と18　（　　　　）

できたシール 〈最大公約数〉

7 次の各組の数の最大公約数を求めましょう。

① （6，9）　（　　）　② （8，16）　（　　）　③ （30，45）　（　　）

できなかったところは、もう一度やってみましょう。正しく直せたら**できたシール**をはりましょう。

2回 分数と小数

学習日　月　日

合格《ごうかく》シール

全問正解《せいかい》にできたら合格《ごうかく》シールをはろう！

できたシール〈わり算の商と分数〉

1 次のわり算の商を分数で表しましょう。

① $3 \div 4 =$　　② $5 \div 9 =$　　③ $7 \div 6 =$

できたシール〈分数を小数で表す〉

2 次の分数を小数で表しましょう。

① $\frac{4}{5} =$　　② $\frac{9}{20} =$

③ $\frac{3}{8} =$　　④ $\frac{11}{4} =$

できたシール〈分数を整数で表す〉

3 次の分数を整数で表しましょう。

① $\frac{6}{1} =$　　② $\frac{14}{2} =$　　③ $\frac{80}{16} =$

できたシール〈分数を小数で表す，わり切れないもの〉

4 次の分数を，四捨五入《ししゃごにゅう》して$\frac{1}{100}$の位までの小数で表しましょう。

① $\frac{5}{6}$　(　　　　)　　② $\frac{9}{7}$　(　　　　)

できたシール〈小数を分数で表す〉

5 次の小数を分数で表しましょう。

① $0.7 =$　　② $0.39 =$

③ $1.23 =$　　④ $0.201 =$

できたシール〈分数と小数の大小〉

6 次の□にあてはまる等号，不等号を書きましょう。

① $\frac{1}{2}$ □ 0.6　　② 0.27 □ $\frac{3}{10}$

③ 0.75 □ $\frac{3}{4}$　　④ $1\frac{5}{8}$ □ 1.6

できなかったところは、もう一度やってみましょう。正しく直せたら**できたシール**をはりましょう。

整数と小数

学習日
月　日

合格《ごうかく》シール
全問正解《せいかい》に
できたら
合格《ごうかく》シール
をはろう！

⬇答え合わせをして、答えが合っていたら、ここに**できたシール**をはろう。

できた シール 〈整数や小数のしくみ〉

1 次の□にあてはまる数を書きましょう。

① 914＝100×□＋10×□＋1×□

② 13.25＝10×□＋1×□＋0.1×□＋0.01×□

③ 2.867＝1×□＋0.1×□＋0.01×□＋0.001×□

できた シール 〈10倍，100倍，1000倍した数〉

2 次の数を書きましょう。

① 4.15 を 10 倍した数　（　　　　）

② 0.93 を 100 倍した数　（　　　　）

③ 6.01 を 1000 倍した数　（　　　　）

できた シール 〈$\frac{1}{10}$，$\frac{1}{100}$，$\frac{1}{1000}$にした数〉

3 次の数を書きましょう。

① 52.6 を $\frac{1}{10}$ にした数　（　　　　）

② 180 を $\frac{1}{100}$ にした数　（　　　　）

③ 367.4 を $\frac{1}{1000}$ にした数　（　　　　）

できた シール 〈計算で数を求める〉

4 次の計算をしましょう。

① 2.35×10＝

② 81.4×100＝

③ 0.196×1000＝

④ 5.17÷10＝

⑤ 49.12÷100＝

⑥ 63.5÷1000＝

英語 しあげテスト

学習日　月　日

得点《とく》　点

合格《ごうかく》シール

全問正解《せいかい》に
できたら
合格《ごうかく》シールをはろう！

055

1 音声を聞いて，内容《ないよう》と合う絵をそれぞれ**ア**と**イ**から選んで（　　）に書きましょう。（1つ10点）

(1)（　　）

ア 

イ 

(2)（　　）

ア 

イ 

(3)（　　）

ア 

イ 

(4)（　　）

ア 

イ 

2 次のプロフィールを見ながら音声を聞いてまねして言ったあと，英語の文を書きましょう。（1つ15点）

・名前：リク
・できること：速く走ること
・ほしいもの：うで時計

I'm Riku.

(1) I can run fast.

____

(2) I want a watch.

____

3 次のインタビューを聞きながら，内容《ないよう》と合う英語を下の（　）から選んで［　　］に書きましょう。（全部書けて1つ15点）

(1) Do you like cats?

［　　　　］, I ［　　　　］.

(Yes / No / Hi)　(am / do / can)

(2) Can you play tennis well?

No, I can't. But I can play ［　　　　］.

(soccer / math / baseball)

Where is my bag?

学習日　月　日

合格《ごうかく》シール
全問正解《せいかい》にできたら合格《ごうかく》シールをはろう！

056

できたシール〈場所について言う文やたずねる文を，音声で聞きとることができる〉

1 音声を聞いて，内容《ないよう》と合う絵をそれぞれ**ア**と**イ**から選んで（　　）に書きましょう。

(1)（　　）

ア

イ

(2)（　　）

ア

イ

(3)（　　）

ア

イ

(4)（　　）

ア

イ
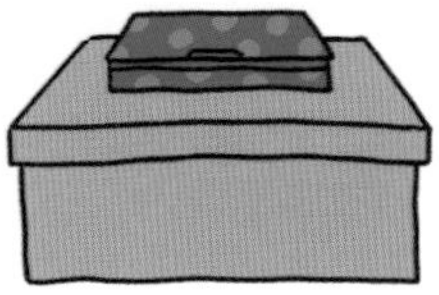

できたシール〈場所について言う文やたずねる文を音声で聞いて，英語を選んで書くことができる〉

2 音声を聞いて，内容《ないよう》と合う英語を下の（　　）から選んで＿＿＿に書きましょう。

(1) ＿＿＿＿＿ is my ball?

(What / Where / When)

(2) It's ＿＿＿＿＿ the desk.

(on / under / in)

できたシール〈場所について言う文やたずねる文を見て書くことができる〉

3 音声を聞いてまねして言ったあと，英語の文を書きましょう。

(1) My hat is on the bed.

＿＿＿＿＿＿＿＿＿＿＿＿＿＿＿

(2) Where is my bag?

＿＿＿＿＿＿＿＿＿＿＿＿＿＿＿

8回 I can play tennis.

学習日　月　日

合格《ごうかく》シール
全問正解《せいかい》にできたら合格《ごうかく》シールをはろう！

057

できたシール〈できることを言う文を，音声で聞きとることができる〉

1 音声を聞いて，内容《ないよう》と合う絵を**ア**～**エ**から選んで（　）に書きましょう。

ア

イ

ウ

エ

(1)（　　）　(2)（　　）　(3)（　　）　(4)（　　）

できたシール〈できることを言う文を音声で聞いて，英語を選んで書くことができる〉

2 音声を聞いて，内容《ないよう》と合う英語を下の（　）から選んで＿＿に書きましょう。

(1) ＿＿＿＿ you jump high?

(Are / Can / Do)

Yes, I can.

(2) Can you play tennis well?

No, I ＿＿＿＿ .

(can't / don't / isn't)

できたシール〈I can ～.やI can't ～.の文を見て書くことができる〉

3 音声を聞いてまねして言ったあと，英語の文を書きましょう。

(1) I can play the guitar.

＿＿＿＿＿＿＿＿＿＿＿＿＿＿＿＿

(2) I can't sing well.

＿＿＿＿＿＿＿＿＿＿＿＿＿＿＿＿

できなかったところは，もう一度やってみましょう。正しく直せたら**できたシール**をはりましょう。

英語

英語の文

7回 He is Shota. He is a singer.

学習日　　月　　日

合格《ごうかく》シール
全問正解《せいかい》にできたら合格《ごうかく》シールをはろう！

058

できたシール〈家族や友だちをしょうかいする文を，音声で聞きとることができる〉

1 音声を聞いて，内容《ないよう》と合う絵をそれぞれ**ア**と**イ**から選んで（　　）に書きましょう。

(1)（　　）

ア

イ

(2)（　　）

ア

イ

(3)（　　）

ア

イ

(4)（　　）

ア

イ

できたシール〈家族や友だちをしょうかいする文を音声で聞いて，英語を選んで書くことができる〉

2 音声を聞いて，内容《ないよう》と合う英語を下の（　　）から選んで［　　］に書きましょう。

(1) ＿＿＿＿ Haruto.

(I am / Are you / He is)

(2) She is my ＿＿＿＿ .

(mother / father / sister)

できたシール〈家族や友だちをしょうかいする文を見て書くことができる〉

3 音声を聞いてまねして言ったあと，英語の文を書きましょう。

(1) He is my brother.

＿＿＿＿＿＿＿＿＿＿

(2) He is good at baseball.

＿＿＿＿＿＿＿＿＿＿

できなかったところは，もう一度やってみましょう。正しく直せたら**できたシール**をはりましょう。

くもんの 小学5年の総復習ドリル

算《さん》数《すう》教《きょう》科《か》書《しょ》対《たい》照《しょう》表《ひょう》 小学5年生

くもんの小学5年の総復習ドリル			教科書のページ					
回数	単元名	ページ	東京書籍 新編 新しい算数 5	啓林館 わくわく算数 5	学校図書 みんなと学ぶ 小学校算数 5年	日本文教出版 小学算数 5年	教育出版 小学 算数 5	大日本図書 新版 たのしい算数 5年
1	整数と小数	54	上8~15	10~15	上12~19	11~16	11~17	16~22
2	分数と小数	53	上108~117	124~129	下20~31	199~210	163~171	154~160
3	倍数と約数	52	上94~107	102~113	上56~73	93~106	101~116	109~121
4	分数	51	下2~17	114~119	下2~9	107~113	117~122	122~128
5	小数のかけ算	50	上40~51	34~49	上94~109	39~52	48~60	43~56
6	小数のわり算	49	上52~63	52~67	上110~126	53~67	82~98	73~93
7	分数のたし算とひき算	48	下2~17	120~122	下10~16	114~117	123~127	129~131, 161
8	角の大きさ	47	上84~93	85~91	上132~144	80~87	72~79	24~37
9	正多角形と円	46	下96~109	194~205	下72~87	173~190	228~244	198~211
10	合同な図形	45	上72~83	76~84	上20~35	69~79	62~72	96~106
11	角柱と円柱	44	下110~119	218~225	下128~139	241~251	246~254	248~259
12	面積	43	下42~62	134~156	下46~69	149~171	204~227	218~237
13	体積	42	上16~31	16~29	下90~105	17~31	18~35	58~72
14	単位量あたりの大きさ	41	下26~31	166~171	上76~89	131~140	142~151	142~151
15	速さ	40	下32~38	226~233	上145~154	141~145	152~160	238~247
16	割合	39	下64~80	174~187	下32~45, 108~118	211~225	174~189	164~180
17	割合とグラフ	38	下82~92	206~215	下119~127	227~240	190~201	181~197
18	比例	37	上32~38	30~33	上36~43	32~38	36~45	40~42
19	小数のかけ算とわり算	36	上40~70	34~49, 52~67	上94~126	39~67	48~60, 82~98	43~56, 73~93
20	分数の問題	35	下2~17	120~129	下10~16, 23~24	114~117	123~127	129~131
21	割合の問題(1)	34	下64~80, 120~121	174~187	下108~118	211~225	174~189	164~180
22	割合の問題(2)	33						
23	平均の問題	32	下18~25	157~165	上44~55	123~130	130~140	134~141
24	いろいろな問題	31	下93~95	94~95, 172~173, 234~241	—	32~38	36~45	260~261

くもんの小《しょう》学《がく》ドリルシリーズとの対《たい》照《しょう》表《ひょう》

総復習《そうふくしゅう》ドリルをやってみて、さらに基礎《きそ》からしっかり学習《がくしゅう》したいときには、この表《ひょう》にある小学《しょうがく》ドリルで学習《がくしゅう》するとよいでしょう。

算数

くもんの小学5年の総復習ドリル 回	単元名	ページ	くもんの小学ドリル
1	整数と小数	54	5年生の数・量・図形
2	分数と小数	53	5年生の数・量・図形
3	倍数と約数	52	5年生の数・量・図形
4	分数	51	5年生の分数
5	小数のかけ算	50	5年生の小数
6	小数のわり算	49	5年生の小数
7	分数のたし算とひき算	48	5年生の分数
8	角の大きさ	47	5年生の数・量・図形
9	正多角形と円	46	5年生の数・量・図形
10	合同な図形	45	5年生の数・量・図形
11	角柱と円柱	44	5年生の数・量・図形
12	面積	43	5年生の数・量・図形
13	体積	42	5年生の数・量・図形
14	単位量あたりの大きさ	41	5年生の数・量・図形
15	速さ	40	5年生の数・量・図形
16	割合	39	5年生の数・量・図形
17	割合とグラフ	38	5年生の数・量・図形
18	比例	37	5年生の数・量・図形
19	小数のかけ算とわり算	36	5年生の文章題
20	分数の問題	35	5年生の文章題
21	割合の問題(1)	34	5年生の文章題
22	割合の問題(2)	33	5年生の文章題
23	平均の問題	32	5年生の文章題
24	いろいろな問題	31	5年生の文章題

国語

くもんの小学5年の総復習ドリル 回	単元名	ページ	くもんの小学ドリル
1	漢字の書き(1)	1	5年生の漢字
2	漢字の書き(2)	2	5年生の漢字
3	漢字の書き(3)	3	5年生の漢字
4	漢字の読み方(1)	4	5年生の漢字
5	漢字の読み方(2)	5	5年生の漢字
6	漢字の組み立て(1)	6	5年生の漢字
7	漢字の組み立て(2)	7	5年生の漢字
8	漢字の使い方(1)	8	5年生の漢字
9	漢字の使い方(2)	9	5年生の漢字
10	漢字の使い方(3)	10	5年生の漢字
11	漢字の使い方(4)	11	5年生の漢字
12	漢字の成り立ち	12	5年生の言葉と文のきまり
13	熟語の組み立て	13	5年生の言葉と文のきまり
14	和語・漢語・外来語	14	5年生の言葉と文のきまり
15	ことばの組み立て	15	5年生の言葉と文のきまり
16	慣用句・ことわざ	16	5年生の言葉と文のきまり
17	文をつなぐことば	17	5年生の言葉と文のきまり
18	敬語	18	5年生の言葉と文のきまり
19	物語の読みとり(1)	19	5年生の文章の読解
20	物語の読みとり(2)	20	5年生の文章の読解
21	説明文の読みとり(1)	21	5年生の文章の読解
22	説明文の読みとり(2)	22	5年生の文章の読解
23	作文(1)	23	5年生の言葉と文のきまり
24	作文(2)	24	5年生の言葉と文のきまり

英語の文

6回 Are you Riko? Do you like soccer?

学習日　　月　　日

合格《ごうかく》シール

全問正解《せいかい》にできたら合格《ごうかく》シールをはろう！

059

できたシール〈相手にたずねる文を，音声で聞きとることができる〉

1 音声を聞いて，内容《ないよう》と合う絵を**ア**～**エ**から選んで（　　）に書きましょう。

ア

イ

ウ

エ

(1)（　　）　(2)（　　）　(3)（　　）　(4)（　　）

できたシール〈相手にたずねる文を音声で聞いて，英語を選んで書くことができる〉

2 音声を聞いて，内容《ないよう》と合う英語を下の（　　）から選んで＿＿に書きましょう。

(1) ＿＿＿＿ you sad?

(Are / Am / Do)

No, I'm not.

(2) ＿＿＿＿ you want a new racket?

(Are / Am / Do)

Yes, I do.

できたシール〈相手にたずねる文や答える文を見て書くことができる〉

3 音声を聞いてまねして言ったあと，英語の文を書きましょう。(1)は絵の人に質問《しつもん》しましょう。(2)は絵の人になったつもりで質問《しつもん》に答えましょう。

(1) Are you busy?

＿＿＿＿＿＿＿＿＿＿＿＿＿＿＿＿

(2)（質問《しつもん》：Do you like soccer?）　Yes, I do.

＿＿＿＿＿＿＿＿＿＿＿＿＿＿＿＿

できなかったところは，もう一度やってみましょう。正しく直せたら**できたシール**をはりましょう。

英語

英語の文

5回

I like soccer.
I have a ball.

学習日　　月　　日

合格《ごうかく》シール
全問正解《せいかい》に
できたら
合格《ごうかく》シール
をはろう！

060

できたシール〈好きなものなどを言う文を，音声で聞きとることができる〉

1 音声を聞いて，内容《ないよう》と合う絵をそれぞれ**ア**と**イ**から選んで（　　）に書きましょう。

(1)（　　）

ア

イ

(2)（　　）

ア

イ

(3)（　　）

ア

イ

(4)（　　）

ア

イ

できたシール〈好きなものなどを言う文を音声で聞いて，英語を選んで書くことができる〉

2 音声を聞いて，内容《ないよう》と合う英語を下の（　　）から選んで ＿＿＿ に書きましょう。

(1) I ＿＿＿＿＿＿ red.

(have / want / like)

(2) I don’t ＿＿＿＿＿＿ a cap.

(like / have / want)

できたシール〈I like ～.とI have ～.の文を見て書くことができる〉

3 音声を聞いてまねして言ったあと，英語の文を書きましょう。

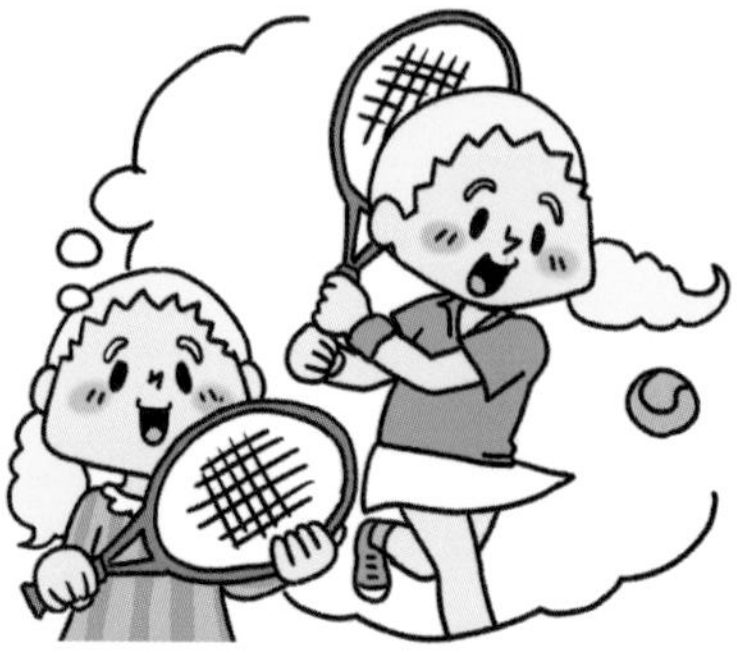

(1) I like tennis.

＿＿＿＿＿＿＿＿＿＿＿＿＿＿＿＿

(2) I have a racket.

＿＿＿＿＿＿＿＿＿＿＿＿＿＿＿＿

4回 I'm Saki. I'm happy.

学習日

月　　日

合格《ごうかく》シール

全問正解《せいかい》にできたら合格《ごうかく》シールをはろう！

061

できたシール 〈自こしょうかいの文を，音声で聞きとることができる〉

1 音声を聞いて，内容《ないよう》と合う絵をそれぞれ**ア**と**イ**から選んで（　　）に書きましょう。

(1)（　　）

ア

イ

(2)（　　）

ア

イ

(3)（　　）

ア

イ

(4)（　　）

ア

イ

できたシール 〈自こしょうかいの文を音声で聞いて，英語を選んで書くことができる〉

2 音声を聞いて，内容《ないよう》と合う英語を下の（　　）から選んで＿＿に書きましょう。

(1) ＿＿＿＿ Yoko.

(Hi / I'm / Hello)

(2) I'm ＿＿＿＿ .

(busy / tired / happy)

できたシール 〈I'm ～.の文を見て書くことができる〉

3 音声を聞いてまねして言ったあと，英語の文を書きましょう。

(1) I'm Ren.

＿＿＿＿＿＿＿＿

(2) I'm hungry.

＿＿＿＿＿＿＿＿

できなかったところは，もう一度やってみましょう。正しく直せたら**できたシール**をはりましょう。

英語

英語の文

3回 あいさつ

学習日　月　日

合格《ごうかく》シール
全問正解《せいかい》にできたら合格《ごうかく》シールをはろう！

062

できたシール〈あいさつの文を，音声で聞きとることができる〉

1 音声を聞いて，内容《ないよう》と合う絵を**ア**～**エ**から選んで（　　）に書きましょう。

ア

イ

ウ

エ

(1)（　　）　(2)（　　）　(3)（　　）　(4)（　　）

できたシール〈あいさつの文を音声で聞いて，英語を選んで書くことができる〉

2 音声を聞いて，内容《ないよう》と合う英語を下の（　　）から選んで＿＿＿に書きましょう。

(1) ＿＿＿＿＿.

(Hi / Hello / Goodbye)

(2) Good ＿＿＿＿＿.

(afternoon / morning / evening)

できたシール〈あいさつの文を見て書くことができる〉

3 音声を聞いてまねして言ったあと，英語の文を書きましょう。

(1) Hi.

＿＿＿＿＿＿＿＿＿＿

(2) Goodbye.

＿＿＿＿＿＿＿＿＿＿

英語

復習《ふくしゅう》

2回 アルファベット②

学習日　　月　　日

合格《ごうかく》シール
全問正解《せいかい》に できたら 合格《ごうかく》シール をはろう！

063

できたシール 〈アルファベットの大文字を順番に書くことができる〉

1 音声を聞きましょう。次に，正しい大文字の順序《じゅんじょ》になるように，文字があるものはなぞって書いて，空いているところには当てはまる文字を書きましょう。

A　　C　　　F　　H　　J　　L　M

O　P　　R　　T　　V　　　Y　Z

できたシール 〈アルファベットの小文字を順番に書くことができる〉

2 音声を聞きましょう。次に，正しい小文字の順序《じゅんじょ》になるように，文字があるものはなぞって書いて，空いているところには当てはまる文字を書きましょう。

　b　　d　e　　g　　i　　k　　　n

　　q　　s　　u　　w　x

できたシール 〈英単語の中でアルファベットを書くことができる〉

3 音声を聞いて，次の絵を表す単語になるように，□に合うアルファベットを書きましょう。

(1) 
pizza
p　zza

(2) 
banana
　anana

(3) 
house
ho　se

(4) 
doctor
d　ctor

(5) 
piano
p　　no

(6) 
cat
c　　

(7) 
girl
g　　l

(8) 
soccer
s　　cer

できなかったところは，もう一度やってみましょう。正しく直せたら**できたシール**をはりましょう。

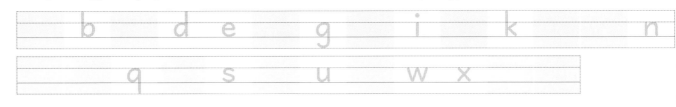

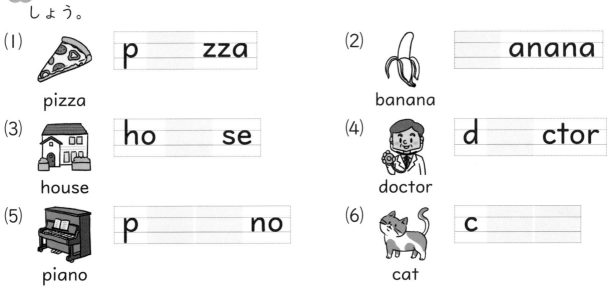

英語

復習《ふくしゅう》

1 回

アルファベット①

学習日

月　日

合格《ごうかく》シール

全問正解《せいかい》にできたら合格《ごうかく》シールをはろう！

音声を聞く準備《じゅんび》をしましょう。

おうちのかたへ 》》 064 があるページは，音声を聞きながら学習を進めます。
数字は，「きくもん」アプリを使うときに入力する，ページ番号です。

音声の聞き方

音声アプリ「きくもん」をダウンロード

❶くもん出版《しゅっぱん》のガイドページにアクセス
❷指示《しじ》にそって，アプリをダウンロード
❸アプリのトップページで「小学5年の総復習《そうふくしゅう》ドリル」を選ぶ
※「きくもん」アプリは無料ですが，ネット接続《せつぞく》の際《さい》の通信料金は別途《べっと》発生いたします。

くもん出版《しゅっぱん》のサイトから，ダウンロード

音声ファイルをダウンロードすることもできます。

できたシール 〈アルファベットの大文字と小文字を書くことができる〉

1 次の大文字と小文字をなぞって書いたあと，となりにもう1度ずつ書き写しましょう。

Aa　Bb　Cc　Dd
Ee　Ff　Gg　Hh
Ii　Jj　Kk　Ll
Mm　Nn　Oo　Pp
Qq　Rr　Ss　Tt
Uu　Vv　Ww　Xx
Yy　Zz

できたシール 〈アルファベットの大文字と小文字を区別して書くことができる〉

2 次のアルファベットをなぞり，大文字はとなりに小文字を，小文字はとなりに大文字を書きましょう。

(1) A　(2) E　(3) H　(4) L
(5) M　(6) O　(7) P　(8) Y
(9) b　(10) c　(11) i　(12) n
(13) r　(14) s　(15) u　(16) y

くもんの小学5年生の総復習ドリル

答えとポイント

＋

［最終チェック問題］

国語・算数

＋

［先取りドリル］

●国語…15～17ページ

●算数…21～18ページ

❶ **答えが合っていたら，「できたシール」をはりましょう。**

答えが合っていたら，まるをつけ，問題のところに「できたシール」（小さいシール）をはりましょう。（シールだけはってもよいです。）

❷ **まちがえたら，ポイントを読んで，正しく直しましょう。**

まちがえたところは，ポイントをよく読んで，もう一度やってみましょう。

英語は，読まれた英語（やく）で音声の英文とそのやくがわかります。

英文の内容《ないよう》を確《かく》にんしましょう。

正しく直せたら「できたシール」をはりましょう。

❸ **全問正解《せいかい》になったら，「合格《ごうかく》シール」をはりましょう。**

「できたシール」を全部はれたら，ページの上に「合格《ごうかく》シール」（大きいシール）をはりましょう。ページ全体に大きなまるをつけてから，シールをはってもよいです。

❹ **算数と国語は，最終チェックで最後のおさらいをしましょう。**

答えは「答えとポイント」の最後にあります。

国語の注意点

- 文や文章を使った問題では，文章中のことばを正解《せいかい》としています。似《に》た言い方のことばで答えてもかまいません。
- （　）は，答えにあってもよいものです。〈　〉は，他の答え方です。
- 例 の答えでは，似《に》た内容《ないよう》が書けていれば正解《せいかい》です。

しあげテスト

- 国語…13ページ
- 社会…14ページ
- 理科…22ページ
- 算数…23ページ
- 英語…36ページ

英語 40～36ページ 反対側からはじまります。

算数 35～24ページ 35ページからはじまります。

国語 1～12ページ このページからはじまります。

1 国語 漢字 漢字の書き(1)

①

(1) 句 (2) 武 (3) 属 (4) 順序 (5) 婦 (6) 政 (7) 非・禁

②

(1) 在・卒 (2) 罪 (3) 版 (4) 弁 (5) 略 (6) 酸素 (7) 価・液

ポイント

できなかったら、ここを読んで直そう！

次のようなまちがいに注意しましょう。

① (2) ○武 ×武　(4) ○序 ×序　(7) ○禁 ×禁

② (1) ○在 ×在　(4) ○弁 ×弁　(7) ○価 ×価

2 国語 漢字 漢字の書き(2)

①

(1) 応 (2) 師 (3) 布製 (4) 輸・制 (5) 刊・貸 (6) 歴史・財 (7) 報・複

②

(1) 失・因 (2) 団・演 (3) 幹・停 (4) 故・査 (5) 祖・墓 (6) 圧 (7) 舎

ポイント

次のようなまちがいに注意しましょう。

① (3) ○布 ×布　(5) ○刊 ×刊　(6) ○財 ×財

② (2) ○演 ×演　(3) ○停 ×停　(5) ○祖 ×祖

国語 3 漢字

漢字の書き(3)

3ページ

❶
(1)眼 (2)義 (3)興 (4)災
(5)際 (6)酸 (7)堂

❷
(1)肥える (2)再び (3)耕す (4)現れる
(5)志す (6)比べる
(7)囲む (8)喜ぶ (9)導く
(10)勢い (11)修める (12)確かめる

ポイント

❶ 次のようなまちがいに注意しましょう。
(2) ×義 ○義　(3) ×興 ○興　(6) ×酸 ○酸
(5) ×志ざす ○志す　(12) ×確める ○確かめる

❷ 送りがなは、漢字の読み方をはっきりさせるためについています。多くの場合、「耕《たがや》さない」「耕《たがや》します」「耕《たがや》せば」「耕《たがや》そう」のように、形が変化するところからつけます。ただし、「肥《こ》えない」「肥《こ》えます」「肥《こ》えれば」のように、形が変わらないところから送りがながつくことばもあります。次のような送りがなのまちがいに注意しましょう。

最終チェック1

❶ ——のことばを、（　）に漢字と送りがなで書きましょう。
(1) かならず行く。（　　）
(2) 長くたたかう。（　　）

答えは12ページ

国語 4 漢字

漢字の読み方(1)

4ページ

❶
(1) おおがたしゃ／てんけい
(2) きず／けんちく
(3) あば／ぼうふうう
(4) ゆめ／むちゅう
(5) ゆた／ほうふ
(6) たも／ほけん
(7) ひさ／えいきゅう
(8) たし／かくじつ

❷
(1)す・つうか (2)じ・しめ (3)ぜっさん・た
(4)むだん・ことわ (5)そな・よび
(6)おおぜい・いきお (7)ちょう・は

ポイント

❶ (7)「久《ひさ》しい」は、「あることがあってから、長い時間が過《す》ぎている様子」という意味です。「永」は「かぎりなくいつまでも長い」という意味です。その二文字で、「いつまでも続くこと」という意味の熟語《じゅくご》「永久《えいきゅう》」になります。

❷ (3)「絶」の音読みは「ぜつ」ですが、「絶対《ぜったい》」「絶交《ぜっこう》」などの熟語《じゅくご》では、「ぜっ」という読み方に変わります。
(6)「勢」の音読みは「せい」ですが、「多勢《たぜい》」「軍勢《ぐんぜい》」などの熟語《じゅくご》では「ぜい」という読み方に変わります。

最終チェック2

❶ ——の漢字の読みがなを書きましょう。
(1) 失敗する（　　）
(2) 達成する（　　）
(3) 研究所（　　）
(4) 欠席する（　　）

5 国語 漢字 漢字の読み方(2)

5ページ

❶
(1)（こなゆき）（ふんまつ）　(2)（つま）（ふさい）　(3)（ゆる）（きょか）
(4)（こころざ）（しぼう）　(5)（つい）（ひよう）　(6)（よう）（こうえき）
(7)（こんざつ）（ぞうき）　(8)（た）（ちょ）

❷
(1)の・きじゅつ　(2)にん・まか
(3)も・ねんりょう　(4)しんきょ・いま
(5)けいえい・へ　(6)きふ・よ　(7)きゅうきゅう・すく

ポイント

❶(5)「費《つい》やす」は、「お金や時間などを使う」という意味です。「費用《ひよう》」や「食費《しょくひ》」などお金に関係する熟語《じゅくご》が多くあります。
(6)「易」は、「安易《あんい》」「平易《へいい》」などでは「い」と読み、「貿易《ぼうえき》」などでは「えき」と読みます。「易」を使った熟語《じゅくご》はそれほど多くはないので、しっかり覚えておきましょう。
❷(3)「燃《も》やす」は、送りがなに注意することばです。「燃す」としないように、送りがなもしっかり覚えておきましょう。

最終チェック3

❶ ――の漢字の読みがなを書きましょう。
(1)（　　）発表する　(2)えん筆（　　）
(3)（　　）散歩する　(4)温風（　　）

6 国語 漢字 漢字の組み立て(1)

6ページ

❶
(1)寄・容・富　(2)個・仏・件　(3)河・減・清潔
(4)総・績・統・紀　(5)犯・独　(6)評・謝・講

❷
(1)桜・枝・材　(2)逆・通・迷　(3)綿・編

❸
(1)竹　(2)水　(3)手

ポイント

❶(6)「言（ごんべん）」のつく漢字は、ことばや言うことに関係するものが多くあります。
❷(1)の「木（きへん）」のつく漢字は、木の種類や状態《じょうたい》に関係するもの、(2)の「辶（しんにょう・しんにゅう）」のつく漢字は、道に関係するもの、(3)の「糸（いとへん）」のつく漢字は、糸や織物《おりもの》に関係するものが多くあります。
❸(1)「節」は竹のふしを表しています。「筆」「笛」は、竹を材料としていたことが漢字の成り立ちになっています。
(3)「技」は、「支」が細かい枝《えだ》を手に持つ様子から、手先を使って細かい仕事をする「わざ」の意味になりました。

最終チェック4

❶ □に漢字を書きましょう。
(1) 木《もく》□《ざい》を運ぶ。小《こ》□《えだ》をさがす。
(2) 道に□《まよ》う。□《ぎゃく》転《てん》して勝つ。
(3) 母が□《あ》み物《もの》をする。□《めん》のシャツ。
(4) □《しゃ》罪《ざい》のことば。大学の□《こう》師《し》。

7 国語 漢字

漢字の組み立て(2)

7ページ

❶ (1)銅・鏡・鉱 (2)境・均・増 (3)快・慣・情 (4)額・領・順 (5)街・衛・術 (6)賛・貧・貿

❷ (1)授・招・損 (2)資・質 (3)設・証・護

❸ (1)神 (2)木 (3)火

ポイント

❶(3)「忄(りっしんべん)」がつく漢字は、心の動きや働きに関係するものが多くあります。

❷(1)「扌(てへん)」のつく漢字は、手の動作に関係するものが多くあります。

(2)「貝(かい)」のつく漢字は、財《ざい》ほうや貨へいに関係するものが多くあります。

(3)「言(ごんべん)」のつく漢字は、ことばに関係するものが多くあります。

❸(1)「ネ(しめすへん)」は、神様をまつる祭だんを表しています。また、形がかたかなの「ネ」に似《に》ていることから、「ねへん」とよびまちがえられることが多くあります。気をつけましょう。

最終チェック5

❶ □に漢字を書きましょう。

(1) 社会科の□《し》料《りょう》。音楽の素《そ》□《しつ》がある。

(2) 作業に□《な》れる。感《かん》□《じょう》豊《ゆた》かな人。

(3) まちがいないと□《しょう》言《げん》する。弁《べん》□《ご》士《し》の仕事。

(4) ドアが破《は》□《そん》する。手《て》□《まね》きする。

---

8 国語 漢字

漢字の使い方(1)

8ページ

❶ (右から) (1)技・枝 (2)講・構 (3)税・説 (4)卒・率 (5)態・能 (6)土・士 (7)職・識・織 (8)則・測・側

❷ (1)常 (2)似 (3)境 (4)復 (5)往 (6)毒 (7)告

ポイント

❶ 形が似《に》ていて同じ読みをもつ漢字は書きまちがえやすいので、特に注意が必要です。

(2)「こう」は、「説明する・話す」という意味のときは「講」を、「組み立てる」というときは「構」を使います。

(8)「そく」は、「きまり」の意味のときは「則」を、「はかる」意味のときは「測」を、「かたわら」の意味のときは「側」を使います。

❷(4)「復」は「ものごとの行き来」の意味を、「複」は「2つ以上あるもの・こと」の意味を表します。

最終チェック6

❶ □に漢字を書きましょう。

(1) サッカーの反《はん》□《そく》。夜、天体観《てんたいかん》□《そく》をする。

(2) 四角形の面《めん》□《せき》。成《せい》□《せき》が上がる。

(3) 大学の□《こう》堂《どう》。文章の□《こう》成《せい》を考える。

(4) 大学の教《きょう》□《じゅ》。□《じゅ》話器《わき》を取る。

漢字の使い方(2)

9ページ

1 (右から) (1)判・犯 (2)規・基 (3)久・旧 (4)検・険 (5)限・減 (6)適・的 (7)績・責 (8)徳・得

2 (1)順・準 (2)設・接 (3)象・賞 (4)程・提 (5)状・情 (6)予・余 (7)像・造

ポイント

1 (6) 「適」は「ちょうどよい」の意味で、「的」は「めあて・まと」という意味です。

(8) 「徳」「得」は、どちらにも「りえき・もうけ」の意味がありますが、「おとくよう」のときには「お徳用」と書きます。「徳」には、ほかに「人徳《じんとく》」「道徳《どうとく》」などの熟語《じゅくご》があります。

2 (5) 「状」「情」には、どちらにも「ありさま」の意味があります。「状」は「形状《けいじょう》」「液状《えきじょう》」など、「情」は「情景《じょうけい》」「事情《じじょう》」などの熟語《じゅくご》で使い分けを覚えましょう。

最終チェック7

1 □に漢字を書きましょう。

(1) 賞《しょう》□《じょう》をもらう。うれしそうな表《ひょう》□《じょう》。

(2) □《てき》中《ちゅう》する。快《かい》□《てき》なくらし。

(3) すぐ□《とく》点《てん》する。道《どう》□《とく》の授業《じゅぎょう》。

(4) ぼう□《けん》の旅。車を点《てん》□《けん》する。

漢字の使い方(3)

10ページ

1 (右から) (1)移・写 (2)買・飼 (3)熱・厚 (4)交・混 (5)破・敗 (6)量・測

2 (1)効 (2)留 (3)現 (4)務 (5)採

ポイント

1 (4) まじったものが個々に見分けがつく場合は「交じる」、つかない場合は「混《ま》じる」を使います。

(5) 「破《やぶ》れる」は「形があるものがこわれる」こと、「敗れる」は「勝負に負ける」ことです。

(6) 重さをはかるときには「量る」、深さをはかるときには「測《はか》る」と覚えておきましょう。

2 (3) 「現《あらわ》す」は「かくれていたものが見える」こと、「表す」は「考え、気持ちなどを表に出す」ことです。

(4) 「務《つと》める」は「役目を受け持つ」ことで、「努める」は「努力すること」です。

最終チェック8

1 □に漢字を書きましょう。

(1) 主役を□《つと》める。早起きするよう□《つと》める。

(2) 絵の具が□《ま》じる。ゲームに□《ま》じる。

(3) 角《かど》から人が□《あらわ》れる。喜《よろこ》びが□《あらわ》れる。

(4) 決勝で□《やぶ》れる。ズボンが□《やぶ》れる。

11 国語 漢字

漢字の使い方(4)

11ページ

1
(1) 仮定・過程　(2) 支持・指示　(3) 精算・生産
(4) 公開・航海　(5) 要領・容量　(6) 正確・性格

2
(1) 順備～原員　準　因　(2) 熱手～暴寒服　厚　防　(3) 状件～快消　条　解
(4) 知織～有易　識　益　(5) 往複～借す　復　貸　(6) 役風景～山肥　殺　脈

ポイント

1 (1)「仮定《かてい》」は「仮《かり》に決めること」で、「過程《かてい》」は「物事が移《うつ》り変わっていく道すじ」の意味です。
(2)「支持《しじ》」は「賛成《さんせい》し、後おしすること」の意味で、「指示《しじ》」は「教え、示《しめ》すこと」の意味です。
(3)「精算《せいさん》」は金銭上《きんせんじょう》のことを細かく計算し直す場合に使います。似《に》たことばの「清算」は「すべてをきれいさっぱりきまりをつける」の意味で、「借金を清算する」などの場合に使います。

2 (3)「解消《かいしょう》」は「といて自由にする。とりのぞく」という意味。「快」は「気持ちよい」という意味で、「快挙《かいきょ》」「快晴《かいせい》」などの使い方があります。
(5)「貸《か》す」と「借りる」は、反対の意味のことばです。

最終チェック9

1 □に漢字を書きましょう。

(1) 人質《ひとじち》を□□《かいほう》する。病気が□□《かいほう》に向かう。
(2) 最悪の場合を□□《かてい》する。成功までの□□《かてい》。
(3) □□《しじ》にしたがう。委員長を□□《しじ》する。

---

12 国語 ことばのきまり

漢字の成り立ち

12ページ

1
(1) 山・門　(2) 本・下　(3) 男・岩　(4) 時・案
※それぞれ反対でもよい。

2
(1) 火　(2) 羽　(3) 耳

3
(1) 巾（長）　(2) 金（同）　(3) 扌（寺）　(4) 灬（昭）
(5) 亻（建）　(6) 氵（永）　(7) 心（非）

4
(1) 鳴　(2) 位　(3) 明　(4) 加　(5) 休　(6) 畑

ポイント

1 (2)「指事文字《しじもじ》」は、数・位置など、絵にしにくい事がらを、線や点などの記号で示《しめ》して作られた文字です。「本」は、「木」に線を一本引くことで、木の根元を表しています。

3 (4)「照」は「灬（れんが）」が「火の光」を意味し「昭」が音「ショウ」を示《しめ》します。
(6)「泳」は「氵（さんずい）」が「水」を意味し、「永」が音「エイ」を示《しめ》します。

4 (1)「鳴」は、「鳥」が「口《くち》」で「なく」様子を表しています。
(5)「休」は、「人」が「木」のかげで「やすむ」様子を表しています。

最終チェック10

1 次の漢字の音読みを書きましょう。

(1) 放（　　）　(2) 議（　　）
(3) 館（　　）　(4) 泳（　　）
(5) 晴（　　）　(6) 飯（　　）
(7) 効（　　）　(8) 救（　　）

13 国語 ことばのきまり 熟語《じゅくご》の組み立て

13ページ

❶ (1)強弱　(2)回転　(3)黒板　(4)読書　(5)不足

❷ (1)買　(2)暗

❸ (1)例 深い海。　(2)例 鉄の橋。　(3)例 火を消す。

❹ (1)衣食住　(2)大成功　(3)関係者

ポイント

❶ 二字熟語《じゅくご》の組み立てを考えるとき、「黒板」→「黒《くろ》い板」、「読書」→「書を読《よ》む」のように、上の漢字の訓読みを手がかりに考えるとよいでしょう。

❸ (3)「消火」は「火を消す。」という意味で、「〜を」にあたる漢字が下にくる組み合わせです。「消した火。」という意味ではありません。

❹ 「関係者」は「関係する者。」、「衣食住」は「衣」「食」「住」という一字ずつの語の組み合わせ、「大成功」は「大きな成功。」です。

最終チェック11

❶ 次の熟語《じゅくご》と同じ組み立ての熟語《じゅくご》を、□から選んで書きましょう。

(1) 長短（　　）　(2) 絵画（　　）

(3) 熱湯（　　）　(4) 帰国（　　）

(5) 不幸（　　）

乗車・寒暑・無害・学習・良心

14 国語 ことばのきまり 和語・漢語・外来語

14ページ

❶ (1)外来語　(2)和語　(3)漢語

❷ (1)コーラス　(2)決まり　(3)クラス　(4)速度

❸ (1)㋑・㋒　(2)㋐・㋙　(3)㋕・㋗　(4)㋓・㋔　(5)㋖・㋘　※それぞれ反対でもよい。

❹ (1)登山　(2)大きさ

ポイント

❷❸ 漢語は、和語に比《くら》べて、あらたまったむずかしい感じがします。

㋐「場所」の「場《ば》」は訓読みです。「場」の音読みは「じょう」です。

㋓「輪ゴム」の「輪《わ》」は訓読みです。「輪」の音読みは「りん」です。

㋗「野菜」の「野《や》」は音読みです。「野」の訓読みは「の」です。

最終チェック12

❶ 次の和語にあたる漢語を一つ選んで、（　）に○をつけましょう。

(1) 生き物
ア（　）食物
イ（　）生物
ウ（　）生育

(2) くだもの
ア（　）結果
イ（　）成果
ウ（　）果実

(3) 花よめ
ア（　）新婦《しんぷ》
イ（　）新人
ウ（　）新聞

(4) 年《とし》寄《よ》り
ア（　）老化
イ（　）老人
ウ（　）老後

15 国語

ことばのきまり

ことばの組み立て（複合語《ふくごうご》）

15ページ

❶ (1)虫かご　(2)紙しばい　(3)テレビゲーム　(4)運動会
(5)海外旅行

❷ (1)ほんばこ　(2)こめだわら　(3)むかしばなし
(4)めぐすり　(5)うでどけい

❸ (1)かなあみ　(2)しらなみ　(3)やすみじかん
(4)たちどまる　(5)ほそながい

❹ (1)むぎばたけ　(2)はなしあう　(3)あまぐも
(4)ちからづよい　(5)くだりざか

ポイント

❷ 「ほん＋はこ」→「ほんばこ」のように、組み合わさったとき、下のことばの最初の音《おん》がにごるものがあります。

❸ 「かね＋あみ」→「かなあみ」、「やすむ＋じかん」→「やすみじかん」のように、組み合わさったときに音《おん》が変わるものがあります。

❹ (3)と(5)では、それぞれ、上のことばも下のことばも音《おん》が変わるので注意しましょう。

最終チェック13

❶ 次のことばを組み合わせて、一つのことばを作り、ひらがなで書きましょう。

(1) 目 ＋ 薬 →（　　　）
(2) 焼く ＋ 魚 →（　　　）
(3) 船 ＋ 旅 →（　　　）

16 国語

ことばのきまり

慣用句《かんようく》・ことわざ

16ページ

❶ (1)口　(2)歯　(3)図
(4)手　(5)首　(6)頭

❷ (1)㋒　(2)㋐

❸ (1)おに　(2)石

ポイント

❶ (1)は「口が軽い」で「しゃべってはならないことまで、しゃべる。」、(2)は「歯をくいしばる」で「がまんする。」、(3)は「図に乗る」で「自分の思いどおりになって、いい気になる。」、(4)は「手を貸《か》す」で、「手助けをする。」、(5)は「首を長くする」で「今か今かと待つ。」、(6)は「頭が下がる」で「相手のりっぱさに感心して、そんけいの気持ちをもつ。」という意味です。

❷ ことわざには、昔からの教えや人間の知恵《ちえ》がふくまれています。ことわざをたくさん集めて、意味や使い方を調べてみるとよいでしょう。

最終チェック14

❶（　）に合う、体の部分を表すことばを、［　］から選んで書きましょう。

(1) 逆転《ぎゃくてん》されそうになり、（　　）にあせをにぎった。
(2) ありの様子を、（　　）をこらして観察した。
(3) テストで百点を取ったので、（　　）が高い。

［口・鼻・目・耳・手］

国語

17 ことばのきまり 文をつなぐことば

17ページ

①(1)だから (2)けれども (3)さらに に〇

②(1)それとも (2)そのうえ

③(1)①それで ②しかし (2)①それで ②しかし

④(1)時計が止まった。だから、時間がわからなかった。
(2)望遠鏡で空を見た。けれども、星は見えなかった。

ポイント

②(1) どちらか一方を選びとることを表したことばです。
(2) 前の事がらに付け加えるときに使うことばです。

③「しかし」は、前の文と反対の事がらを後に述《の》べるときに使います。「それで」は、前の事がらを受けて、後にその結果を述《の》べるときに使います。

④「だから」は、前の文の内容《ないよう》を受けて、後に当然の結果がくるときに使うことばです。「けれども」は、前の文の内容《ないよう》とは反対の内容《ないよう》が後にくるときに使うことばです。

最終チェック15

❶文に合うことばを選んで、〇で囲《かこ》みましょう。

(1) わたしは、いちごが好きです。（または／ところで）、あなたは何が好きですか。

(2) わたしは、いちごが好きです。（それに／つまり）、りんごも好きです。

(3) わたしは、いちごが好きです。（だから／しかし）、いちごのジュースはきらいです。

国語

18 ことばのきまり 敬語《けいご》

18ページ

①ウ・エ・カ に〇

②(1)家です (2)遊びましょう (3)借ります (4)ふきました

③(1)いただいた。 (2)行った。
(3)教えてくださった。 (4)お出しする。 に〇

④例 (1)貸してくださった。 (2)いらっしゃる (3)配られた

ポイント

③(1) 「いただく」は、自分や身内の者が「もらう」「食べる」「飲む」ときの動作に使うことばです。自分や身内を低くあつかうことで、相手（聞き手）をうやまう言い方です。
(4) 相手に関係する自分の動作を「お…する」と言うことで、相手をうやまう気持ちを表すことができます。

④(2) 「いらっしゃる」は、「来る」「行く」「いる」などを、うやまって言うことばです。

最終チェック16

❶——の敬語《けいご》の意味を一つ選んで、（ ）に〇をつけましょう。

(1) 先生がおっしゃる。
ア（ ）いる
イ（ ）聞く
ウ（ ）言う

(2) 先生の話をうかがう。
ア（ ）見る
イ（ ）聞く
ウ（ ）考える

(3) 先生がお話をなさる。
ア（ ）なる
イ（ ）とる
ウ（ ）する

(4) 先生が本をくださる。
ア（ ）めくる
イ（ ）くれる
ウ（ ）下げる

19 国語

読解《どっかい》 物語の読みとり(1)

19ページ

❶ だいぶ山おくの、木の葉のかさかさしたとこ〈山おく〉

❷ 例 鳥やけものが一ぴきもいないから。

❸ （げた箱で）花蓮ちゃんに声をかける（ところから始まる）。

❹ 例 （学校で一番かわいい）花蓮ちゃんに、（ひそかに）あこがれていたから。

※❸❹の「花蓮《かれん》」は「花れん」、「かれん」と書いてもよい。

ポイント

❶ 「かさかさしたとこ」の「とこ」は、「ところ」という意味で、場所を表しています。

❷ 「鉄ぽうをかついで」とあるので、二人のしんしは、かりに来ていることがわかります。かりをするために、わざわざ山おくまで来たのに、鳥もけものも一ぴきもいなかったので、「けしからん」と言ったのです。

❸ 最初の文に書いてあります。

❹ ――のすぐ前に、「だから」とあることに注目しましょう。その前の部分に、理由が書かれています。

最終チェック17

■ 次の文章を読んで、問題に答えましょう。

> ぼくのおばあちゃんは、先週の日曜日に秋田のお寺へ法事に出かけた。夜は自分の妹の家にとまったが、そこで眼鏡《めがね》をなくしてしまった。

❶ おばあちゃんが眼鏡《めがね》をなくしたのは、どこですか。

（　　　　）

---

20 国語

読解《どっかい》 物語の読みとり(2)

20ページ

❶ （ずっと、）笑顔で　※「にこにこした顔で」などでもよい。

❷ 例 わたしなんて、いらない

※「わたし（自分）はいらない」ことが書いてあれば正解《せいかい》です。

❸ 例 自分の家で犬を飼えなくてもお世話をしたい。

※「わたる君のおうちで犬を飼ってほしい。」などでもよい。

❹ 例 犬が好きじゃないなんて言ったら、ばちがあたる気がした。

ポイント

❶ 二つ目のだん落の初めに「その様子をずっと、笑顔《えがお》でながめていた。」とあります。「その様子」とは、前のだん落に書かれている、花蓮《かれん》ちゃんと二人の様子のことです。

❷❸ 終わりの二つの文に注目しましょう。

さやかさんが、ぼくに話していることから読み取りましょう。

最終チェック18

■ 次の文章を読んで、問題に答えましょう。

> ぼくは、昨日《きのう》、近くの川で泳いだ。そこは大好きな場所なのだが、水泳は禁《きん》じられている。今日、先生によばれたぼくは、どきどきしながら職員室《しょくいんしつ》へ行った。

❶ 職員室《しょくいんしつ》へ行ったときの「ぼく」の気持ちに合うほうの記号を、○で囲《かこ》みましょう。

㋐ おこられるかもしれないという気持ち。

㋑ ひみつの場所を知られてしまうかもしれないという気持ち。

❷ 「ぼく」の大好きな場所では、何が禁《きん》じられているのですか。

（　　　　）

21 国語 読解《どっかい》 説明文の読みとり(1)　21ページ

①　六十～七十

②　例 心臓は、つかれにくい筋肉でできているから。

※「特別に丈夫《じょうぶ》な筋肉《きんにく》だから。」などでもよい。

③　では　に（　）

④　太陽や風にあてて干す。
つくだ煮や塩漬けにして保存する。

ポイント

①　小学生の「八十～九十回」とまちがえないようにしましょう。

②　「心臓《しんぞう》はぜんぜん休まないで動き続けて、つかれないのでしょうか？」という疑問《ぎもん》の後に、理由を説明しています。

③　□の前の部分では、なま物を毎日買っていたことを、後の部分では、なま物の保存《ほぞん》方法を書いています。話題が変わったことをおさえましょう。

④　なま物の保存《ほぞん》方法として、干《ほ》す方法と漬《つ》ける方法が説明されています。「たくあん」は干《ほ》すと漬《つ》けるの両方を行った食べ物だと説明しています。

最終チェック19

❶ 次の文章の□に入ることばを、□から選んで書きましょう。

寒い地方にすむ動物は、体温がにげるのを防《ふせ》がなくてはならない。□、体の表面がふかふかした毛でおおわれているのである。

しかし・それで・しかも

（　　　）

---

22 国語 読解《どっかい》 説明文の読みとり(2)　22ページ

①　(1) ①短く　②ある〈多い〉　③長く　④少ない

(2) 例（米に）水を加えて水けがなくなるまで、そのまま火にかける。

②　ねばりの少ないごはん

ポイント

①　(1) 2のだん落では、「ジャポニカ種は、……。」「インディカ種は、……。」という形で、二つの米の特ちょうを説明しています。

②　3のだん落で、インディカ種の米のたき方について、「米のねばりの成分をとるため」と説明している点にも、注目しましょう。

最終チェック20

■ 次の文章を読んで、問題に答えましょう。

> ラーメンなどのインスタント食品は、いそがしい現代《げんだい》の人々にとって手軽に作れる便利な食品である。しかし、あまりにインスタント食品ばかり食べていると、栄養がかたよる心配がある。

❶ インスタント食品が便利なのは、どうしてですか。

（　　　）

❷ インスタント食品ばかり食べることの問題点を次から一つ選び、記号を○で囲《かこ》みましょう。

㋐ 手軽に作れる食品であること。

㋑ 栄養がかたよる心配があること。

23 国語 作文 作文(1)

23ページ

❶ (1)例正月・例台所・例読んでいた
(2)かおる・例投げた・例にげた

❷ マラソン大会・寒い・息・食べた・ぽかぽか・おっしゃった

ポイント

❶ 「いつ」「どこで」「だれは」「どうした」をはっきりさせましょう。「だれは」は文の主語に、「どうした」は述語《じゅつご》にあたります。

❷ 「どんな」は、物事をくわしくすることばで、「寒い」「暑い」があてはまります。また、「どのように」は、動きをくわしくすることばで、「ふらふら」「ぽかぽか」があてはまります。

最終チェック21

❶ 次の様子に合うことばのほうを、（　）で囲《かこ》みましょう。

(1) 食べ物が温かくておいしそうな様子。
〔ぽかぽか／ほかほか〕の焼きいもを食べる。

(2) 水がほんの少し流れる様子。
ホースから水が〔ジャージャー／チョロチョロ〕と流れている。

(3) 木の葉がいっせいにゆれ動く様子。
風が通りの木を〔ザワザワ／ザラザラ〕ゆらしてふきぬける。

24 国語 作文 作文(2)

24ページ

❶ (1)例体育の時間に、とび箱をとんだ。友達がはく手してくれた。
(2)例車のおもちゃを組み立てていた。とても上手だった。
(3)例わたしは、母と買い物に行った。気に入ったくつがあったので、買ってもらった。

❷ 例卒業式の日、わたしたち五年生は、卒業生のむねに、紙で作った花をつけてあげた。体育館に入って名前がよばれると、卒業生は大きな声で返事をして、卒業証書を受け取った。「来年はわたしたちの番だなあ。」と思った。

最終チェック 答え

1 ❶ (1)必ず (2)戦う
2 ❶ (1)しっぱい (2)たっせい (3)けんきゅうじょ (4)けっせき
3 ❶ (1)はっぴょう (2)ぴつ (3)さんぽ (4)おんぷう
4 ❶ (1)材・枝 (2)迷・逆 (3)編・綿 (4)謝・講
5 ❶ (1)資・質 (2)慣・情 (3)証・護 (4)損・招
6 ❶ (1)則・測 (2)積・績 (3)講・構 (4)授・受
7 ❶ (1)状・情 (2)的・適 (3)得・徳 (4)険・検
8 ❶ (1)務・努 (2)混・交 (3)現・表 (4)敗・破
9 ❶ (1)解放・快方 (2)仮定・過程 (3)指示・支持
10 ❶ (1)ほう (2)ぎ (3)かん (4)えい (5)せい (6)はん (7)こう (8)きゅう
11 ❶ (1)寒暑 (2)学習 (3)良心 (4)乗車 (5)無害
12 ❶ (1)イ (2)ウ (3)ア (4)イ に〇
13 ❶ (1)めぐすり (2)やきざかな (3)ふなたび
14 ❶ (1)手 (2)目 (3)鼻
15 ❶ (1)ところで (2)それに (3)しかし に（　）
16 ❶ (1)ウ (2)イ (3)ウ (4)イ に〇
17 ❶ 例（自分の）妹の家
18 ❶ ㋐ に〇 ❷ 水泳
19 ❶ それで
20 ❶ 例手軽に作れるから。 ❷ ㋑ に〇
21 ❶ (1)ほかほか (2)チョロチョロ (3)ザワザワ に（　）

国語 しあげテスト 25ページ

1 ①現在　②粉

2 (かたくてうす手なので) 軽いところ。
(白くてつややかなので) せいけつなところ。
※順番は反対でもよい。

3 すこしつやのある白い石

4 また

5 例 陶石のこなは、ねんどのつぶよりも、もっと小さいから。

6 1…㋑　2…㋐　3…㋒

ポイント

1 ①「在」は「左」と形が似《に》ているので注意しましょう。
②「粉」は「こめへん(米)」です。「のぎへん(禾)」としないように気をつけて書きましょう。

2 1のだん落の終わりに「食器としてすぐれている」と書かれています。その前の部分をたしかめて、どんなところがすぐれているのかを書きましょう。「青や赤のこまかな絵がかかれている」「はしなどでかるくたたくと、チーンと高くてすんだ音がします」は磁器《じき》の説明ですが、食器としてすぐれている点ではありません。

3 「陶石《とうせき》」「原料」という言葉が出てくるのは2のだん落です。磁器《じき》の原料は陶石《とうせき》で、土器や陶器《とうき》の原料はねんどであるとあり、そのあとで、陶《と》石《せき》の説明が書かれています。

4 つなぐことば(接続語《せつぞく》)の問題です。□の前後を確《たし》かめましょう。前の部分では磁器《じき》が石ぐらいかたくなること、後の部分ではうす手のうつわになることが書かれています。どちらも磁器《じき》の特長なので、前の事がらに後の事がらをならべる「また」が入ります。

5 磁器《じき》と陶器《とうき》を比《くら》べている部分をさがすと、最後の一文に「磁器《じき》は、陶《と》器《き》にくらべてかたく、うす手のものをつくることができる」とあります。その前の部分に、陶石《とうせき》のこながねんどのつぶよりも小さいことが理由だと書かれています。

6 どのだん落も「磁器《じき》」についての説明ですが、内容《ないよう》ごとにだん落がわかれています。1のだん落は、読み手が磁器《じき》とは何かを理解《りかい》できるように、身近な食器であることを説明しています。磁器《じき》は、土器や陶器《とうき》とは原料からちがっていることについて説明しています。2のだん落は、原料について説明しています。3のだん落は、磁器《じき》のかたくてうすい特長を説明しています。

社会　しあげテスト①　27ページ

1 (1)①日本海　②太平洋
（①と②は順序《じゅんじょ》がちがってもよい。）
(2)㋐奥羽山脈《おううさんみゃく》　㋑信濃川《しなのがわ》　㋒関東平野
㋓中国《ちゅうごく》山地
(3)Ⓐエ　Ⓑア

2 (1)寒流…親潮《おやしお》（千島《ちしま》海流）
暖流《だんりゅう》…黒潮《くろしお》（日本海流）
(2)境　(3)潮目《しおめ》（潮境《しおざかい》）

3 (1)アメリカ…ウ，日本…ア
(2)例 必要量に対して生産量が少ないということなので，輸入量《ゆにゅうりょう》は増《ふ》えることになる。

ポイント

1 (1)日本は，海に囲《かこ》まれた島国です。
(3)Ⓐの地域《ちいき》は北海道，Ⓑの地域は沖縄です。沖縄は南西諸島《しょとう》の気候で，アの気候を示《しめ》します。イは瀬戸内海《せとないかい》の気候，ウは中央高地の気候です。

2 (1)日本海側を流れる暖流は対馬《つしま》海流，寒流はリマン海流です。
(3)潮目は潮境《しおざかい》ともいわれ，暖流と寒流がぶつかって両方の海域にすむ魚が集まるため，好漁場になります。

3 (1)イはイタリアです。
(2)日本は世界的にも食料自給率《じきゅうりつ》が低く，輸入相手国の食料生産が少なくなって輸入できなくなると，日本国内が食料不足になるかもしれません。自給率をあげようとする取り組みが行われています。その一つが「地産地消」の取り組みです。地域で生産したものを，その地域で消費《しょうひ》しようとするものです。

社会　しあげテスト②　26ページ

1 (1)①阪神　②京浜
(2)太平洋ベルト
(3)①×　②×

2 (1)マスメディア
(2)①エ　②イ　③ア

3 ①地域…Ⓑ，原因《げんいん》…ア
②地域…Ⓒ，原因…イ

ポイント

1 (3)①工業地帯・地域は太平洋側の海ぞいに多く集まっています。②軽工業ではなく，機械工業や化学工業などの重化学工業がさかんです。

2 (1)情報《じょうほう》を伝える手だんをメディアと言い，「マス」は「大量」を表します。
(2)アは「雑誌《ざっし》」，イは「インターネット」。最近はスマートフォンも多く使われています。ウは「ラジオ」，エは「テレビ」。

3 ①イタイイタイ病は富山県神通《じんづう》川流域で起こりました。かん者が「イタイイタイ」ということから病名がついたといわれています。

ちょっと 先取りドリル 国語

六年生で習う漢字

みんなよりひと足先に、六年生の漢字をちょっとだけ勉強してみよう！

全部できたら「合格《ごうかく》シール」をはろう！

1 □と□に漢字を書きましょう。うすい字は、数字の順になぞりましょう。

(1) 言（ごんべん）…出席を□《きょ》可《か》する。感《かん》□《しゃ》。

学校で討論《とうろん》会《かい》をする。

弟といっしょに、友人の家を訪《たず》ねる。

実力を認《みと》める。

(2) 扌（てへん）…国語の□《じゅ》業《ぎょう》。こん虫《ちゅう》□《さい》集《しゅう》。

わたしのクラスの担《たん》任《にん》は、山本先生です。

スピーチの話題を探《さが》す。

2 書き順に気をつけて、□の漢字をなぞりましょう。

(1) 言（ごんべん）…討論《とうろん》。友人の家を訪《たず》ねる。実力を認《みと》める。

(2) 扌（てへん）…担《たん》任《にん》の先生。例文を辞典で探《さが》す。

3 書き順に気をつけて、□に漢字を書きましょう。

(1) □□《とうろん》会《かい》。友人の家を□《たず》ねる。実力を□《みと》める。

(2) □《たん》任《にん》の先生。例文を辞典で□《さが》す。

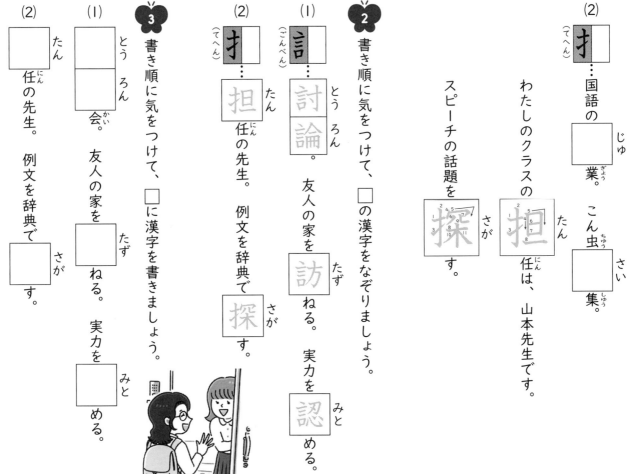

❹ □と□に漢字を書きましょう。うすい字は、数字の順になぞりましょう。

(1)
（いとへん）
糸…成せい。

□毛け物もの。

島田さんは、とても
縦じゅん情じょう情だ。

(2)
（りっとう）
リ…週しゅうかんし。

適切てきせつな□はんだん断。

横書きと□たて書がき。

割わりを決める。

創そう立りっ記念日。

(3)
（たけかんむり）
ケケ…よい関係を□きずく。

このクイズは、とても□かん単たんだ。

筋すじ道みちを立てて、自分の考えを話す。

❺ 書き順に気をつけて、□の漢字をなぞりましょう。

(1)
（いとへん）
糸…純じゅん情じょう。

縦たてと横。

(2)
（りっとう）
リ…役やく割わり。

創そう立りっ記念日。

(3)
（たけかんむり）
ケケ…簡かん単たんな問題。

筋すじ道みちを立てて話す。

❻ 書き順に気をつけて、□に漢字を書きましょう。

(1)
□じゅん情じょう。

□たてと横。

(2)
役やく□わり。

□そう立りっ記念日。

(3)
□かん単たんな問題。

□すじ道みちをたてる。

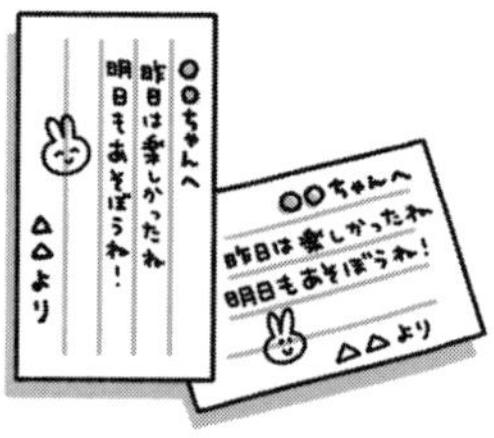

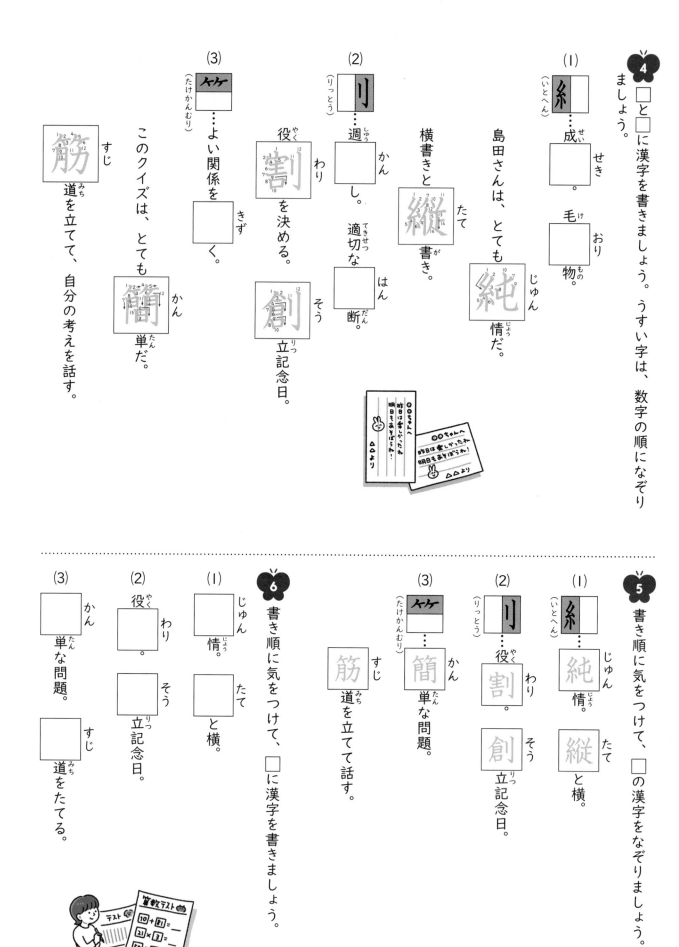

7 書き順に気をつけて書きましょう。

（ ）は送りがな。《 》は小学校で習わない読み方。

- 討　読み方　トウ・《う(つ)》
- 訪　読み方　ホウ・《おとず(れる)》・たず(ねる)
- 担　読み方　タン・《かつ(ぐ)》・《にな(う)》
- 純　読み方　ジュン
- 割　読み方　《カツ》・わ(る)・わり・わ(れる)・《さ(く)》
- 簡　読み方　カン
- 論　読み方　ロン
- 認　読み方　《ニン》・みと(める)
- 探　読み方　タン・《さぐ(る)》・さが(す)
- 縦　読み方　ジュウ・たて
- 創　読み方　ソウ・つく(る)
- 筋　読み方　キン・すじ

8 □に漢字を書きましょう。

(1) 家族みんなが、兄の野球の実力を□《みと》めている。

(2) □《とう》□《ろん》会《かい》の役《やく》□《わり》を決める。

(3) □《すじ》道《みち》を立てて、考えを□《かん》単《たん》に述《の》べる。

(4) 横書きと□《たて》書《が》き。

(5) □《たん》任《にん》の先生と、友人の家を□《たず》ねる。

(6) 弟は、とても□《じゅん》情《じょう》です。

(7) カレンダーで、学校の□《そう》立《りつ》記念日を□《さが》す。

先取りドリル 答え

1 ※うすい字はていねいに書きましょう。 (1)許・謝 (2)授・採

2 (1)〜(2)※ていねいに書きましょう。

3 (1)討論・訪・認 (2)担・探

4 ※うすい字はていねいに書きましょう。

(1)績・織 (2)刊・判 (3)築

5 (1)〜(3)※ていねいに書きましょう。

6 (1)純・縦 (2)割・創 (3)簡・筋

7 ※ていねいに書きましょう。

8 (1)認 (2)討論・割 (3)筋・簡 (4)縦 (5)担・訪 (6)純 (7)創・探

9 次の計算をしましょう。

〈例〉

$$4\div\frac{5}{7}=\frac{4}{1}\times\frac{7}{5}=\frac{28}{5}=5\frac{3}{5}$$

$4\div\frac{5}{7}=4\times\frac{7}{5}=\frac{4\times7}{5}$と考えてもよい。

① $4\div\frac{3}{5}=$

② $3\div\frac{1}{4}=$

10 次の計算をしましょう。

〈例〉

$$1\frac{2}{7}\div1\frac{1}{3}=\frac{9}{7}\div\frac{4}{3}=\frac{9}{7}\times\frac{3}{4}=\frac{27}{28}$$

帯分数は，仮《か》分数になおして計算します。

① $1\frac{1}{2}\div\frac{5}{7}=$

② $1\frac{3}{4}\div1\frac{2}{3}=$

先取りドリル 答え

1 ①$\frac{4}{5}$ ②$1\frac{1}{8}$〔$\frac{9}{8}$〕 ③$\frac{2}{3}$ ④$\frac{5}{6}$

2 ①$\frac{3}{10}$ ②$\frac{2}{21}$ ③$\frac{2}{9}$ ④$\frac{3}{11}$

3 ①$\frac{3}{10}$ ②$\frac{3}{20}$ ③$\frac{4}{15}$ ④$\frac{9}{20}$ ⑤$\frac{15}{28}$

4 ①$\frac{3}{10}$ ②$\frac{1}{10}$ ③$\frac{3}{5}$ ④$\frac{1}{2}$ ⑤$\frac{1}{3}$

5 ①$1\frac{1}{7}$〔$\frac{8}{7}$〕 ②$1\frac{7}{8}$〔$\frac{15}{8}$〕

6 ①$\frac{14}{15}$ ②$\frac{27}{28}$

7 ①$\frac{14}{15}$ ②$1\frac{1}{14}$〔$\frac{15}{14}$〕 ③$\frac{32}{35}$ ④$1\frac{3}{32}$〔$\frac{35}{32}$〕
⑤$\frac{35}{36}$

8 ①$1\frac{1}{5}$〔$\frac{6}{5}$〕 ②$1\frac{3}{4}$〔$\frac{7}{4}$〕 ③$2\frac{1}{3}$〔$\frac{7}{3}$〕
④$\frac{7}{10}$ ⑤$1\frac{1}{4}$〔$\frac{5}{4}$〕

9 ①$6\frac{2}{3}$〔$\frac{20}{3}$〕 ②12

10 ①$2\frac{1}{10}$〔$\frac{21}{10}$〕 ②$1\frac{1}{20}$〔$\frac{21}{20}$〕

答えは帯分数まで求めていますが，仮《か》分数のままでもよいです。

7 〈例〉を見て，分数のわり算をしましょう。

〈例〉

$$\frac{3}{7}\div\frac{5}{6}=\frac{3}{7}\times\frac{6}{5}=\frac{18}{35}$$

分数でわるときは，わる数の逆数《ぎゃくすう》（分数の分母と分子を入れかえた数）をかけます。

① $\frac{2}{5}\div\frac{3}{7}=\frac{2}{5}\times\frac{7}{3}=$

② $\frac{3}{7}\div\frac{2}{5}=$

③ $\frac{4}{7}\div\frac{5}{8}=$

④ $\frac{5}{8}\div\frac{4}{7}=$

⑤ $\frac{5}{6}\div\frac{6}{7}=$

8 次の計算をしましょう。（とちゅうで約分しましょう。）

〈例〉

$$\frac{5}{6}\div\frac{3}{4}=\frac{5}{\cancel{6}_{3}}\times\frac{\cancel{4}^{2}}{3}=\frac{10}{9}=1\frac{1}{9}$$

① $\frac{4}{5}\div\frac{2}{3}=\frac{\cancel{4}^{2}}{5}\times\frac{3}{\cancel{2}_{1}}=$

② $\frac{3}{4}\div\frac{3}{7}=$

③ $\frac{2}{3}\div\frac{2}{7}=$

④ $\frac{2}{5}\div\frac{4}{7}=$

⑤ $\frac{5}{6}\div\frac{2}{3}=$

③ $\frac{2}{3}\times\frac{2}{5}=$

④ $\frac{3}{4}\times\frac{3}{5}=$

⑤ $\frac{5}{7}\times\frac{3}{4}=$

4 次の計算をしましょう。（とちゅうで約分しましょう。）

〈例〉

$\frac{3}{4}\times\frac{5}{6}=\frac{\overset{1}{\cancel{3}}\times 5}{4\times\underset{2}{\cancel{6}}}=\frac{5}{8}$

① $\frac{2}{5}\times\frac{3}{4}=\frac{\overset{1}{\cancel{2}}\times 3}{5\times\underset{2}{\cancel{4}}}=\frac{\square}{10}$

② $\frac{3}{5}\times\frac{1}{6}=\frac{\overset{1}{\cancel{3}}\times 1}{5\times\underset{2}{\cancel{6}}}=$

③ $\frac{3}{4}\times\frac{4}{5}=$

④ $\frac{2}{3}\times\frac{3}{4}=\frac{\overset{1}{\cancel{2}}\times\overset{1}{\cancel{3}}}{\underset{1}{\cancel{3}}\times\underset{2}{\cancel{4}}}=$

⑤ $\frac{4}{5}\times\frac{5}{12}=$

5 次の計算をしましょう。

〈例〉

$3\times\frac{2}{5}=\frac{3}{1}\times\frac{2}{5}=\frac{3\times 2}{5}=\frac{6}{5}=1\frac{1}{5}$

整数は，$\frac{\square}{1}$の形の分数にします。

① $4\times\frac{2}{7}=\frac{4}{1}\times\frac{2}{7}=$

② $5\times\frac{3}{8}=$

6 次の計算をしましょう。

〈例〉

$1\frac{2}{5}\times\frac{3}{4}=\frac{7}{5}\times\frac{3}{4}=\frac{21}{20}=1\frac{1}{20}$

帯分数は，仮《か》分数になおして計算します。

① $2\frac{1}{3}\times\frac{2}{5}=$

② $\frac{3}{4}\times 1\frac{2}{7}=$

ちょっと

先取りドリル 算数

6年生で習う分数のかけ算・わり算

全部できたら
「合格《ごうかく》シール」
をはろう！

みんなよりひと足先に6年生で習う
分数のかけ算とわり算を
ちょっとだけ勉強してみよう！

1 〈例〉を見て，分数と整数のかけ算をしましょう。

〈例〉

$\frac{2}{7}\times3=\frac{2\times3}{7}=\frac{6}{7}$

分数に整数をかける場合は，分母はそのままにして，
分子にその整数をかけます。
答えが約分できるときは，約分をしましょう。

① $\frac{2}{5}\times2=\frac{2\times2}{5}=\frac{\square}{5}$

② $\frac{3}{8}\times3=$

③ $\frac{2}{9}\times3=$

④ $\frac{5}{12}\times2=$

2 〈例〉を見て，分数と整数のわり算をしましょう。

〈例〉

$\frac{2}{3}\div3=\frac{2}{3\times3}=\frac{2}{9}$

分数に整数をわる場合は，分子はそのままにして，
分母にその整数をかけます。
答えが約分できるときは，約分をしましょう。

① $\frac{3}{5}\div2=\frac{3}{5\times2}=\frac{3}{\square}$

② $\frac{2}{7}\div3=$

③ $\frac{4}{9}\div2=$

④ $\frac{12}{11}\div4=$

3 〈例〉を見て，分数のかけ算をしましょう。

〈例〉

$\frac{4}{5}\times\frac{2}{3}=\frac{4\times2}{5\times3}=\frac{8}{15}$

分数に分数をかける場合は，分母どうし，
分子どうしをかけます。

① $\frac{3}{5}\times\frac{1}{2}=\frac{3\times1}{5\times2}=\frac{\square}{10}$

② $\frac{1}{4}\times\frac{3}{5}=\frac{1\times3}{4\times5}=$

理科　しあげテスト①　29ページ

1　①(い)　②(い)（と）(う)　③㋐，㋓

2　①(い)　②(き)，(こ)
③受精《じゅせい》　④子宮《しきゅう》

3　①(う)（→）(あ)（→）(い)
②たい積　③ダム

ポイント

1 ①　種子《しゅし》の発芽に必要な条件《じょうけん》である，水，空気，適当《てきとう》な温度がそろっている(い)が発芽します。

②　空気以外の条件が同じ(い)と(う)を比《くら》べると，種子の発芽に空気が必要かどうか調べることができます。

③　植物がじょうぶに育つには，肥料《ひりょう》と日光が必要です。

2 ①②　メダカのめすは，せびれ（(き)）に切れこみがなく，しりびれ（(こ)）の後ろが短い(い)です。

③　めすのうんだたまご（卵《らん》）と，おすの出した精子《せいし》が結びつくことを受精といい，受精したたまごを受精卵《じゅせいらん》といいます。

④　子宮にいる子どもは，羊水という液体に守られています。たいばんで母親から運ばれた養分などと，子どもから運ばれたいらない物を交かんします。たいばんと子どもは，へそのおでつながっていることも覚えておきましょう。

3 ①　上流は最も川はばがせまく川のかたむきが大きい(う)，下流は最も川はばが広く川のかたむきが小さい(い)です。

②　流れる水が土や石を積もらせるはたらきをたい積といいます。しん食，運ぱんのはたらきもカードで整理しておきましょう。

③　災害《さいがい》を防《ふせ》ぐため，砂防《さぼう》ダムや遊水地《ゆうすいち》などをつくっています。

理科　しあげテスト②　28ページ

1　①全体に，すき通っている
②70（g）　③ろ過《か》

2　①N《エヌ》（極）
②かん電池の＋極と－極を反対にする
（電流の向きを反対向きにする）。

3　①㋓　②1.0（秒）　③㋐

ポイント

1 ①　水《すい》よう液《えき》は，とけているものが水全体に均一《きんいつ》に広がり，すき通っています。

②　50＋20＝70g。

③　固体と液体をろ紙を使って分ける方法をろ過といいます。

2 ①　方位磁針《ほういじしん》のN《エヌ》極が右側にふれているので，電磁石《でんじしゃく》の左はじはS《エス》極，右はじの(あ)はN極です。

②　電磁石の左はじがN極になればよいので，かん電池の＋極と－極を反対にして電流の向きを反対向きにします。また，コイルをまく向きを反対向きにしても極が変わります。

3 ①　おもりをふらせた最初の位置にもどってくるまでを，1往復《おうふく》とします。

②　表より，ふりこが10往復する時間の平均《へいきん》は，（10.4＋9.7＋9.9）÷3＝10.0。よって，ふりこが1往復する時間の平均は，10.0÷10＝1.0秒となります。

③　ふりこが1往復する時間が長くなるのは，ふりこの長さを長くしたときです。ふれはばやおもりの重さを変えても，ふりこが1往復する時間は変わりません。

算数　しあげテスト　30ページ

1　①0.42　②27　③$2\frac{7}{12}$ $\left[\frac{31}{12}\right]$　④$\frac{9}{10}$

2　①式　6×2×3.14＝37.68

答え　37.68cm

②式　20÷2＝10

10×3.14÷2＋20×3.14÷2＋10

＝15.7＋31.4＋10＝57.1

答え　57.1cm

3　①式　9×4×7＝252

答え　252cm^3

②式　5×5×5－2×2×2＝117

［または，5×5×5＝125，
2×2×2＝8，125－8＝117］

答え　117cm^3

4　式　（まいかさん）1500÷20＝75　分速75m

（あさひさん）1200÷15＝80　分速80m

答え　あさひさん

5　式　1800×(1－0.2)＝1800×0.8＝1440

答え　1440円

ポイント

1③　$1\frac{5}{6}+\frac{3}{4}=1\frac{10}{12}+\frac{9}{12}=1\frac{19}{12}=2\frac{7}{12}$

④　$2\frac{3}{10}-1\frac{2}{5}=2\frac{3}{10}-1\frac{4}{10}=1\frac{13}{10}-1\frac{4}{10}=\frac{9}{10}$

2①　円周＝直径×円周率(3.14)

②

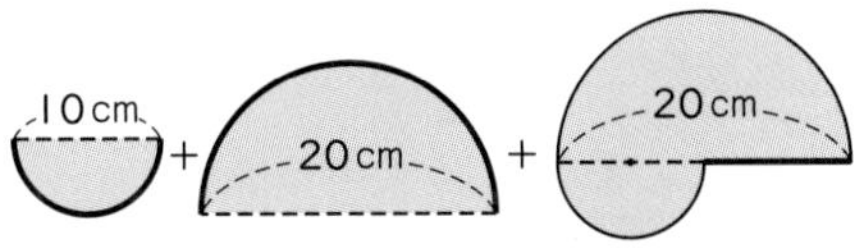

3①　直方体の体積＝たて×横×高さ

②　1辺が5cmの立方体の体積から1辺が2cmの立方体の体積をひいて求めます。

4 まいかさん，あさひさんの歩く速さをそれぞれ求めて比《くら》べます。速さ＝道のり÷時間

5 20%引きの割合《わりあい》は，(1－0.2)です。これを定価《ていか》1800円にかけます。

最終チェックの答え

1 ❶①7.13 ②71.3 ③713

❷①1.49 ②0.149 ③0.0149

2 ❶①$\frac{4}{7}$ ②$\frac{9}{8}\left[1\frac{1}{8}\right]$

❷①0.625 ②3

❸①$\frac{13}{10}\left[1\frac{3}{10}\right]$ ②$\frac{47}{100}$

3 ❶①24 ②45

❷①3 ②12

4 ❶①$\frac{3}{4}$ ②$\frac{3}{5}$ ③$1\frac{2}{3}$

❷$\left(\frac{15}{36}, \frac{16}{36}\right)$

5 ❶①6.63 ②14.5 ③0.546

6 ❶①24 ②4.8 ③7.5

7 ❶①$2\frac{13}{24}\left[\frac{61}{24}\right]$ ②$\frac{9}{10}$〔0.9〕 ③$\frac{1}{4}$ ④$\frac{2}{5}$〔0.4〕

8 ❶①式 180－(45＋35)＝100，180－100＝80

答え 80°

②式 360－(85＋110＋95)＝70 答え 70°

9 ❶式 16×3.14＋16×2＝82.24 答え 82.24cm

10 ❶辺アイの長さ(または，)角ウの大きさ

11 ❶①(順序《じゅんじょ》は逆《ぎゃく》でもよい)長方形，正方形

②曲面 ③(順に)円，平行

12 ❶①式 8×14÷2＝56 答え 56cm^2

②式 15×8÷2＋15×10÷2＝135 答え 135cm^2

13 ❶式 5×9×4－2×3×4＝156 答え 156m^3

14 ❶式 A《エー》…720÷12＝60，B《ビー》…650÷10＝65

答え えん筆A《エー》

❷式 450000÷320＝14$\overset{00}{06}$.… 答え 約1400人

15 ❶①式 1440÷8＝180 答え 分速180m

②式 1800÷150＝12 答え 12分

16 ❶①7% ②160%

❷①0.28 ②1.4

❸①2割《わり》6分《ぶ》9厘《りん》 ②4分《ぶ》5厘《りん》

❹①0.413 ②0.107

17 ❶

家ちくの種類の割合《わりあい》

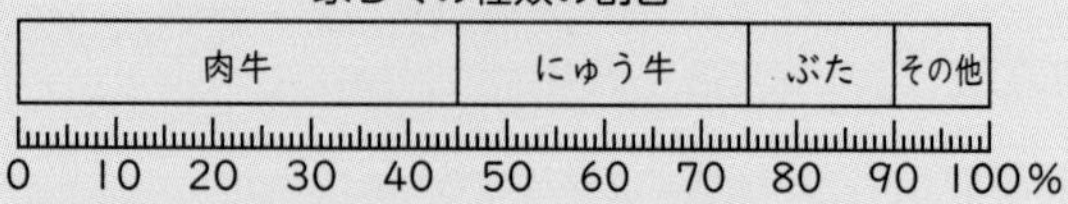

18 ❶①(左から)30，45，60 ②15×□＝○

③式 15×5.2＝78 答え 78g

19 ❶式 0.9÷1.2＝0.75 答え 0.75倍

❷式 3.6×1.25＝4.5 答え 4.5m

❸式 38.5÷0.7＝55 答え 55kg

❹式 9.5÷1.3＝7あまり0.4

答え 7ふくろできて，0.4kgあまる。

20 ❶式 $\frac{2}{5}+\frac{4}{15}=\frac{6}{15}+\frac{4}{15}=\frac{10}{15}=\frac{2}{3}$ 答え $\frac{2}{3}$kg

❷式 $1\frac{1}{8}-\frac{5}{6}=1\frac{3}{24}-\frac{20}{24}=\frac{27}{24}-\frac{20}{24}=\frac{7}{24}$ 答え $\frac{7}{24}$L

21 ❶式 20÷25＝0.8 答え 0.8

❷式 240×0.4＝96 答え 96m^2

❸式 144÷0.8＝180 答え 180人

22 ❶式 60÷(60＋20)＝0.75 答え 0.75

❷式 2800×(1－0.2)＝2240 答え 2240円

❸式 380×(1＋0.1)＝418 答え 418人

23 ❶式 (5＋0＋6＋10＋15)÷5＝7.2 答え 7.2さつ

❷式 0.6×20＝12 答え 12人

24 ❶式 (820－430)÷(6－3)＝130，430－130×3＝40

答え 消しゴム…40円，ノート…130円

❷式 400×0.2＝80，80×0.5＝40

〔または400×0.2×0.5＝40〕 答え 40m^2

算数 文章題

23 平均《へいきん》の問題 32ページ

1 式 (135＋138＋137＋134＋140)÷5
＝136.8 答え 136.8cm

2 式 (3＋2＋0＋1＋2)÷5＝1.6
答え 1.6人

3 式 24×6＝144 答え 144ページ

4 式 72×14＋74×16＝2192
2192÷(14＋16)＝73.0… 答え 約73点

5 式 6.4×5＝32，4＋6＋8＋9＝27
32－27＝5 答え 5人

ポイント

1 平均《へいきん》＝合計÷個数《こすう》
2 平均《へいきん》を求めるときは，0人のときも個数《こすう》に数えます。(3＋2＋1＋2)÷4＝2(人)とするのはまちがいです。注意しましょう。
3 合計＝平均《へいきん》×個数《こすう》
4 2つの平均《へいきん》と個数《こすう》から，全体の平均《へいきん》を求める問題です。まず，1組と2組の合計点を求めると2192点です。それを，学年の人数(14＋16)人でわります。答えは，整数で求めるので，$\frac{1}{10}$の位を四捨五入《ししゃごにゅう》します。
5 合計は，6.4×5＝32(人)です。

最終チェック23

1 下の表は，5年1組で，先週図書室から借りた本の数を調べたものです。1日平均《へいきん》何さつ借りたことになりますか。

先週に借りた本の数（5年1組）

月	火	水	木	金
5さつ	0さつ	6さつ	10さつ	15さつ

式

答え（　　　）

2 5年2組の10月の欠席者は，1日平均《へいきん》0.6人でした。10月に登校しなければならなかった日は20日間でした。10月の欠席者の人数の合計は何人ですか。

式

答え（　　　）

算数 文章題

24 いろいろな問題 31ページ

1 式 (1040－800)÷(8－6)＝120
800－120×6＝80
〔または1040－120×8＝80〕
答え りんご120円，かご80円

2 式 (90＋110)÷25＝8
答え 8秒

3 式 30×0.6＝18，18×0.5＝9
〔または30×0.6×0.5＝9〕 答え 9人

4 ①(左から)7，9，11
②□×2＋1＝○ ③17本

ポイント

1  1040円

 800円

1040円と800円の差は，りんご(8－6)個《こ》分です。
2 電車はわたり始めてから，すっかりわたり終わるまで，90＋110＝200m進みます。
3 虫歯にかかった人数は，30×0.6＝18(人)です。そのうち，治りょうの終わった人は，18×0.5＝9(人)です。または，虫歯にかかった人のうち，治りょうの終わった人の割合《わりあい》は，0.6×0.5です。この考えから求めることもできます。
4 ① 正三角形の数が1個《こ》増《ふ》えると，ぼうの数は2本増《ふ》えます。
③ 8×2＋1＝17(本)

最終チェック24

1 消しゴム1個《こ》とノート3さつの代金は430円，同じ消しゴム1個とノート6さつの代金は820円になるそうです。消しゴム1個《こ》，ノート1さつのねだんはそれぞれ何円ですか。

式

答え（　　　）

2 公園の面積400m^2のうち20%が広場で，広場のうち50%がしばふです。しばふの面積は何m^2ですか。

式

答え（　　　）

算数 21 文章題

割合《わりあい》の問題(1)

34ページ

1 [4]÷[10]

2 [30]×[0.6]

3 式 27÷30＝0.9　答え 0.9

4 式 35×1.4＝49　答え 49kg

5 式 650×0.2＝130　答え 130円

6 式 42÷0.7＝60　答え 60人

ポイント

1 割合《わりあい》＝比《くら》べる量(子どもの人数)÷もとにする量(公園全体の人数)

2 比《くら》べる量＝もとにする量(組の人数)×割合《わりあい》

3 比《くら》べる量÷もとにする量　で求めます。もとにする量は，定員の30人です。

4 もとにする量×割合《わりあい》　で求めます。もとにする量は，こうきさんの体重の35kgです。

5 20%を小数にすると0.2です。

6 もとにする量＝比《くら》べる量÷割合《わりあい》　で求めます。この式をわすれたときは，比《くら》べる量を求める式から考えます。定員を□人とすると□×0.7＝42ですから，□＝42÷0.7です。

最終チェック21

1 ゆいとさんたちは，野球の試合を25回して，そのうち20回勝ちました。勝った割合《わりあい》は試合の数のどれだけですか。

式

答え（　　）

2 広さ240m^2の公園があります。しばふの面積は公園の40%だそうです。しばふの面積は何m^2ありますか。

式

答え（　　）

3 電車の1つの車両に144人乗っています。これはこの車両の定員の80%だそうです。この車両の定員は何人ですか。

式

答え（　　）

算数 22 文章題

割合《わりあい》の問題(2)

33ページ

1 [40]÷([40]＋[10])

2 [200]×(1＋[0.1])

3 式 20÷(520－20)＝0.04
答え 0.04

4 式 (400－340)÷400×100＝15
答え 15%

5 式 600×(1＋0.2)＝720
答え 720円

6 式 450×(1－0.1)＝405
答え 405人

ポイント

1 比《くら》べる量(芽が出た種)÷もとにする量(まいた種全体)で求めます。
40＋10が，まいた種の全部の数です。

2 定価《ていか》の割合《わりあい》は，仕入れたねだんの1＋0.1＝1.1です。

3 もとにする量は，去年のねだんで，520－20＝500(円)です。

4 安くした分は，400－340＝60(円)です。
もとにする量は定価《ていか》の400円です。

5 仕入れたねだんに1＋0.2＝1.2をかけます。

6 今年の児童数は，去年の児童数の1－0.1＝0.9の割合《わりあい》です。

最終チェック22

1 ひまわりの種をまいたら，芽が出た種が60つぶで，芽が出なかった種が20つぶでした。芽が出た種は，まいた種全体のどれだけの割合《わりあい》にあたりますか。

式

答え（　　）

2 定価《ていか》2800円のシャツを20%引きで買いました。何円で買いましたか。

式

答え（　　）

3 はるきさんの学校の去年の児童数は380人でした。今年の児童数は去年の児童数より10%増《ふ》えたそうです。今年の児童数は何人ですか。

式

答え（　　）

算数

文章題

19 小数のかけ算とわり算

36ページ

1 式 45×1.6＝72 答え 72円

2 式 1.4×0.8＝1.12 答え 1.12L

3 式 12.8÷1.6＝8 答え 8つ

4 式 7.5÷0.6＝12あまり0.3
答え 12本できて，0.3Lあまる。

5 式 6÷2.5＝2.4 答え 2.4倍

6 式 56.7÷1.35＝42 答え 42kg

ポイント

1 (1mのねだん)×(長さ)で求めます。
2 (ジュースの量)×0.8が，牛にゅうの量です。
3 (全部のさとうの重さ)÷(1ふくろの重さ)
4 (全部のしょう油の量)÷(1本の量)，びんの数を求めるので，商は整数で，あまりを出します。
5 ある量がもとにする量の何倍かを求めるには，わり算を使います。
6 ゆうとさんの体重を□kgとすると，□×1.35＝56.7ですから，□＝56.7÷1.35で求めます。

最終チェック19

1 牛にゅうが1.2L，ジュースが0.9Lあります。ジュースは，牛にゅうの何倍ですか。
式
答え（　　　）

2 赤いテープが3.6mあります。青いテープは，赤いテープの1.25倍あるそうです。青いテープは何mありますか。
式
答え（　　　）

3 あさひさんの体重は38.5kgで，これは，お兄さんの体重の0.7倍だそうです。お兄さんの体重は何kgですか。
式
答え（　　　）

4 さとうが9.5kgあります。これを1.3kgずつふくろに入れます。1.3kg入りのふくろは何ふくろできて，何kgあまりますか。
式
答え（　　　）

算数

文章題

20 分数の問題

35ページ

1 式 $4÷9=\frac{4}{9}$ 答え $\frac{4}{9}$L

2 式 $7÷6=\frac{7}{6}=1\frac{1}{6}$ 答え $1\frac{1}{6}$倍〔$\frac{7}{6}$倍〕

3 式 $\frac{5}{12}+\frac{1}{4}=\frac{2}{3}$ 答え $\frac{2}{3}$L

4 式 $\frac{4}{5}-\frac{2}{3}=\frac{2}{15}$ 答え $\frac{2}{15}$m

5 式 $\frac{1}{4}+1\frac{4}{5}=\frac{5}{20}+1\frac{16}{20}=1\frac{21}{20}=2\frac{1}{20}$
答え $2\frac{1}{20}$kg〔$\frac{41}{20}$kg〕

6 式 $2\frac{3}{4}-1\frac{7}{8}=2\frac{6}{8}-1\frac{7}{8}=1\frac{14}{8}-1\frac{7}{8}=\frac{7}{8}$
答え りんごジュースが$\frac{7}{8}$L多い。

ポイント

1 等分した1つの量を求めるので，わり算です。
2 もとにする量は，横の長さの6mです。
3 あわせた量を求めるので，たし算です。
4 残りの長さを求めるので，ひき算です。
5 全部の重さを求めるので，たし算です。
6 どちらがどれだけ多いかを求めるので，ひき算です。

最終チェック20

1 さとうを$\frac{2}{5}$kg使いましたが，まだ$\frac{4}{15}$kg残っています。さとうは，はじめに何kgありましたか。
式
答え（　　　）

2 しょう油が先週は$1\frac{1}{8}$Lありましたが，今日は$\frac{5}{6}$Lになっていました。何L使いましたか。
式
答え（　　　）

⑤② 0.3→3割《わり》，0.04→4分《ぶ》，0.005→5厘《りん》

最終チェック16

1 次の小数で表した割合《わりあい》を百分率《ひゃくぶんりつ》で表しましょう。

① 0.07（　　　）　② 1.6（　　　）

2 次の百分率《ひゃくぶんりつ》で表した割合《わりあい》を小数で表しましょう。

① 28%（　　　）　② 140%（　　　）

3 次の小数で表した割合《わりあい》を歩合《ぶあい》で表しましょう。

① 0.269　② 0.045

（　　　）　（　　　）

4 次の歩合《ぶあい》で表した割合《わりあい》を小数で表しましょう。

① 4割《わり》1分《ぶ》3厘《りん》　② 1割《わり》7厘《りん》

（　　　）　（　　　）

算数 17 データの活用 割合《わりあい》とグラフ 38ページ

1 ①(左から)80，40　あ40

②式　24÷80×100＝30　い30

③100

2 ①1%　②40%　③約$\frac{1}{4}$

3 職業《しょくぎょう》別人口の割合《わりあい》

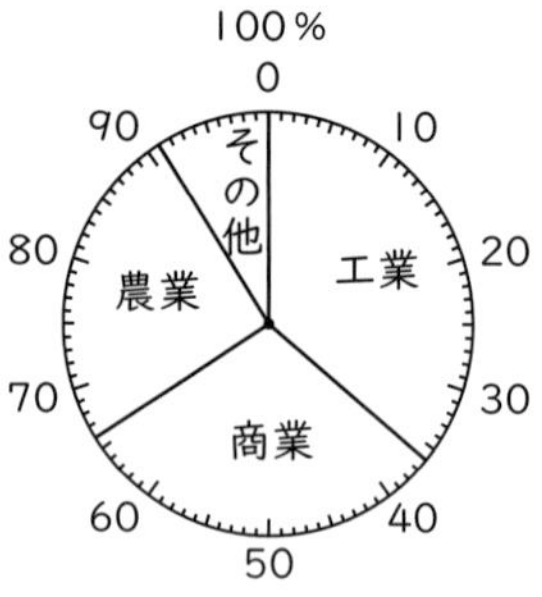

ポイント

①①②　もとにする量は，合計の80人です。
割合《わりあい》＝比《くら》べる量÷もとにする量
百分率《ひゃくぶんりつ》にするため100をかけます。

②③　工業地は26%ですから，約$\frac{1}{4}$です。

③円グラフは，右まわりに百分率《ひゃくぶんりつ》の大きい順に区切っていきます。

最終チェック17

1 右の表を帯グラフに表しましょう。

家ちくの種類の割合《わりあい》

肉牛	にゅう牛	ぶた	その他
45%	30%	15%	10%

家ちくの種類の割合《わりあい》

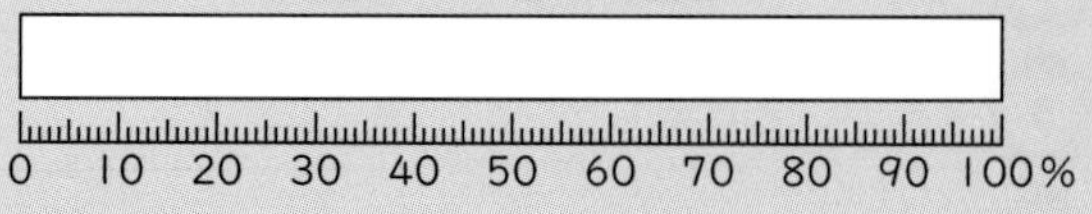

算数 18 変化と関係 比例《ひれい》 37ページ

1 あ，うに○

2 ①(左から)6，9，12，15

②3×□＝○　③比例《ひれい》します

3 ①□×3.14＝○

②式　15×3.14＝47.1　答え 47.1cm

ポイント

●①～③2つの量があって，一方が2倍，3倍，…になると，それにともなってもう一方も2倍，3倍，…になるとき，2つの量は比例するといいます。

①あ　リボンの長さが2倍，3倍，…になると，代金も2倍，3倍，…になっているので，2つの量は比例しています。

②長方形の面積＝たて×横　にあてはめて考えます。

③円周＝直径×3.14(円周率)　にあてはめて考えます。

最終チェック18

1 1mの重さが15gのはり金の長さと重さの関係を調べたものです。次の問題に答えましょう。

長さ□(m)	1	2	3	4
重さ○(g)	15			

① 表のあいているところに，あてはまる数を書きましょう。

② はり金の長さを□m，重さを○gとして，□と○の関係を式に表しましょう。

（　　　）

③ 長さが5.2mのとき，重さは何gですか。

式

答え（　　　）

70
❸ (A《エー》市) 式　150000÷410＝365.…
答え 約370人
80
(B《ビー》市) 式　220000÷580＝379.…
答え 約380人

ポイント

● ❶❷ こみぐあいや作物のとれぐあいなどを比《くら》べるには単位量あたりの大きさを調べます。

❶ ①　じゃがいもの量÷面積　です。
②　$1m^2$あたりのじゃがいもの量が多いほうが，多くとれたことになります。

❷ 面積÷じゃがいもの量　です。1kgあたりの面積がせまいほうが，よくとれたといえます。

❸ $1km^2$あたりの人口を人口密度《みつど》といいます。
人口密度《みつど》＝人口÷面積
答えは，上から3けた目を四捨五入《ししゃごにゅう》します。

最終チェック14

❶ 1ダースで720円のえん筆A《エー》と10本で650円のえん筆B《ビー》があります。1本あたりのねだんは，どちらが安いですか。
式
答え（　　　）

❷ 南山市の面積は$320km^2$で，人口は45万人です。南山市の人口密度《みつど》を，四捨五入《ししゃごにゅう》して上から2けたのがい数で求めましょう。
式
答え（　　　）

算数 15 変化と関係　速さ　40ページ

❶ ①式　130÷2＝65　答え 時速65km
②式　800÷5＝160　答え 分速160m
③式　144÷9＝16　答え 秒速16m

❷ ①式　時速30km＝時速30000m，
1時間＝60分，30000÷60＝500
答え 分速500m
②式　時速72km＝時速72000m，
1時間＝3600秒，72000÷3600＝20
答え 秒速20m

❸ ①式　80×3＝240　答え 240km
②式　240×5＝1200　答え 1200m

❹ ①式　135÷45＝3　答え 3時間
②式　256÷32＝8　答え 8秒

ポイント

❶ 速さ＝道のり÷時間
単位時間によって時速，分速，秒速で表します。

❷ ①　1時間＝60分だから，時速を分速になおすには60でわります。
②　1時間＝3600秒だから，時速を秒速になおすには3600でわります。
または，72000÷60＝1200，1200÷60＝20と求めてもよいです。

❸ 道のり＝速さ×時間

❹ 時間＝道のり÷速さ

最終チェック15

❶ 次の問題に答えましょう。
①　1440mを8分で走った自転車の分速を求めましょう。
式
答え（　　　）
②　分速150mの自転車が1800m走るのにかかる時間は何分ですか。
式
答え（　　　）

算数 16 変化と関係　割合《わりあい》　39ページ

❶ ①式　6÷10＝0.6　答え 0.6
②百分率《ひゃくぶんりつ》　③60%

❷ ①式　10÷50＝0.2　答え 0.2
②式　6÷4＝1.5　答え 1.5

❸ ①5%　②24%　③120%

❹ ①0.04　②0.15　③0.7

❺ ①歩合《ぶあい》　②3割《わり》4分《ぶ》5厘《りん》　③0.276

ポイント

❶ 比《くら》べる量が，もとにする量の何倍にあたるかを表した数を割合《わりあい》といいます。
割合《わりあい》＝比《くら》べる量÷もとにする量
②③　割合《わりあい》を表す0.01を百分率《ひゃくぶんりつ》で1パーセントといい，1%と書きます。

❷ もとにする量は①50人，②4mです。

❸ 100倍して%で表します。

❹ 100でわって小数で表します。

②(式) 3×4÷2=6 (答え) 6cm^2

③(式) 6×8÷2=24 (答え) 24cm^2

④(式) (5+15)×8÷2=80

(答え) 80cm^2

4 (式) 12×7÷2+13×6÷2=81

(答え) 81cm^2

ポイント

1 ① 辺イウを底辺としたとき，その底辺に垂直《すいちょく》な直線の長さ6cmが高さです。

2 ① 辺イウを底辺としたとき，その底辺に垂直《すいちょく》な直線の長さ8cmが高さです。

3 次の図形の面積の求め方を覚えておきましょう。

平行四辺形の面積＝底辺×高さ

三角形の面積＝底辺×高さ÷2

ひし形の面積＝対角線×対角線÷2

台形の面積＝(上底＋下底)×高さ÷2

① 底辺は9cm，高さは6cmです。

② 底辺は3cm，高さは4cmです。

③ 対角線は6cmと8cmです。

④ 上底は5cm，下底は15cm，高さは8cmです。

4 底辺12cmで高さ7cmの三角形の面積と，底辺13cmで高さ6cmの三角形の面積の和です。

最終チェック12

1 下の図形の面積を求めましょう。

①

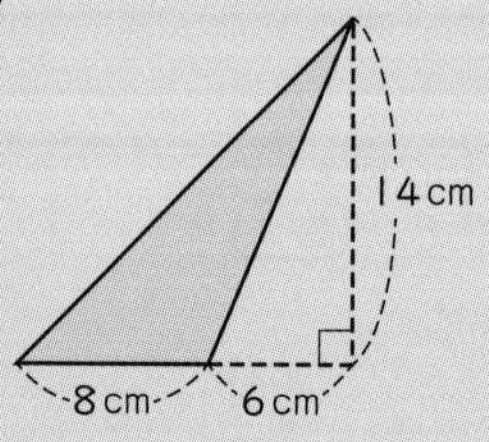

(式)

(答え)(　　　)

②

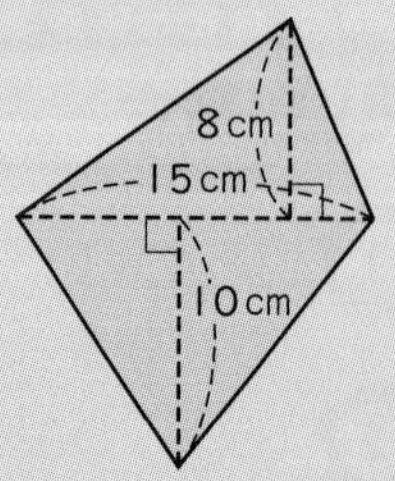

(式)

(答え)(　　　)

算数 13 図形 体積 42ページ

1 ①2cm^3 ②4cm^3 ③8cm^3

2 ①(式) 3×2×5=30 (答え) 30cm^3

②(式) 3×3×3=27 (答え) 27cm^3

③(式) 6×4×3=72 (答え) 72m^3

3 ①1000000 ②1000 ③1000

4 ①(式) 6×3×2+6×10×(5−2)=216

［または，6×3×5+6×(10−3)×(5−2)=216
または，6×10×5−6×(10−3)×2=216］

(答え) 216cm^3

②(式) 8×6×5−2×2×5=220

(答え) 220cm^3

ポイント

1 ③ 1だん目に2×2=4(個《こ》)あり，それが2だんなので，4×2=8(個《こ》)で，8cm^3です。

2 直方体の体積＝たて×横×高さ

立方体の体積＝1辺×1辺×1辺

3 ① 1m=100cmだから，1m^3は100×100×100=1000000(cm^3)です。

② 1Lは，1辺が10cmの立方体に入る水の体積です。10×10×10=1000(cm^3)

4 ① 2つの直方体の体積の和として求めます。大きな直方体から小さな直方体をひいたものとして求めることもできます。

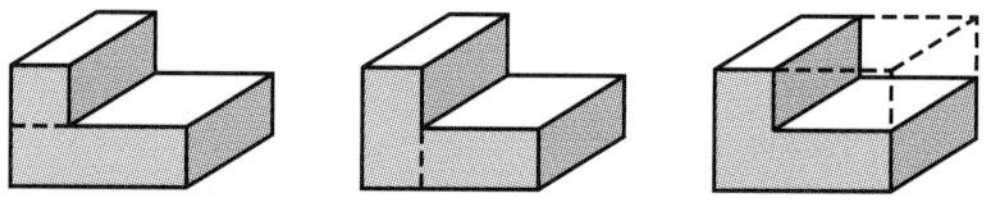

最終チェック13

1 右の図のような立体の体積は何m^3ですか。

(式)

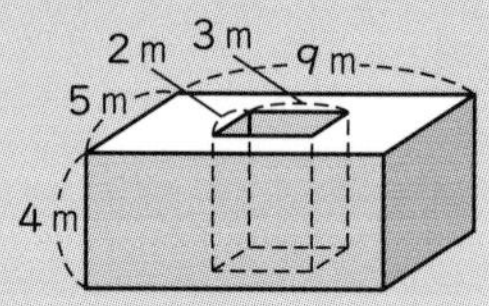

(答え)(　　　)

算数 14 変化と関係 単位量あたりの大きさ 41ページ

1 ①(はるとさんの家)

(式) 120÷50=2.4 (答え) 2.4kg

(ひまりさんの家)

(式) 150÷60=2.5 (答え) 2.5kg

②ひまりさんの家

2 (はるとさんの家)

(式) 50÷120=0.416…（2）

(答え) 約0.42m^2

(ひまりさんの家)

(式) 60÷150=0.4 (答え) 0.4m^2

算数 10 図形 合同な図形 45ページ

1 (い)と(お)，(う)と(く)

2 ①頂点《ちょうてん》ケ　②角ク　③6cm　④60°

3 ①三角形ウエア　②三角形ウエオ

4 （次のような三角形）

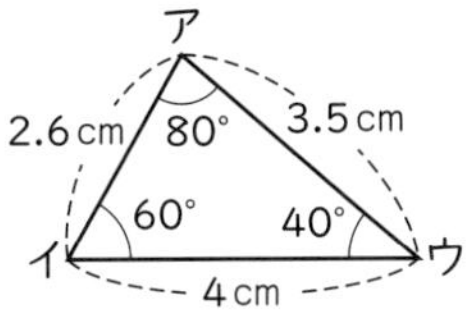

ポイント

1 きちんと重ね合わすことのできる2つの図形は合同であるといいます。まわしたり，うら返したりして，重なるものも合同です。

2 合同な図形では，対応《たいおう》する辺の長さや角の大きさは等しくなっています。

4 次の3つのかき方があります。

(あ)　3つの辺の長さでかく。

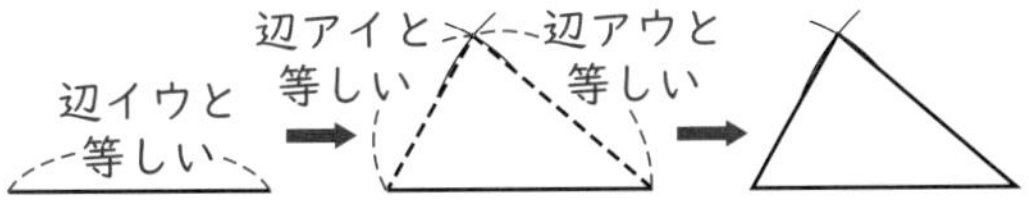

(い)　2つの辺の長さと，その間の角の大きさでかく。

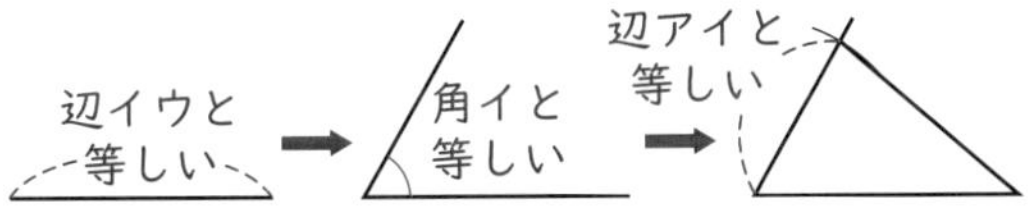

(う)　1つの辺の長さと，その両はしの角の大きさでかく。

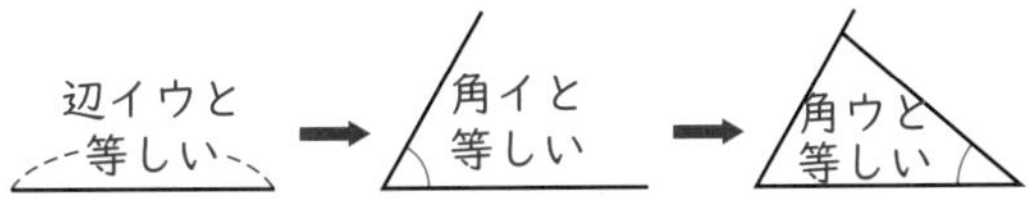

最終チェック10

1 次の三角形と合同な三角形をかくには，図にかかれた辺の長さと角の大きさのほかに，何がわかればよいですか。

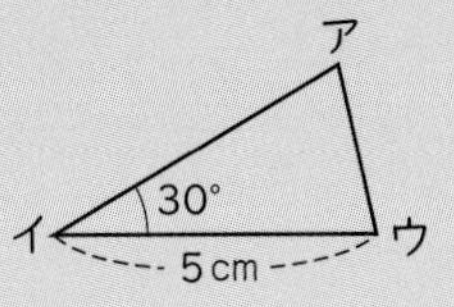

（　　　　　　）

または，

（　　　　　　）

算数 11 図形 角柱と円柱 44ページ

1 ①三角柱　②五角柱　③円柱

2 (あ)底面　(い)側面　(う)高さ

3 ①角柱…2つ，円柱…2つ
②角柱…合同です，円柱…合同です
③角柱…平面，円柱…曲面

4 (あ)，(う)

5 ①側面　②7cm

ポイント

1 底面の形によって何角柱かが決まります。

2 角柱の底面，側面はどこのことか覚えておきましょう。2つの底面の間の長さは高さといいます。

3 角柱も円柱も2つの底面は合同で平行です。側面は底面に垂直《すいちょく》です。角柱の側面は長方形か正方形で，三角柱なら3つ，四角柱なら4つ，…あります。円柱の側面は曲面です。また，頂点《ちょうてん》は，三角柱なら3×2=6(つ)，四角柱なら4×2=8(つ)，…あります。

4 (い)のてん開図を組み立てると，重なる面があり，三角柱はできません。
(あ)，(う)を組み立てると，右のような三角柱ができます。

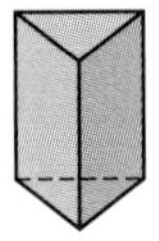

5 ②　辺アイは円柱の高さで7cmです。
辺アエは底面の円周と同じ長さです。

最終チェック11

1 次の□にあてはまることばや数を書きましょう。

①　角柱の側面の形は□か，□です。

②　円柱の側面は□になっています。

③　円柱の2つの底面は合同な□で，□になっています。

算数 12 図形 面積 43ページ

1 ①6cm　②5cm

2 ①8cm　②10cm

3 ①(式)　9×6=54　(答え) $54cm^2$

最終チェック7

❶ 次の計算をしましょう。

① $1\frac{1}{6}+1\frac{3}{8}=$

② $0.5+\frac{2}{5}=$

③ $\frac{7}{12}-\frac{1}{3}=$

④ $\frac{7}{10}-0.3=$

最終チェック8

❶ 下の図の(あ)の角度を計算で求めましょう。

①

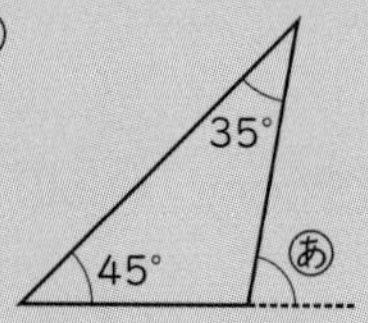

式

答え（　　　）

②

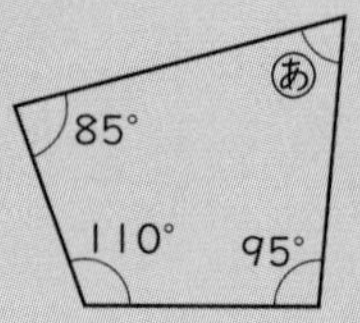

式

答え（　　　）

算数 8 図形

角の大きさ　47ページ

1 ①180°　②360°

2 ①式　180－(60＋65)＝55　答え 55°

②式　180－(25＋35)＝120　答え 120°

3 ①式　180－40×2＝100　答え 100°

②式　180－30＝150，150÷2＝75

答え 75°

4 ①式　180－130＝50

180－(65＋50)＝65　答え 65°

②式　180－(80＋45)＝55

180－55＝125　答え 125°

5 ①式　360－(70＋125＋100)＝65

答え 65°

②式　360－(70＋65＋130)＝95

答え 95°

ポイント

1 ①　三角形の3つの角の大きさの和は180°。

②　四角形は2つの三角形に分けられます。

2 180°から，わかっている2つの角の大きさをひいて求めます。

3 二等辺三角形の2つの角の大きさは等しいことを用いて求めます。

4 ①　右の図で，(い)の角度は，180－130＝50で，50°です。

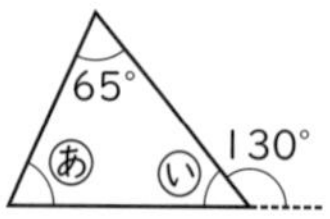

5 四角形の4つの角の大きさの和は360°ですから，360°から，わかっている3つの角の大きさをひいて求めます。

算数 9 図形

正多角形と円　46ページ

1 ①正六角形　②正五角形　③正三角形

④正八角形

2 ①式　360÷5＝72　答え 72°

②式　(180－72)÷2＝54　答え 54°

3 ①円周　②円周率《りつ》

4 ①式　6×3.14＝18.84　答え 18.84cm

②式　4×2×3.14＝25.12　答え 25.12cm

5 ①式　10×3.14÷2＋10＝25.7

答え 25.7cm

②式　12×3.14÷2×2＋12＝49.68

答え 49.68cm

ポイント

2 ①　円の中心のまわり(360°)を5等分した大きさです。

4 円周＝直径×円周率《りつ》(3.14)

円周率《りつ》はふつう3.14を使います。

5 ①　円周の半分に直径をたします。

最終チェック9

❶ 下の図のまわりの長さを求めましょう。

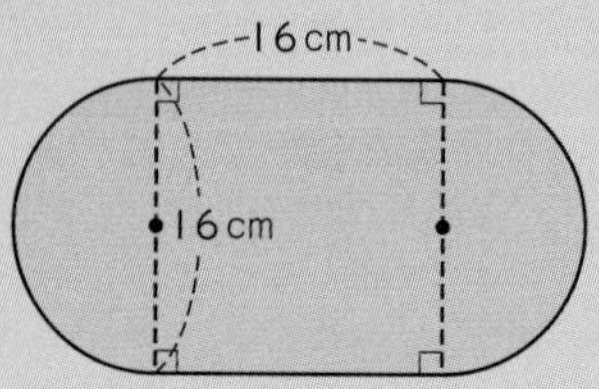

式

答え（　　　）

⑤②

```
   1.6
 × 0.6
  0.9 6
```

⑥ 1より小さい数をかけると，積はかけられる数より小さくなります。

⑥ あまりの小数点は，わられる数のもとの小数点にそろえてうちます。

⑦ 商を$\frac{1}{100}$の位まで計算して四捨五入《ししゃごにゅう》します。

⑧ わり算では，1より小さい数でわると，商はわられる数よりも大きくなります。

最終チェック5

❶ 次の計算をしましょう。

```
①   3.9      ②   5.8      ③   0.3 9
  × 1.7        × 2.5        ×   1.4
```

最終チェック6

❶ 次の計算をわり切れるまでしましょう。

① 3.2）7 6.8　② 2.5）1 2　③ 0.3 2）2.4

算数 6 計算 小数のわり算 49ページ

① ①8　②60

② ①7　②29

③ ①2.5　②2.4

④ ①2.4　②7.5　③4.5　④1.56

⑤ ①0.25　②0.62

⑥ (左から)①2，0.7　②2，0.7

⑦ ①5.2　②0.4

⑧ ㋑

ポイント

① わられる数とわる数をそれぞれ10倍して，わる数を整数になおして計算します。

● ②～⑦ 小数でわる計算は，次のようにします。

(1)わる数の小数点を移《うつ》して整数にする。

(2)わられる数の小数点も，わる数の小数点を右に移《うつ》したけた数だけ右に移《うつ》す。

(3)整数と同じように計算し，商の小数点は，わられる数の右に移《うつ》した小数点にそろえてうつ。

② ①

```
         7
 1.4）9.8
       9 8
         0
```

③ ①

```
          2.5
 2.4）6.0.0
       4 8
       1 2 0
       1 2 0
           0
```

⑤ ①

```
          0.2 5
 1.6）0.4.0 0
         3 2
           8 0
           8 0
             0
```

算数 7 計算 分数のたし算とひき算 48ページ

① ①$\frac{5}{9}$　②$1\frac{11}{12}\left[\frac{23}{12}\right]$　③$3\frac{7}{12}\left[\frac{43}{12}\right]$

② ①$\frac{2}{9}$　②$2\frac{1}{6}\left[\frac{13}{6}\right]$　③$6\frac{1}{6}\left[\frac{37}{6}\right]$

③ ①$\frac{17}{24}$　②$\frac{13}{15}$

④ ①$\frac{1}{2}$〔0.5〕　②1

⑤ ①$\frac{1}{8}$　②$2\frac{3}{10}\left[\frac{23}{10}\right]$　③$\frac{7}{12}$

⑥ ①$\frac{1}{2}$　②$1\frac{1}{15}\left[\frac{16}{15}\right]$　③$\frac{5}{6}$

⑦ ①$\frac{5}{12}$　②$\frac{1}{2}$

⑧ ①$\frac{2}{5}$〔0.4〕　②$\frac{1}{8}$〔0.125〕

ポイント

● ①～③，⑤～⑦ 分母のちがう分数のたし算やひき算は，通分してから計算します。

①① $\frac{2}{9}+\frac{1}{3}=\frac{2}{9}+\frac{3}{9}=\frac{5}{9}$

② 約分できるときは，約分します。

① $\frac{1}{18}+\frac{1}{6}=\frac{1}{18}+\frac{3}{18}=\frac{4}{18}=\frac{2}{9}$

③ 順に計算してもよいですが，3つの分数を一度に通分して計算してもよいです。

● ④⑧ 小数を分数になおして計算します。

④② $0.75+\frac{1}{4}=\frac{3}{4}+\frac{1}{4}=\frac{4}{4}=1$

⑥① $\frac{2}{3}-\frac{1}{6}=\frac{4}{6}-\frac{1}{6}=\frac{3}{6}=\frac{1}{2}$

●③④いくつかの整数に共通な倍数を，これらの整数の公倍数といい，公倍数のうち，いちばん小さいものを最小公倍数といいます。

③① 3の倍数は3，6，9，12，…で，このうち，2の倍数は6，12，…です。これらが2と3の公倍数です。

④② 15は5の倍数ですから，5と15の最小公倍数は15となります。

⑤ある整数をわり切ることのできる整数を，その整数の約数といいます。1とその整数も約数です。

●⑥⑦いくつかの整数に共通な約数を，これらの整数の公約数といい，公約数のうち，いちばん大きいものを最大公約数といいます。

⑥① 8の約数は1，2，4，8です。このうち，12の約数は1，2，4です。

最終チェック3

❶ 次の各組の数の最小公倍数を書きましょう。

① (6，8)(　　　)

② (9，15)(　　　)

❷ 次の各組の数の最大公約数を書きましょう。

① (9，12)(　　　)

② (24，36)(　　　)

算数 4 数 分数 51ページ

① ①$\frac{\boxed{2}}{8}$　②$\frac{\boxed{6}}{9}$　③$\frac{\boxed{2}}{3}$

② ①$\frac{1}{3}$　②$1\frac{3}{5}$　③$\frac{2}{5}$

③ ①$\left(\frac{3}{6}, \frac{2}{6}\right)$　②$\left(\frac{6}{9}, \frac{7}{9}\right)$

③$\left(1\frac{3}{18}, 1\frac{4}{18}\right)$　④$\left(\frac{15}{24}, \frac{14}{24}\right)$

④ ①>　②<　③>

⑤ ①$\frac{1}{4}$　②$\frac{2}{3}$　③$1\frac{1}{2}$〔$\frac{3}{2}$〕　④$\frac{3}{4}$

ポイント

①分母と分子に同じ数をかけても，同じ数でわっても，分数の大きさは変わりません。

②分母と分子をそれらの最大公約数でわると，1回で約分できます。

③共通の分母は，①6，②9，③18，④24です。

④2つの分数を通分して比《くら》べます。

① $\frac{3}{4}=\frac{15}{20}$，$\frac{3}{5}=\frac{12}{20}$　② $\frac{5}{6}=\frac{15}{18}$，$\frac{8}{9}=\frac{16}{18}$

⑤1時間＝60分，1分＝60秒から考えます。

① $15\div60=\frac{15}{60}=\frac{1}{4}$(時間)

③ $90\div60=\frac{90}{60}=\frac{3}{2}=1\frac{1}{2}$(時間)

④ $45\div60=\frac{45}{60}=\frac{3}{4}$(分)

最終チェック4

❶ 次の分数を約分しましょう。

① $\frac{6}{8}=$　　② $\frac{12}{20}=$　　③ $1\frac{30}{45}=$

❷ 次の(　)の中の分数を通分しましょう。

(共通の分母は，2つの分母の最小公倍数にしましょう。)

$\left(\frac{5}{12}, \frac{4}{9}\right)$　(　　，　　)

算数 5 計算 小数のかけ算 50ページ

① ①0.8　②18

③0.35　④2.4

② ①25.2　②707.4

③40.75　④41.16

③ ①1.44　②21.66

③30.875　④3.552

④ ①4.9　②34.2

③3.66　④1.8

⑤ ①0.72　②0.96

③0.492　④0.2576

⑥ ㋑

ポイント

①整数×小数の計算は，かける数の小数を整数になおして計算します。

②整数に小数をかける筆算は，整数のかけ算と同じように計算して，かける数にそろえて積の小数点をうちます。

●③～⑤小数をかける筆算は，小数点がないものとして計算して，かけられる数とかける数の小数部分のけた数の和と同じだけ，右から数えて積の小数点をうちます。

③②
　5.7…1けた
×3.8…1けた
　456
171
21.66…2けた

④②
　7.6
×4.5
　380
304
34.20

算数 1 数 整数と小数 54ページ

1 (左から)①9, 1, 4 ②1, 3, 2, 5
③2, 8, 6, 7

2 ①41.5 ②93 ③6010

3 ①5.26 ②1.8 ③0.3674

4 ①23.5 ②8140 ③196
④0.517 ⑤0.4912 ⑥0.0635

ポイント できなかったら，ここを読んで直そう！

1② 13.25は，10を1つ，1を3つ，0.1を2つ，0.01を5つあわせた数です。

2 **3** ある数を10倍，100倍，…すると，小数点は右へ1けた，2けた，…移《うつ》ります。また，$\frac{1}{10}$，$\frac{1}{100}$，…にすると，小数点は，左へ1けた，2けた，…移《うつ》ります。

4① 2.35を10倍した数ですから，小数点は右へ1けた移《うつ》ります。
④ 5.17を$\frac{1}{10}$にした数ですから，小数点は左へ1けた移《うつ》ります。

最終チェック1 ここで最後のおさらい！

1 0.713を10倍，100倍，1000倍した数を書きましょう。
① 10倍 (　　　)　② 100倍 (　　　)　③ 1000倍 (　　　)

2 14.9を，$\frac{1}{10}$，$\frac{1}{100}$，$\frac{1}{1000}$にした数を書きましょう。
① $\frac{1}{10}$ (　　　)　② $\frac{1}{100}$ (　　　)　③ $\frac{1}{1000}$ (　　　)

答えは24ページ

算数 2 数 分数と小数 53ページ

1 ①$\frac{3}{4}$ ②$\frac{5}{9}$ ③$\frac{7}{6}$ $\left[1\frac{1}{6}\right]$

2 ①0.8 ②0.45 ③0.375 ④2.75

3 ①6 ②7 ③5

4 ①0.83 ②1.29

5 ①$\frac{7}{10}$ ②$\frac{39}{100}$ ③$\frac{123}{100}$ $\left[1\frac{23}{100}\right]$ ④$\frac{201}{1000}$

6 ①< ②< ③= ④>

ポイント

1 整数のわり算の商は，わる数を分母，わられる数を分子とする分数で表すことができます。

$$\boxed{3}\div\boxed{4}=\frac{\boxed{3}}{\boxed{4}}$$

2 **3** 分数を小数や整数になおすには，分子を分母でわります。

4 $\frac{1}{100}$の位までの小数にするので，$\frac{1}{1000}$の位を四《し》捨《しゃ》五《ご》入《にゅう》します。
① $\frac{5}{6}=5\div6=0.833\cdots$ ② $\frac{9}{7}=9\div7=1.2\overset{9}{8}5\cdots$

5 小数は、分母が10，100，1000などの分数で表すことができます。

6② $\frac{3}{10}=0.3$ ④ $1\frac{5}{8}=1.625$

最終チェック2

1 次のわり算の商を分数で表しましょう。
① 4÷7 (　　　)　② 9÷8 (　　　)

2 次の分数を小数や整数で表しましょう。
① $\frac{5}{8}$ (　　　)　② $\frac{3}{1}$ (　　　)

3 次の小数を分数で表しましょう。
① 1.3 (　　　)　② 0.47 (　　　)

算数 3 数 倍数と約数 52ページ

1 ①× ②○ ③○

2 ①3, 6, 9 ②12, 16, 20

3 ①6, 12, 18 ②24, 48, 72

4 ①21 ②15 ③12

5 ①1, 5 ②1, 2, 4, 8, 16

6 ①1, 2, 4 ②1, 3, 9

7 ①3 ②8 ③15

ポイント

1 2でわり切れる整数を偶数《ぐうすう》，2でわり切れない整数を奇数《きすう》といいます。0は偶数《ぐうすう》です。

2 ある整数に整数をかけてできる数を，その整数の倍数といいます。
① 3×1，3×2，3×3と求めます。

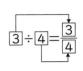

英語　しあげテスト　55ページ

1 (1)ア　(2)イ　(3)イ　(4)ア

2 (1) I can run fast.

(2) I want a watch.

3 (1) Yes , do

(2) baseball

読まれた英語（やく）

1 (1) Where is my ball? — It's by the desk.
（わたしのボールはどこですか。—それはつくえのそばにあります。）

(2) She is Sakura. She is good at singing.
（かのじょはサクラです。かのじょは歌うのが得意《とくい》です。）

(3) I'm Kana. I'm hungry.
（わたしはカナです。わたしはおなかがすいています。）

(4) I'm Jun. I can swim well.
（わたしはジュンです。わたしはじょうずに泳ぐことができます。）

2 I'm Riku. (1) I can run fast. (2) I want a watch.
（わたしはリクです。(1)わたしは速く走ることができます。(2)わたしはうで時計がほしいです。）

3 (1) Do you like cats? — Yes, I do.
（あなたはネコが好きですか。—はい，好きです。）

(2) Can you play tennis well? — No, I can't. But I can play baseball.
（あなたはじょうずにテニスができますか。—いいえ，できません。でもわたしは野球ができます。）

ポイント

1 (1)ボールがどこにあるかたずねられて，つくえのそばにあると答えています。

(2)人をしょうかいする文です。名前と，得意《とくい》なことを言っています。

(3)自分の名前と，今の状態《じょうたい》を言っています。

(4)自分の名前と，できることを言っています。

2 自こしょうかいする文です。名前を言ったあと，(1)はできること，(2)はほしいものを言っています。

3 (1)絵を見ると，女の子はネコが好きだということがわかります。

(2)絵を見ると，女の子は野球ができることがわかります。

英語 8 英語の文

I can play tennis.

57ページ

1 (1)イ (2)ウ (3)エ (4)ア

2 (1) Can (2) can't

3 (1) I can play the guitar.

(2) I can't sing well.

読まれた英語（やく）

1 (1) I can play the piano.
（わたしはピアノをひくことができます。）

(2) I can't swim well.
（わたしはじょうずに泳ぐことができません。）

(3) Can you run fast? — Yes, I can.
（あなたは速く走ることができますか。—はい，できます。）

(4) Can you cook well? — No, I can't.
（あなたはじょうずに料理することができますか。—いいえ，できません。）

2 (1) Can you jump high? — Yes, I can.
（あなたは高くジャンプすることができますか。—はい，できます。）

(2) Can you play tennis well? — No, I can't.
（あなたはじょうずにテニスをすることができますか。—いいえ，できません。）

3 (1) I can play the guitar.
（わたしはギターをひくことができます。）

(2) I can't sing well.
（わたしはじょうずに歌うことができません。）

ポイント

1 できることやできないことについて言う文です。

(1)できることを言っています。

(2)できないことを言っています。

(3)(4)できることをたずねる文と，答える文です。

2 (1)できることをたずねる文です。

(2)絵を見ると，女の子はテニスがじょうずにできないことがわかります。

英語 9 英語の文

Where is my bag?

56ページ

1 (1)イ (2)ア (3)イ (4)ア

2 (1) Where (2) under

3 (1) My hat is on the bed.

(2) Where is my bag?

読まれた英語（やく）

1 (1) My cat is by the window.
（わたしのネコはまどのそばにいます。）

(2) My racket is on the bed.
（わたしのラケットはベッドの上にあります。）

(3) Where is my notebook?
— It's under the table.
（わたしのノートはどこですか。—それはテーブルの下にあります。）

(4) Where is my pencil case? — It's in the box.
（わたしの筆入れはどこですか。—それは箱の中にあります。）

2 (1) Where is my ball?
（わたしのボールはどこですか。）

(2) It's under the desk.
（それはつくえの下にあります。）

3 (1) My hat is on the bed.
（わたしのぼうしはベッドの上にあります。）

(2) Where is my bag?
（わたしのかばんはどこですか。）

ポイント

1 ものなどがある場所を言う文です。絵をよく見ながら注意して聞きましょう。

(1)(2)ものと場所を表す英語に注意して聞きましょう。byは「～のそばに」，onは「～の上に」という意味です。

(3)(4)もののある場所をたずねる文と，答える文です。underは「～の下に」，inは「～の中に」という意味です。

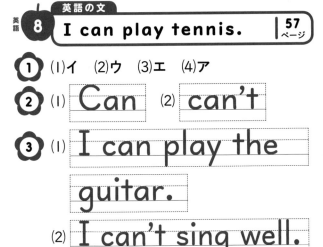

して聞きましょう。
② (1)好きなものを言っています。
(2)ほしくないものを言っています。
③ 女の子が自こしょうかいしています。好きなものや持っているものを言っています。

英語 6 英語の文 Are you Riko? Do you like soccer? 59ページ

① (1)ウ (2)ア (3)イ (4)エ

② (1) Are (2) Do

③ (1) Are you busy?
(2) Yes, I do.

読まれた英語（やく）

① (1) Are you Misaki? — Yes, I am.
（あなたはミサキですか。—はい，そうです。）
(2) Do you like dogs? — No, I don't.
（あなたはイヌが好きですか。—いいえ，好きではありません。）
(3) Are you hungry? — No, I'm not.
（あなたはおなかがすいていますか。—いいえ，すいていません。）
(4) Do you have an umbrella? — Yes, I do.
（あなたはかさを持っていますか。—はい，持っています。）
② (1) Are you sad? — No, I'm not.
（あなたは悲しいですか。—いいえ，悲しくありません。）
(2) Do you want a new racket? — Yes, I do.
（あなたは新しいラケットがほしいですか。—はい，ほしいです。）
③ (1) Are you busy?
（あなたはいそがしいですか。）
(2) Do you like soccer? — Yes, I do.
（あなたはサッカーが好きですか。—はい，好きです。）

ポイント

① 相手について質問《しつもん》する文と，答える文です。
(1)女の子の名前はミサキです。
(2)男の子はイヌが好きではありません。
(3)男の子はおなかがすいていません。
(4)女の子はかさを持っています。
③ (2)質問《しつもん》は「あなたはサッカーが好きですか。」という意味です。絵の人になったつもりで「はい，好きです。」と答えましょう。

英語 7 英語の文 He is Shota. He is a singer. 58ページ

① (1)ア (2)イ (3)イ (4)ア

② (1) He is (2) mother

③ (1) He is my brother.
(2) He is good at baseball.

読まれた英語（やく）

① (1) She is Yui. She is a soccer player.
（かのじょはユイです。かのじょはサッカー選手です。）
(2) He is my father. He is a vet.
（かれはわたしの父です。かれはじゅう医です。）
(3) She is my grandmother. She is good at cooking.
（かのじょはわたしの祖母《そぼ》です。かのじょは料理が得意《とくい》です。）
(4) He is Shun. He is good at dancing.
（かれはシュンです。かれはおどるのが得意《とくい》です。）
② (1) He is Haruto.
（かれはハルトです。）
(2) She is my mother.
（かのじょはわたしの母です。）
③ (1) He is my brother.
（かれはわたしの兄［弟］です。）
(2) He is good at baseball.
（かれは野球が得意《とくい》です。）

ポイント

① 人をしょうかいする文です。
(1)(2)は職業《しょくぎょう》などを表す英語に注意して聞きましょう。
(3)おばあさんが得意《とくい》なことを言っています。
② (1)IやyouとHeの区別に注意して選びましょう。
③ 絵の男の子をしょうかいする文です。(2)は男の子が得意《とくい》なものを言っています。

ポイント

②小文字は，上に出るb，d，f，h，k，l，tや，下に出るg，j，p，q，yなどに注意しましょう。
③絵の下の文字を見て，同じ形になるようにていねいに書きましょう。

英語 3 英語の文
あいさつ　62ページ

① (1)イ　(2)エ　(3)ア　(4)ウ
② (1) Hello
(2) afternoon
③ (1) Hi.　(2) Goodbye.

読まれた英語（やく）

①(1) Good morning.（おはようございます。）
(2) See you.（またね。）
(3) Good evening.（こんばんは。）
(4) Good night.（おやすみなさい。）
②(1) Hello.（こんにちは。）
(2) Good afternoon.（こんにちは。）
③(1) Hi.（こんにちは。）
(2) Goodbye.（さようなら。）

ポイント

①いろいろな場面や時間帯のあいさつの文です。絵をよく見て聞きましょう。
②英語の文は，最初の文字を大文字にしましょう。
③出会ったときのあいさつと，お別れをするときのあいさつです。文のはじめは大文字にしましょう。

英語 4 英語の文
I'm Saki.　I'm happy.　61ページ

① (1)イ　(2)ア　(3)ア　(4)イ
② (1) I'm　(2) tired
③ (1) I'm Ren.
(2) I'm hungry.

読まれた英語（やく）

①(1) I'm Mei.（わたしはメイです。）
(2) I'm happy.（わたしは幸せです。）
(3) I'm Shun.（わたしはシュンです。）
(4) I'm busy.（わたしはいそがしいです。）
②(1) I'm Yoko.（わたしはヨウコです。）
(2) I'm tired.（わたしはつかれています。）
③(1) I'm Ren.（わたしはレンです。）
(2) I'm hungry.（わたしはおなかがすいています。）

ポイント

①自こしょうかいの文です。
(1)(3)自分の名前を言っています。よく聞いて，聞こえた名前と合うほうの絵を選びましょう。
(2)(4)自分の気分や状態《じょうたい》について言っています。
②Iはいつでも大文字で書きます。
③(1) 名前は最初の文字を大文字にしましょう。

英語 5 英語の文
I like soccer.　I have a ball.　60ページ

① (1)ア　(2)イ　(3)イ　(4)ア
② (1) like　(2) want
③ (1) I like tennis.
(2) I have a racket.

読まれた英語（やく）

①(1) I like pizza.
（わたしはピザが好きです。）
(2) I have a watch.
（わたしはうで時計を持っています。）
(3) I don't like coffee.
（わたしはコーヒーが好きではありません。）
(4) I want a dog.
（わたしはイヌがほしいです。）
②(1) I like red.
（わたしは赤が好きです。）
(2) I don't want a cap.
（わたしはぼうしはほしくありません。）
③(1) I like tennis.
（わたしはテニスが好きです。）
(2) I have a racket.
（わたしはラケットを持っています。）

ポイント

①(1)(2)(4)好きなものや，持っているもの，ほしいものを言っています。
(3)好きではないものを言っているので，注意

←ていねいに引っぱってください。取りはずせます。

くもんの小学 5 年生の総復習ドリル

答えとポイント

＋

［ 最終チェック問題 ］

国語・算数

＋

［ 先取りドリル ］

●算数…21～18ページ
●国語…15～17ページ

❶ 答えが合っていたら，「できたシール」をはりましょう。
答えが合っていたら，まるをつけ，問題のところに「できたシール」（小さいシール）をはりましょう。（シールだけはってもよいです。）

❷ まちがえたら，ポイントを読んで，正しく直しましょう。
まちがえたところは，ポイントをよく読んで，もう一度やってみましょう。
英語は，読まれた英語（やく）で音声の英文とそのやくがわかります。
英文の内容《ないよう》を確《かく》にんしましょう。
正しく直せたら「できたシール」をはりましょう。

❸ 全問正解《せいかい》になったら，「合格《ごうかく》シール」をはりましょう。
「できたシール」を全部はれたら，
ページの上に「合格《ごうかく》シール」（大きいシール）をはりましょう。
ページ全体に大きなまるをつけてから，シールをはってもよいです。

❹ 算数と国語は，最終チェックで最後のおさらいをしましょう。
まちがえたところや，自信のないところは，最終チェックの問題を解《と》いて，最後のおさらいをしましょう。答えは「答えとポイント」の最後にあります。

英語の注意点
● なぞり書きや書き写すところは，答えを省略《しょうりゃく》しています。

算数の注意点
● 〔　〕は，ほかの答え方や，式のたて方です。

英語
40～36ページ
このページからはじまります。

算数
35～24ページ
35ページからはじまります。

国語
1～12ページ
反対側からはじまります。

しあげテスト
● 英語…36ページ
● 算数…23ページ
● 理科…22ページ
● 社会…14ページ
● 国語…13ページ

英語 1 復習《ふくしゅう》 アルファベット① 64ページ

② (1) a (2) e (3) h (4) l
(5) m (6) o (7) p (8) y
(9) B (10) C (11) I (12) N
(13) R (14) S (15) U (16) Y

ポイント できなかったら，ここを読んで直そう！
① アルファベットは，お手本を見ながら，線の長さや形に気をつけて書きましょう。
② 大文字と小文字の大きさや形のちがいに注意して書きましょう。

英語 2 復習《ふくしゅう》 アルファベット② 63ページ

① A B C D E F G
H I J K L M N
O P Q R S T U
V W X Y Z

② a b c d e f g
h i j k l m n
o p q r s t u
v w x y z

③ (1) pizza (2) banana
(3) house (4) doctor
(5) piano (6) cat
(7) girl (8) soccer